미드나이트

[Midnight]

윤연지 Katherine Yeon Ji Yun

1995년 02월, 광주광역시에서 출생했다.

자기 주도성이 강하고, 열정이 있고, 때로는 단순하고 소탈하기도 하며, 꿈 많고, 하고 싶은 것도 많은, 평범하고 젊은 사회인이다.

현재는 한국방송통신대학교 자연과학대학 보건환경전공에 편입하여 공부중이다.

2021년 7월 13일, 에세이 [도전으로 항해]를 출간하며, 작가로 데뷔했다. 이 외에도 다른 작품들이 있다. 지금까지 국내에 국한되어 왔다면 이제 해외로 더 넓은 곳으로 나아가려 한다.

이 책은 [도로에서 1시간]이후 두 번째 장편소설이다.

미드나이트[Midnight]

윤연지 장편소설

가장 먼저 하나님께 저의 모든 영광을 드립니다.
모든 것이 하나님의 은혜입니다.
지금의 저를 있게 해주신 스승님께.
스승님, 감사합니다.

목차

비즈니스
거울
분야를 넓혀가다.
세계 속으로.
인사와 개혁
세계적인 CEO가 되다.

시작

9월 중엽이었다. 유독 더웠던 이번 여름도 이제는 한풀 꺾였다. 여름철 특유의 덥고 습한 바람은 모두 사라졌다. 아침과 저녁으로는 쌀쌀해졌다. 일교차가 많이 나기 시작했다. 이제 제법 차가운 바람이 불기 시작했다. 하늘은 점차 높아지고 푸르렀다. 구름도 깨끗했다. 소나무와 은행나무와 함께 일상에서 쉽게 볼 수 있는 가을꽃인 코스모스들이 제법 많이 피어있었다. 단풍나무의 잎은 점차 붉게 물들어가고 있었다.

은행나무도 마찬가지였다. 땅바닥에 떨어진 은행나무의 열매가 터지면 특유의 고약한 냄새가 풍겼다. 기존의 일과 바닥에 떨어지는 낙엽을 치우는 일로 미화원들이 더 분주하게 움직이고 있었다. 사람이 잘 다니지 않는 곳에는 이미 꽉꽉 채워서 입구를 단단히 묶인 커다란 낙엽 보따리들이 상당히 쌓여있었다. 사람들도 이제는 여름옷을 거의 다 옷장에 집어넣고

긴소매의 옷과 트렌치코트 등 가을옷을 꺼내 입었다. 이제 일교차도 부쩍 많은 차이가 있다. 감기 걸리기 쉬운 날씨였다. 지연이는 이럴수록 자기관리를 더 철저하게 한다.

추석 명절을 앞두고 큰 마트, 백화점, 재래시장 등 모든 유통업계는 많이 분주했다. 추석 명절 선물용 과일과 생필품 등 많은 선물용 세트들이 대형 마트들의 메인 행사장에 자리했다. 선물세트를 알아보려는 사람들과 그것을 구입하려는 사람들을 오매불망 기다리고 있었다. 값비싼 선물들과 고급스러운 선물들은 백화점 오프라인 매장과 온라인에서 사전 주문제작과 예약, 고객들이 원하는 주소로 가능한 지역까지 배달하는 예약까지 한꺼번에 잡고 있었다.

전국에 있는 수많은 전통시장의 상인들은 추석을 앞두고 1천 원짜리 한 장을 더 벌기 위해 각종 과일과 명절 음식에 쓰일 재료들을 판매용 매대에 잔뜩 쌓아놓고, 물량을 충분히 확보해놓은 뒤, 판매하고 있었다. 물건을 싸게 판매하는 내용을 확성기 없이 자신의 큰소리로 외쳤다.

...

9월 15일 월요일이었다. 지연이는 이날 새벽 5시에 기상했다. 이날 하루만 그렇게 기상하는 것이 아니었다. 항상 월요일은 새벽 5시면 잠에서 깬다. 매주 화요일부터 금요일까지는 이보다 더 일찍 깬다. 새벽기도에 가기 위해서다. 지연이는 씻고, TV로 뉴스를 틀어놓았다. 매인 뉴스 위주로 현재 세상이 어떻게 돌아가는지 출근 준비하면서 두 눈으로 보거나 소리로 듣기도 한다.

아침 6시 반이었다. 지연이는 평소 회사에 출근할 때 들고 가는 가방에 소지품을 모두 넣은 뒤 개인용 노트북까지 다 챙겨서 집을 나섰다. 지연이는 정장을 제대로 갖춰 입었다. 가방과 노트북을 들고 집 밖으로 나섰다. 지연이가 간 곳은 집 앞 지하 주차장으로 갔다. 그녀는 직접 자신의 차로 갔다. 직접 운전하여 회사로 출발했다.

출근길 강변북로와 올림픽대로는 늘 막힌다. 출근하기 위해 너도 나도 직접 운전하여 회사로 이동하다 보니, 차들이 한꺼번에 도로로 나오니 어쩔 수 없는 현상이었다. 매일 똑같은 일상이었다. 평소 출근할 때 지연이는 그녀 명의로 된 롤스로이스 고스트를 직접 운전하여 회사로 출근한다. 아침 8시에 본사로 출근 완료했다. 서울에 주소를 둔 본사는 정말 거대했다. 수원에 있는 삼성그룹 본사 규모보다 더 컸다.

차는 회사 지하 주차장에서 비어있는 곳 중 그나마 넓은 공간에 대놓았다. 지연이는 차에서 내렸다. 엘리베이터를 이용해 본사의 가장 꼭대기 층에 있는 CEO 사무실로 도착했다. 그녀의 소지품이 들어있는 가방은 그녀의 업무용 책상 의자에 두었다. 그러나 지연이는 자신의 자리에 잠시도 앉을 틈도 없었다. 회사에서 정식 일과를 시작하기 전에 지연이는 서서 짧은 기도를 했다. 지연이가 한 기도는 감사기도였다. 사무실 안에서 지연이는 평소보다 아주 분주하게 움직였다.

지연이가 직접 해야 할 일들이 유독 산더미처럼 쌓여있었다. 오늘이 1년에 단 한 번만 있는 정기 총회를 준비하기 위해서다. 분주히 움직였다. 평소 지연이를 전담하는 비서들도 그녀의 움직임에 맞춰서 분주히 움직였다. 정기 총회의 장소는 본사 지하에 있는 대회의장이자 메인 컨퍼런스 홀이었다. 이곳이 본사에서 가장 큰 장소다. 여기도 오늘을 위해 사전에 설치되어 준비 완료한 곳이다. 지연이가 모두 세밀한 감독으로 만들어진 결과물들이다.

...

아침 10시였다. 서울 광화문 본사에서 보름 전부터 광고된 정기 총회가 시작되었다. 잠깐의 정막이 흘렀다. 긴장된 분위기였다. 미국과 캐나다 등 미주지역과 브라질, 페루 등 남미지역, 일본과 중국 등 아시아 전역, 영국, 독일 등 유럽 주요지역 등 세계 여러 나라 현지에 해외에 법인을 두고 운영 중인 수많은 현지의 회사와 동시로 진행되는 큰 정기 총회였다.

현지에서 근무 중인 수많은 현지인 직원들도 한국으로 가기 위해서 왕복 항공권 등 필요한 비용 등 큰돈을 안 쓰고 손쉽게 자국에서 한국 본부에서 열리는 정기 총회에 참석할 수 있도록 사전에 접속할 수 있는 링크를 각국의 사장단을 통해 보냈다. 마음 같아서 지연이는 회사에서 근무하는 모든 직원들과 함께 이 정기 총회를 진행하고 싶었다.

하지만 현실은 그러하지 않았다. 국내와 세계 현지에 근무 중인 최소 10만 명 이상에 달하는 모든 직원들을 한꺼번에 수용하고 거뜬히 감당할 수 있는 곳이 정말 마땅치 않았다. 부족했다. 그래서 이 일을 잘 대처하는 방법을 며칠을 공들여 동분서주하며 알아보았다. 그 방법이 사전에 미리 공중파 방송사에서 내보내는 뉴스나 실시간 중계처럼 라이브를 연결하였다.

다만, 해외에 법인을 둔 회사의 사장과 부사장 등 고위급 인사들은 총회가 있기 약 2~3일 전에 미리 현지에서 출발하는 항공편을 이용해 각국을 떠났다. 자신의 돈을 들여서 총회가 열리는 시간에 맞춰서 한국으로 들어온 것이다. 적게는 약 3시간에서 5시간, 많게는 약 36시간 비행을 하여 인천공항을 통해 한국에 입국했다. 오늘, 이 순간을 함께 했다. 그 사실을 알고 있는 지연이 또한 가만히 있을 리 없었다.

지연이는 평소에 영어를 모국어로 쓰는 원어민처럼 능통하게 사용 가능한 상황이다. 영어를 모국어로 쓰는 고위급 인사들은 지연이가 만나서 직접 상대하여 처리했다. 지연이는 시간이 되자, 정문으로 나와서 방문하는 고위급 인사들에게 인사도 직접 했다. 그들도 지연이를 만나기를 원했다.

하지만, 만약을 대비했다. 만반의 준비를 했어도 돌발상황이 언제 터질지 항상 긴장했다. 지연이는 총회를 위해 온 귀빈들을 위해 의전을 철저하고 세심하게 할 수 있도록, 작은 것에도 신경 써서 회의를 위해 온, 그들이 총회가 있는 기간동안 작은 것 하나에도 만족하고, 이를 통해 깊은 감동을 받고, 불편함 없이 고국으로 다시 돌아갈 수 있도록 꼼꼼하고 세심한 배려를 하도록 비서와 참모진들에게 일일이 지시했다.

오늘 총회에서 그녀가 메인이다. 해외에서 온 VIP들을 일대일로 전담하는 의전팀이 구성되었다. 또한, 이들이 총회에서 언어 때문에 지장이 없도록 일대일로 전담 마크할 수 있도록 전담 통역사를 붙였다. 뽑힌 통역사들은 모두 국제회의에서 각자 전공한 언어로 동시통역이 문제없이 가능한 국제회의 통역사들이다.

모국어 말고 각자 전공한 언어로 현지의 원어민처럼 유창하게 대화를 할 수 있는 능력자들이었다. 모든 통역사들이 직접 총회 본회의는 회의장 한쪽에 마련된 전용 부스로 들어가서 영어(미국식 영어와 영국식 영어 모두 한다)와 중국어, 불어, 스페인어, 러시아어 등 총 6개 국어가 동시통역으로 진행할 예정이다.

 이번 회의에 참석하는 모든 사람들이 서로의 언어 때문에 문제가 전혀 없도록 동시통역 시스템도 미리 구축해두었다. 설치하고 테스트까지 미리 마쳤다. 의전에 사소한 것까지 정말 세심하게 신경을 썼다. 또한, 회사로 들어오는 모든 입구에 오늘 정기 총회와 관련 회의를 위해 보안을 평소보다 더 강화한다는 안내문을 미리 붙여놓았다. 오해의 소지를 사전에 차단하기 위해서다. 또한, 총회에 발표될 중요한 사항이 사전에 유출되지 않기 위함이었다.

 회사 밖과 본사 내부로 들어오는 모든 입구에는 보안관의 수를 대폭 늘려 타사의 직원들과 사전에 허가된 기자 등 언론사 직원들의 출입과 외부인들의 출입에 관해 보안을 더 강화했다. 간혹 핵심임원들끼리 중요한 회의할 때 본사 안에 외부인이 들어와서 문제가 발생하여 여러 번 골치 아픈 적이 있었다.

 총회가 열리는 현장에서는 영어를 비롯해 6개 국어가 동시통역으로 진행된다. 하지만, 동남아시아 현지에서는 한국어와 영어를 각 나라의 말로 통역이 필요한 상황이었다. 힌디어나 태국어 등 전문으로 하는 사람들을 구하기 어려웠다.

 원활한 총회를 위해 동남아시아 현지에서 일하는 많은 직원 중에서 한국말 또는 영어를 가장 잘하는 사람들까지 소수를 뽑아서 오늘을 위해 한국말과 영어를 모국어로 동시에 통역하는 동시통역을 시켰다. 뽑힌 직원의 입장은 굉장한 이익이었다. 회사에서 평소 자신이 일해서 받는 월급에 오늘 통역한 만큼에 대한 보상을 추가로 더 받을 수 있었기 때문이었다.

 사회자의 진행에 따라 원활하게 흘러가고 있었다. 지연이는 총회 장소에 미리 도착해서 준비하고 있었다. 정시에 모두 모여서 듣고 있는 직원들의 눈에 보이지 않는 곳에서 자신의 차례를 기다리고 있었다. 한사람이 두 손으로 이동할 수 있는 원형 테이블에는 단단히 봉인해둔 봉투 2개가 가지런히 놓여있었다.

 그 봉투에는 이번 총회를 통해 새로 출시하는 신제품이 들어있었다. 신제품 발표하는 순간까지 외부유출 방지 등 보안 때문에 철저하게 봉인을 한 것이다. 그것에 대해 모든 것을 자세히 알고 있는 사람은 CEO인 지연이와 그것을 개발하고 만든 몇몇 연구원과 엔지니어뿐이었다. 이 사람들 말고 자세히 알고 있는 사람들은 아무도 없었다. 신제품이 나온다는 광고는 오래전부터 해왔기 때문에 이미 수많은 사람들이 알고 있었지만, 제대로 알고 있는 위의 사람들 말고는 아무도 없었다.

지연이는 신제품 관련 뉴스와 많은 언론사 기자들을 응대해 본 경험이 많아서 신제품을 공개하기 직전까지 기자회견에서 기자들의 예리한 질문에 요리조리 피해 가는 노련함을 보였다. 지연이의 두 손에는 중요한 내용과 자신이 직접 얘기해야 하는 다양한 멘트들과 총회 진행 순서들을 모두 적어둔 여러 장의 카드와 무선 마이크를 들고 있었다. 사회자의 소개를 받고 지연이는 단상으로 올라갔다.

지연이는 가장 먼저 그녀 앞에 있는 모든 사람들에게 먼저 고개 숙여 인사했다. 박수 소리가 들렸다. 지연이는 가장 먼저 인사했다. 그다음 마이크 들고 본격으로 시작했다. 그녀가 마이크 들고 말함으로 이번 총회의 본론이 시작되었다. 오늘 중요하고 핵심 내용을 PPT를 띄워 전하고 있었다. 갑자기 통신에 장애가 있어서 도중에 스크린 연결이 끊어졌다. 갑자기 화면이 이상해졌다. 지연이는 이 상황을 보고 유연하게 대처했다.

"살려주세요. 한국의 겨울 날씨가 많이 춥고, 간혹 눈이 많이 오는데 오늘따라 가을치고는 유독 추워서 통신선들도 꽁꽁 얼어붙었군요. 마침 오늘 일찍 끝내고 머리 식히러 경치 좋은 바다를 보러 밖에 나가볼까요?"

청중들은 지연의 말을 듣고 일부는 '네' 한 사람들도 있었지만, 대다수는 그녀의 능청스러운 농담에 웃었다. 시간이 한참 흘렀다. 모두가 궁금하고 가장 손꼽아 기다리고 있었던 신제품 공개 및 사용법 및 용도 등 제품을 소개하는 시간이 다가왔다. 지연이의 한 손에는 신제품이 담긴 잘 봉인된 봉투가 들려있었다. 청중들의 시선은 모두 그곳으로 집중되었다. 마침내 지연이는 봉인된 것을 모두 풀었다. 그 속에 있는 내용물을 꺼내서 두 손으로 들었다.

빠르고 숨 고를 틈도 없이 바람과 같이 변해가는 이 세상에 걸맞게 그 누구도 생각하지 못했던 혁신적인 신제품이었다. 이전에 본 적도, 경험해 본 적도 없는 새로운 제품이었다. 전자기기다. 이번에 새로 개발한 최첨단 기술을 모두 집어넣은 신제품이었다. 지연이는 신제품을 어떻게 사용하는지 말하면서 사용법을 직접 보여주었다. 새로 나오는 두 가지 제품 모두

다 똑같이 했다.

...

 한참이 흘렀다. 정기 총회를 마무리하는 시간이 다가왔다. 지연이가 직접 총회 마무리하는 것까지 직접 하였다. 오늘 사회를 본 사회자는 관객석 한쪽에 앉아 있었다. 비어있는 맨 앞자리였다. 지연이가 잘 보이는 곳에 앉았다. 총회 중간 쉬는 시간에 지연이는 사회자에게 자신이 직접 마무리하겠다는 의사를 미리 전했다. 보이지 않는 곳에서 마지막까지 기다리고 있던 사회자에게 배려 한 것이다.
 '마무리하러 강단에 나오지 말고, 오늘 총회 모두 끝나면 총회를 위해 온 본사 직원들과 해외에서 온 직원들과 함께 시간을 보내라.'는 내용이었다. 솔직히 사회자는 마무리하러 다시 나와야 하니 매우 긴장되고 떨렸다. 그걸 잘 알고 있었던 지연이는 미리 근처에 머물러 있었던 자신을 전담하는 비서를 불렀다. 지연이는 그 비서에게 위의 말을 사회자에게 전달하라는 말을 했다. 사회를 보는 사람에게 보내서 전한 것이었다.

"오늘 이 총회를 통해 여러분 모두를 볼 수 있는 것과 이 자리에 여러분과 함께하지 못했으나 해외에 나가 있는 직원들과 참여해주신 현지 직원들 모두에게 감사드립니다.
 함께 오랜 시간 동안 신제품과 그것에 적용할 기술 개발을 위해 연구해오고 애써주신 유관부서와 연구원들, 보이지 않는 곳에서 오늘을 위해 자리를 마련하고 힘써주신 모든 분들께 감사드립니다. 수고하셨습니다. 편안한 오후 되십시오."

 이 말이 끝나고 지연이는 그녀의 앞에 있는 모든 사람들에게 정중히 인사했다. 그녀가 허리 숙여서 인사함을 통해 총회는 모두 끝이 났다. 앉아서 듣던 많은 사람들 중 일부는 자기 자리에 일어서서 박수로 그녀에게 화답했다. 총회를 모두 마친 뒤, 지연이는 홀가분하고, 기뻤다. 한차례의 내적으로, 외적으로 힘겨운 싸움이 끝났다.
 오랜 시간동안 매달려온 신제품 개발에 성공하고, 이후 엄청난 까다롭고 수많은 테스트를 거쳐서 마침내 완성했다. 총회 자리에서 정식으로 공개하기 전, 지연이는 중앙정부에 총회를 개최하기 1주일 전에 미리 관련 사항들을 정부 관계자들에게 모두 보고 완료했다. 그것을 오늘 정기 총회라는 공식 자리에서 모두에게 소개하기까지 우여곡절이 많았던 그동안의 시간을 다시 돌아보면서 감정이 벅차올랐다. 지연이는 움직이지 않고 한동안 강단에 서 있었다. 모든 것에 감사함을 느꼈다. 그동안 있었던 기억들이 그녀의 머리를 파노라마처럼 스쳐 지났다.

총회가 끝나자 현장에 있는 사람들이 빠져나가기 시작했다. 사람들 간 교제도 있었다. 서로의 일상에 그동안 각자의 바쁜 업무로 인하여 자주 만나지 못했던 사람들을 만날 수 있어서 좋은 시간이었다. 사람들은 현장에서 퇴장하면서 입구에 미리 준비된 작은 답례품 한 개씩 챙겨갔다. 답례품의 내용물은 쿠키 4개와 백설기 떡이 하나씩 들어있었다. 여기에 스타벅스 커피까지 포함되어있었다.

한참이 흘렀다. 홀에 있던 사람들은 모두 퇴장했다. 각자의 업무를 보러 갔다. 일부는 밖으로 이동했다. 자신의 근무처로 가기 위해서다. 지연이는 자신의 소지품을 모두 챙겨서 총회를 위해 특별히 설치된 메인 컨퍼런스 홀에서 빠져나왔다. 끝나자마자 바로 퇴장했다.

오늘을 위해 참석한 주요 인사들이 지연이보다 먼저 출입구로 와서 지연이를 기다리고 있었다. 그녀에게 감사 인사와 함께 악수를 청하고자 했다. 자신이 총괄로 직접 이끌어서 정기 총회를 아무 사고 없이 무사히 잘 끝날 수 있는 것에 감사했다. 바로 지금 이 순간, 그녀에게 모든 것이 꿈만 같았다. 황홀했다. 자신이 직접 인도하는 총회를 문제없이 잘 끝낼 수 있음에 감사했다.

지연이는 그녀의 업무를 보기 위해 컨퍼런스 홀에서 회사 꼭대기 층에 위치한 CEO 전용 사무실로 출발했다. 서둘렀다. 그녀의 전용 사무실에 특별한 손님이 미리 약속된 시간에 맞춰 지연이의 CEO 전용 사무실로 오고 있었기 때문이었다.

지연이가 발걸음을 옮기자, 그녀를 전담하여 수행하는 비서 등 전담 수행원 3명이 뒤따라 붙었다. 함께 이동하기 시작했다. 오후에 업무 종료 후 저녁은 어떻게 하는지, 가벼운 농담이 오고 가는 화기애애한 분위기 속에서 대화가 끊임없이 이어졌다.

지연이와 그녀를 전담하여 보필하는 수행원들과는 이미 2년 이상 오랜 시간동안 함께 회사에서 동고동락한 사람들이었다. 이들은 짧은 시간이지만, 함께 좋은 일과 다양한 일들과 어려운 일 등 산전수전을 겪었다. 이제 시시콜콜한 농담에는 웃으며 넘기는 사이였다. 엘리베이터가 열렸다. 지연이는 발걸음을 옮겼다. 빠른 걸음이었다. 이동하면서 여유를 부릴 시간이 없었다.

마침내 지연이는 자신의 사무실에 도착했다. 지연이는 책상에 자신의 손에 있는 짐들을 두었지만 바로 책상에 앉지 않고 창가로 갔다. 그들은 한쪽에서 가만히 서 있었다. 복잡한 머리를 식히고 차분히 다음을 처리하기 위해 잠시 머리를 식히는 것이다. 자신들에게 어떤 업무 지시가 있을지 기다리고 있었던 것이다. 지연이는 그런 그들의 모습을 보고 이만 각자 업무들 보러 가도 된다고 말했다. 그녀의 비서는 자신의 업무를 처리하기 위해 잠시 비서실로 갔다.

지연이의 사무실은 세련되고 고급스러웠다. 서울 신라호텔 등 5성급 호텔에서 볼 수 있는 것처럼 느껴졌다. 굉장히 넓었다. 창밖으로는 나무들과 도심에서 볼 수 있는 크고 빽빽하게 들어서 있는 고층빌딩들과 잘 어우러져 있었다. 지연이는 창밖을 내다보았다. 그녀의 사무실 한쪽은 통유리로 되어있었다. 바쁘게 돌아가는 도시의 모습이 보였다. 늦은 오후였다. 창문을 통해 햇빛이 그녀의 사무실에 들어오고 있었다.

사무실 한가운데는 지연이가 직접 손님을 맞이할 수 있도록 구성되어 있었다. 그 앞에는 지연이가 업무를 보는 책상이 놓여있었다. 굉장히 세련되고 고급스러웠다. 사무실 한쪽 선반에는 그동안 그녀가 받은 수많은 큰 상의 상패와 트로피들이 놓여있었다. 보기 쉽게 잘 정리되었다.

또한, 꽤 많은 사진들이 한 장씩 모두 정성스럽게 액자로 되어 지연이가 직접 상을 탄 상장과 트로피들 옆에 놓여있었다. 액자도 값싼 것이 아니라 모두 견고하게 만들어진 좋은 액자를 선택했다. 정성스럽게 잘 해두었다. 하나하나 작은 것까지 빼먹지 않고 모두 신경을 써서 작업했다.

그 사진들은 모두 스승님과 지연이가 과거부터 최근까지 함께 찍힌 사진들이었다. 필요한 용건이 있어서 지연이의 전용 사무실에 들어오는 다른 사람들의 눈에 잘 띄고, 지연이의 눈에도 잘 띄는 위치에 있었다. 그 사진들을 보면 언제 어디서 어떤 일을 했었는지 그 사진을 보면 모두 기억이 난다. 눈에 잘 띄는 다른 한쪽에는 ccm 등 다양한 음악을 들을 수 있는 깔끔하고 좋은 스피커가 놓여있었다.

그 스피커는 블루투스 기능이 있었다. 핸드폰으로 연결할 수 있는 기능이 있었다. 지연이는 스피커가 있는 곳으로 갔다. 스피커의 전원을 틀었다. 이 기능을 이용하여 그녀의 핸드폰에서 평소 즐겨듣는 유튜브 J채널에서 가장 듣고 싶은 것을 틀었다. 가사가 머릿속을 스쳐 지났다. 그녀가 튼 것은 '믿음과 삶'이다.

...

지연이는 자신의 사무실에 들어와서 바로 특별한 손님을 그 누구보다도 최고로, 존경하면서 오늘 왔던 그 어떤 VIP들보다 귀하게 진심으로 맞이했다. 특별한 손님은 다름이 아닌 그녀의 스승님과 함께 보좌하는 참모진들이었다. 지연이가 모두 초대한 것이었다. 총회가 있기 일주일 전에 긴밀하게 연락해서 모두 협의 완료되었다. 지연이의 참모진까지 모두가 감사예배를 그녀의 CEO 전용 사무실에서 다 같이 드리기 위해서다.

지연이가 스승님을 직접 정성스럽게 모셨다. 또한, 그녀는 약 30분 전에 자신의 업무들을 보러 CEO 전용 사무실 옆에 있는 비서 전용 사무실로 비서들에게 미리 연락해두었다. 시간을 정확하게 맞춰 차와 다과를 준비해서 지연이가 있는 곳으로 왔었다. 지연이는 그들이 차와 다과류를 오래전부터 현재도 영국 왕실에 납품되며, 현지에서 애용하는 포트넘 엔 메이슨에서 나온 것으로 정성스럽게 준비하여 가져올 수 있도록 세심하게 말했다. 원래는 그녀가 직접 하는 것이 맞지만, 귀한 분을 두고 자리를 비울 수 없었기 때문이었다.

그녀의 머릿속에는 자신이 청년 시절 초라했던 시간부터 지금까지 스쳐 지나가는 수많은 생각과 감정들이 교차했다. 자신의 또래들보다 약 2년가량 일찍 사회생활을 시작한 것과 공부보다 사회에 나가서 지연이가 직접 행동해서 학교에서 절대 배우지 못하는 것을 직접 배워보겠다는 생각 하나로 학교를 완전히 떠나 사회로 발걸음을 옮겼었다. 지연이는 직장에 처음 입사해서 지금까지 겪었던 일들이 떠오르기 시작했다.

지연이는 19년이라는 오랜 시간동안 겪은 고초들과 힘든 시간을 그녀 홀로 감내했던 것, 모질었던 시간이 모두 끝나고 처음으로 갔던 교회에서 처음 뵈었던 스승님을 떠올랐다.

가진 것 없이 초라했던 자신을 지금 전 세계를 선도하는, 세계적인 기업을 이끌고 가는 CEO라는 높은 자리에 오를 수 있도록 성실함과 근면, 부지런함, 정직, 신뢰, 배려, 겸손, 아주 작은 일과 사소한 것에도 꼼꼼함과 세심함 사람 사이의 관계 등 기본과 밑바닥부터 철저하게 훈련을 받았다. 그 어디서도 받을 수 없는 정말 귀한 훈련이었다.

돈 주고도 절대 할 수 없는 내용이었다. 그 속에는 오직 주님, 오직 예수님이라는 확고한 믿음과 세상의 것 그 어떠한 것과는 타협도 하지 않았다. 매일 하루도 빠짐없이 교회에 와서 무릎 꿇고 기도하는 훈련이 포함되어있었다.

그와 함께 매일 교회에서 철저하고 성실하게 새벽, 저녁으로 최저 1시간 이상 2시간씩 모두 하나님께 상달되는 진실되고, 또 진실되게 통성으로 기도하는 것, 그 외 모두가 함께 저녁에는 직장 퇴근하고 성전에 달려와서 하나님의 일을 했었다. 지연이는 몸은 지치고 피곤해도 행복했다.

이 일에 관해 잘 모르거나 세상 사람들이 초라한 모습인데 꿈은 너무 크다며 지적하는 사람들이 있어도 지연이는 아랑곳하지 않았다. 그런 좋은 본보기가 되는 사람들이 있었기 때문이다. 그런 사람들이 있기에 지연이처럼 처음은 너무 부족한 사람들도 '나도 할 수 있구나' 희망을 가지고 기도하며 직접 뛰는 동기부여가 되었다.

그런 부족하고 초라했던 자신을 위해 그동안 했던 기도와 헌신과 많은 사랑을 주셨던 스승님이 너무도 감사했다. 스승님을 위해서라면 어떠한 것이든 전부 할 수 있다는 마음이, 진심이 우러나왔다. 진짜로 존경했다. 지금도 똑같다. 한결같았다.

다음은 기쁜 일과 슬픈 일들을 오랜 시간동안 함께 동고동락해온 동료들이 떠올랐다. 그다음, 자신과 그들의 피와 땀, 수많은 노력들이 함께 떠올랐다. 특히 스승님을 생각하면 생각할수록 그녀 홀로 소리 없이 눈물 흘렸다. 멈추지 않았다. 계속 눈물이 나왔다. 눈물이 나왔다. 지연이의 눈물이 뺨을 타고 한 방울씩 바닥에 떨어졌다. 그것을 참아내기 위해 지연이는 창문을 통해 펼쳐지는 광활한 환경을 쳐다보았다.

오후 6시 30분

저녁이었다. 오후 6시가 넘었다. 6시 정각이 되기 무섭게 회사에서 직원들 모두 칼같이 회사 밖을 나서기 위해 각자의 가방에 자신이 챙겨 온 소지품들을 주섬주섬 챙겼다. 학부와 대학원에서 듣는 수업과 정식 근무는 모두 끝났다. 하루 공식 일과가 끝난 지연이는 자신의 업무용 노트북을 서랍 속에 놓고서 서랍을 잠갔다. 아침에 회사 출근할 때 가지고 온 가방 하나 가지고 밖으로 나갔다.

큰 추위가 가고 나무에는 새로운 잎이 나왔다. 아직 잎사귀 색은 진한 녹색이 아니었다. 아직 연두색이었다. 아주 어린 새싹이었다. 사람들의 옷차림은 무거운 코트에서 제법 가벼워졌다. 다음날이 분명 평일인데 중앙정부에서 특별히 공휴일로 지정되었다. 모두에게 뜻밖의 좋은 소식이었다.

그녀가 일하는 회사는 30층짜리 고층빌딩 사옥이었다. 큰 기업이었다. 이제 막 인턴으로 입사한 지 얼마 되지 않았다. 그녀가 소속된 부서가 일하는 사무실은 20층 고층부에 있었다. 엘리베이터가 고장이 나거나 담당하는 업체가 와서 정기 점검하지 않는 이상, 계단을 이용하기는 힘든 위치였다. 따로 시간을 내서 운동하기 어려운 사람들은 다른 사람과 같이 엘리베이터를 타지 않고 운동 삼아서 일부러 계단을 이용하기도 한다.

퇴근 시간이 되자, 엘리베이터로 모든 직원이 한꺼번에 몰려나와 기다리는 만큼, 줄을 서서 기다렸다. 다들 엘리베이터를 타기 위해 오래 기다렸다. 지연이는 1층으로 내려가 회사 밖으로 나갔다. 한결같이 다들 퇴근만큼은 총알 같이 빨랐다. 중요한 일이나 업무들이 너무 많아 밀려서 모두 처리해야 하는 상황이 아닌데 야근해서 늦은 시간까지 오랫동안 사무실에 있는 것을 별로 좋아하지 않았다. 회사에서 야근하는 것을 좋아하는 사람이 누가 있겠는가?

지연이는 자신의 일들이 퇴근할 시간이 지나도 끝나지 않았다면, 자신이 맡아서 하고 있는 프로젝트나 업무의 마감기한이 다음날이면 모두 끝내서 제출해야 하는 상황이었다. 그럴 때만 보통 늦은 시간까지 회사에 남아서 일했다. 좋아서 늦은 시간까지 남아 있는 것이 절대 아니었다. 분주했다.

도심부는 이미 퇴근하는 사람들로 분주하고 혼잡했다. 태양은 저물어가고 노을이 온 세상을 비추고 있었다. 노을과 도심에 빽빽하게 들어선 고층빌딩들, 도심의 화려한 조명이 절묘하게 어우러졌다. 하나둘씩 조명이 켜졌다.

회사에서 평소 자신과 친한 사람들끼리 또는 자신의 친구들과 미리 연락해서 정한 장소에서 옹기종기 모이기 시작했다. 그들이 미리 약속한 자리에 모두 모이는 이유는 뻔했다. 함께 음식점에 가서 저녁 식사하고, 인근에 있는 호프집으로 가서 술 한잔하거나 영화관 가서 최신 영화를 보러 가는 경우가 많았다.

고단한 삶에서, 바쁘게, 같은 분야에서 모여서 헌법에 어긋나지 않는 선의의 방법으로 뫼비우스의 띠처럼 기간의 정함이 없는 무한한 경쟁하는 것을 통해, 서로를 이겨내면서 최고의 자리에 올라가야만 비로소 조금이나마 여유를 가질 수 있는 무한 경쟁상황이었다. 철저한 자기관리도 함께 동반되는 세상이다.

쉬고 싶어도 마음 편하게 쉴 수 없는 상황이었다. 독감이나 입원해서 수술을 받아야 하는 등 크게 아픈 것이 아니라면 출근해서 자신이 맡은 일을 해야했다. 연차가 쉽게 허가되지 않았다. 지금도 그렇다. 게다가 지금은 물질, 즉 돈이 없으면 각자의 일상을 살아갈 수 없고, 돈이 있으면 어지간한 것은 해결되고, 돈이면 전부인 이기적인 세상, 돈이 최고인 세상이 되었다.

자신에게 주어진 일이나 자신이 꼭 해야 하는 일이 아니면 무관심에 무책임한 일상이 되었다. 또한, 수도권 중심으로 벌어지는 여자를 혐오하는 생각으로 큰 식칼로 지나가는, 자신과 아무 상관이 없는 무고한 사람들을 무차별로 죽이는 칼부림 사건 때문에 늘 불안했다. 많은 사람들이 이 일로 인하여 걱정도 가득했다.

대부분 부모님들의 입장에서 절대 용납이 전혀 안 되는 일도 있다. 한가지 예시를 들자면 자신이 배 아파서 힘들게 낳은 자식들이 다 커서 성인이 되어 결혼하는 상황이다. 그중 아들이 결혼한다며 자신과 같은 성별인 남자를 데리고 와서 '이 사람이 자신의 아내다.', 또는 자신의 딸이 결혼한다며 자신과 같은 성별인 여자를 데리고 와서 '이 사람이 자신의 남편이다.'라고 주장하는 상황이다.

만약 본인에게 이러한 상황이 벌어지게 된다면 어떤 생각과 어떠한 기분이 들며, 다른 친척들과 지인들이 이 상황을 보게 된다면 뭐라고 설명을 할 수 있겠으며, 어떠하겠는가? 무조건 좋은 것만은 아니다. 세상의 가장 기본적인 도덕에서도 한참 어긋나는 일이다. 그런데 지금은 세계에서 상당한 나라들이 이미 이 동성애 찬성한다는 관련 법안을 통과시켜서 곤욕을 치르고 있는 나라도 있다.

국내에서도 이것과 관련된 법안을 통과시키기 위해 기를 쓰고 활동하는 사람들이 많이 있다. 이번 총선이 가장 관건이다. 우리 모두의 투표로 나라의 모든 운명을 결정짓는 상황이기에 심히 걱정되고, 위험한 상황이다. 만약 동성애가 우리나라 국회 본회에서 최종 통과된다면 진짜로 법이 되기 때문에 우리나라는 그때부터 큰 문제다.

이미 오래전부터 태국은 성전환 수술로 유명하다. 진짜 여자보다 트렌스젠더가 더 예쁜 경우도 있다. 이 수술을 받은 사람들이 자국에서, 세계의 내로라하는 각종 미인대회에 출전해서 우승하는 등 많은 생각을 하게 되는 상황이다.

이와 함께 국내에서는 실제 장애인과 노인처럼 사회적 약자들과 함께 그들도 약자로서 보호를 받아야 한다는 관련 법규를 통과하기 위한 세력들과 반대하는 세력들이 이 법을 통과시키지 못하기 위해 지금도 여전히 국회 밖과 내부에서는 무기를 사용하지 않고, 평화적인 방법으로 보이지 않는 전쟁을 하고 있다. 특히 미국에서는 이 법이 통과되어서 그에 따른 결과와 곤욕과 어려움을 일상에서 제대로 치르고 있는 상황이다.

만약 이 법이 우리 국회를 최종 통과된다면 우리는 어떻게 될까? 동성애가 들어오게 되면 어떠한 문란한 상황이 우리 사회에서 벌어지겠는가? 어떤 변화를 맞이하게 될까? 어떤 일상과 곤란한 상황을 치러야 할까?

밖에서 모르는 남자들이 자신이 여자라며 용무를 보기 위해 아무때나 여자 화장실로 들어오게 된다면 진짜 여자들은 혹은 남자들은 어떻겠는가? 성적으로 문란한 상황들이 우리의 일상에서 빈번하고 자연스럽게 벌어지고 있는데 대학교 공부를 하고 졸업한 지식인이라면 과연 가만히 보고만 있겠는가?

· · ·

어두운 밤이었다. 세상은 어둠으로 뒤덮었다. 밖은 아무것도 보이지 않았다. 다만 은은한 달빛만이 온 세상을 비추고 있었다. 기숙사에서 지연이는 그저 실내에서 집중하기 좋은 잔잔한 음악을 틀어놓고 입으로 기도하고 있었다. 다른 사람은 알아듣지 못하는 말로 중얼거리고 있었다. 지연이와 같은 기숙사를 쓰는 다른 사람들도 마찬가지였다.

손에는 아무것도 없었다. 빈손이었다. 각자의 손이 닿는 근처에는 물 한 병과 포도 모양 젤리 한 봉지나 알사탕이 조금씩 있었다. 지연이와 함께하는 다른 동료들도 지연이와 똑같이 입으로 중얼거리고 있었다. 그렇게 하는 사람들은 소수가 아니었다. 이 상황을 잘 모르고 지나가는 다른 사람들이 그들을 보면 자칫 미치광이로 착각할 수 있는 상황이었다.

미치광이가 아니라 모두 지극히 평범한 사람이었다. 집으로 돌아가면 다들 누군가의 소중한 가족이고 자식들이었다. 처음은 몰랐지만, 그들도 배워서 스스로 해낼 수 있는 지식과 힘이 생긴 것이다. 스스로 한 것은 단 한 개도 없었다. 그들도 지연이처럼 모두 처음 왔을 때는 지금처럼 어떻게 하는지 방법을 모르고 어린아이처럼 모든 것이 약했다. 누구나 적응하는 시간이 필요했었다.

배우기 위해 새로 들어온 사람들을 위해 기본은 스스로 할 수 있을 때까지 도와주는 사람들이 있었다. 보통 그들은 경험이 많은 사람들이었다. 그들이 기존 사람들처럼 어떻게 하는지 기본기부터 가르쳤다. 어린아이처럼 어르고 달래주기도 했다. 자신도 그런 과정을 거쳐서 지금의 모습으로 성장한 만큼, 그들도 자신이 처음 왔었을 당시, 받은 것 그대로 해주고, 스스로 할 수 있도록 도와주었다.

한 가지 아쉬운 점이 있었다. 간절히 하면 그럴 수밖에 없었다. 하지만 그것을 모르는 사람들이 태반이었다. 잘 모르는 사람들은 '아니, 쟤는 왜 저렇게까지 하는 거지?'라며 비판하는 사람들, '야, 그렇게 기도만 하면 되냐?', '네가 맨날 교회에 가니까 우리랑 놀 시간이 많이 없잖아, 우리랑 언제 놀아?'라고 말하는 친구들이 더 많은 것이다.

지연이와 그녀의 동료들이 하는 것은 비단 그들만이 하는 것이 아니라, 지금은 사회적으로 은퇴한 어르신들의 증언에 의하면 자신들도 지연이처럼 젊었을 때는 똑같이 했었다고 증언하고 있다. 지금으로부터 약 30년 40년 전만 해도 사람들이 거의 다 이렇게 신앙생활을 했었다. 지금은 그것이, 뜨겁게 기도하고, 금요일 밤, 늦은 시간까지 하는 철야 기도, 수요일 저녁 예배, 매일 새벽에 나와서 예배와 기도하는 사람들이 점점 없어져서 지연이가 하는 것이 신기할 정도로 보이는 것이다.

자신들이 젊었을 때는 음식이 너무도 귀했던 시절이었다. 밥 먹는 것이 귀할 정도였다. 인구도 폭발적으로 증가하는 시기였다. 전쟁 직후는 군부대에서 보급한 음식과 물자들이 아주 중요했다. 남은 음식 찌꺼기를 냄비에 모아 끓여 먹던 시절이 있었다.

해외로 물건을 수출하는 것보다 외국에서 수입하는 것이 훨씬 더 많았다. 또한, 세계에서는 우리나라를 지원해야 하는, 비교적 최근까지 우리나라의 입장에서는 원조를 받는 나라, 개발도상국으로 분류를 하던 시절이었다. 작년에 수확한 곡식들이 5~6월이 되면 모두 동이 났다.

그러면 먹고 살기 위해 먹을 것을 구하기 위해 산에 가서 나물을 구해오거나 나무껍질을 구해와서 냄비에 삶은 다음, 밥으로 만들어 먹거나 다양한 음식으로 만들어 먹었던 시절이 있는 등 너무도 가난했던 시대였다.

지금은 너무 흔한 TV와 사람들의 손에 너도나도 하나씩 쥐고 있는 좋은 스마트폰도 그때는 없었거나 새로 나온지 얼마되지 않아서 매우 귀하디 귀한 물건들이었다. 그것들과 혹은 집에 피아노 한 대씩 있는 집이면 부자 취급을 하던 시절이었다.

예전에 우리나라가 그랬던, 먹을 것이 매우 귀했던, 정말 찢어지게 가난했던 나라였다. 이 모든 것을 세운 사람이 건국 대통령, 이승만이 초대 대통령이 되어 자신의 핵심 인물들과 함께 모여서 가장 먼저 하나님께 간절하게 기도를 하며 세운 나라가 바로 우리의 조국, 대한민국이다. 이승만이 건국의 기초를 다지고 확실하게 다졌다면, 우리나라 경제를 발전시킨 결정적인 인물이 박정희 대통령이었다. 잘못한 것도 많았지만, 분명 잘한 것도 있다.

군사정권에는 통금시간이 있어서 밤 11시가 넘어서 새벽 시간에는 누구도 밖에 못 나간다. 그러니 이 시간에는 밤 10시부터 새벽 5시까지 교회에 모여 다 함께 밤 세워 함께 뜨겁게 기도했다. 밤을 꼬박 뜬 눈으로 세워서 새벽에 동틀 때까지다. 오직 기도하는 것밖에 없었다. 그것 말고는 방법이 없었다.

하나님만을 찾고 뜨겁게 부르짖으며 기도했다. 새벽 기도도 있었다. 외국에서는 찾아볼 수 없는 것들이다. 철야 기도회, 새벽 기도등 우리가 만들어서 더 간절하게 하나님을 찾고, 붙들고 더 간절하게 기도를 했었던 것이다. 그랬기에 지금은 애플과 경쟁하는 다국적기업인 삼성이 나왔으며, 전 세계인들이 인정하고, 타고 다니는 현대, 기아 등 수많은 글로벌 다국적 기업들이 나온 것이다.

군사정권 시대에서 여자들은 교사나 간호사가 되려는 수재가 아닌 이상 가부장적인 영향으로 대학공부를 잘 시키지 않는 집들이 많았다. 일정한 나이가 되면 바로 결혼시키려는 집들이 많았다. 하지만 지금은 시대가 완전히 변했다. 다른 나라처럼 잘살게 되면서 너도나도 누구나 대학교 가서 원하는 전공을 선택하여 공부하는 세상이 되었다.

음악과 미술을 공부하는 사람들 일부는 경제가 넉넉하다면 주로 유럽으로 유학 다녀오거나 일부 수재들이나 더 많고 깊은 공부하고 싶은 뜻이 있는 사람들도 미국 아이비리그 등 이름만 들으면 다 아는 해외의 유명한 대학원으로 유학 가서 석사나 박사학위를 받아오는 시대가 되었다.

지연이는 선조로부터 물려받은 신앙의 유산이 전혀 없는, 신앙의 기초부터 모든 것을 시작해야 하는 아주 평범한 가정에서 태어났다. 초등학교 입학하기 전까지 지연이는 정말 행복하게 지냈다. 다른 사람들과 전혀 뒤처지지 않았다.

하지만 이 이후로 그녀는 성인이 되기까지의 모든 과정은 순조롭지 않았다. 살아온 삶 그 자체가 그녀와 같은 젊은 사람들치고 마치 오랜 세월 한 분야만 깊게 파 온 전문가이거나, 삶의 지혜가 있는 어르신처럼 파란만장하고 인생의 잔뼈가 많았다.

밤 10시

평소 학교 수업을 마치면 지연이는 친구와 함께 보내는 시간보다 혼자서 보내는 시간이 더 많았다. 보통 학생들은 학교에서 보는 중간시험과 기말시험이 모두 끝나면 친구와 함께 노는 것을 더 좋아했다. 하지만 지연이는 아니었다. 평소에 항상 소극적이었다. 평소에 이성인 사람들이 자신의 주변을 지나가면 고개를 들지 못할 정도로 소극적이었다. 이 소중한 친구들과 함께해야 분식집이나 일반 음식점에 가서 밥을 먹을 수 있을 정도로 소극적이었다. 친구가 없으면 지연이 혼자 있는 시간이 많았다.

다만, 지연이가 가장 좋아하는 것은 따로 있었다. 그것은 주중 저녁에 예배가 있는 날은 오후에 학교 수업이 다 끝나면 바로 교회로 달려갔다. 시골에서 어린 시절을 보내면서 학교 다녀오면 거의 놀았다. 공부하는 것보다 노는 것이 더 좋았다. 그럼에도 중학교는 공부를 꽤 잘한 편에 속했다. 주말에는 무조건 교회로 달려갔다. 주말에 학교 가는 날이 있는데 만약 교회 가는 시간이랑 겹치면 학교에 가는 것을 포기하고 교회로 갔다. 미련이 없었다. 전혀. 후회는 없었다.

그녀의 선택이었다. 월요일이 되면 1달에 한 번씩 전체 학생들이 학교 앞 운동장에 모이는 조회시간이 있었다. 그때 주말에 학교 안 온 사람들은 모두 운동장 맨 앞으로 나오라고 교장 선생님이 호통을 쳤다. 그러면 지연이는 거의 항상 밖으로 불려 나갔다. 처음은 이 상황이 지연이는 부담스러웠지만, 오직 그때뿐이었다. 불려 나가서 전 학년 학생들이 서 있는 운동장 앞에서 혼났다. 전체 학생들 앞에서, 선생님들 앞에서 혼나는 것이 민망한 일이지만 지연이는 그때 그뿐이었다.

또한, 매일 기도하는 것과 예배를 드리는 것만큼은 필사적으로 사수했다. 목숨처럼 중요하게 생각했다. 예배를 사수하고자 학교 수업을 포기해서 학교에서 혼나는 것 등 손해를 보는 것은 전혀 아랑곳하지 않았다. 오히려 감사하게 생각했다. 지연이는 예배와 매일 기도하는 것을 가장 우선순위로 하는 만큼 정말 중요하게 여겼다.

지연이에게 예배와 매일 하루에 2~3시간씩 기도하는 것은 그 어느 것과도 바꿀 수 없는 귀한 자산이었기 때문이었다. 성령은 돈 주고 살 수 없는 너무도 귀한 것이다. 성령만큼은 떠나가지 않도록 매일 기도, 계속 기도한다.

...

밤이 되었다. 지연이 혼자였다. 어느새 지연이는 고등학교 졸업반인 19살이었다. 이미 수년 전부터 그녀의 부모님 모두 편찮으셨다. 더 정확하게는 중학교 때부터였다. 지연이는 아픈 부모님을 지켜보며 옆에서 학교 공부를 이어오고 있었다. 그런 바람에 방황한 나머지 성적도 떨어졌다.

이미 '암'이라는 큰 병을 앓고 있었는데 여기에 백혈병까지 찾아온 어머니의 병세가 심해져서 병원에 입원하게 되면 언제 터질지 모르는 비상 상황 때문에 지연이는 친구와 함께하고 싶은 것도, 같이 놀고 싶은 것도 때로는 참고, 절제해야 했다. 위독해지면 병원에 급히 가야 했기 때문이다.

지연이의 아버지는 오랫동안 '암'이라는 병마와 싸워와서 힘이 없고 제대로 드시지 못했다. 몸에는 뼈밖에 없었다. 이제 혼자 걷는 것도 매우 힘들었다. 휠체어에 타는 것이 쉽게 이동할 수 있는 상황이었다.

이제는 면역에 문제가 생겨서 더이상 스스로 피를 만들어 내지 못하는 상황이 되었다. 정기적으로 외래 진료가 있는 날이나 정기적으로 수혈을 받으러 병원에 가는 날이 되면 차로 병원에 갔다. 아버지가 주로 가는 병원은 서울대학교 병원이었다. 서울 도심부 진입 초입에 있어서 병원까지 진입은 쉬웠다. 일단 병원 주 출입구까지 차로 운전해서 바로 갈 수 있다. 문제는 그 이후였다.

도착해서 지연이가 가장 먼저 내려서 병원 입구 근처 안내 데스크 근처에 비치된 휠체어 하나를 가지고 왔다. 아버지를 부축해서 휠체어에 앉힌 다음 병원 안으로 들어갔다. 검진과 진료를 받는 것이 낙상 사고와 만일의 사고를 막을 수 있었다.

평소는 아파서 음식을 잘 드시지 못했다. 아버지의 건강을 위해 평소 좋은 음식을 해드리는데도 제대로 먹지 못했다. 그런데 갑작스러울 정도로 마지막 일주일 동안은 잘 드셨다. 정말로. 때로는 '갑자기 왜 이렇게 잘 먹는 것일까?'하는 의심이 들 정도였다.

어느덧 6월이 되었다. 여름이다. 6월에 아버지의 생일이 다가오고 있었다. 다가오는 생일에 가장 먹고 싶은 음식을 먹으면서 함께 하자는 말씀도 했다. 자신도 그러고 싶은 마음이 있었다. 가족들과 제대로 된 식사를 제대로 해본 적이 없어서 단 한 번이라도 함께하고 싶은 마음이 더 간절했다. 기대도 나름 했다. 지연이 개인적으로.

아버지가 직접 얘기했다. 지연이와 어머님은 그 말에 당연하다는 말을 했다. 그녀는 그렇게, 아버지와 함께 하루라도 제대로, 가족답게 서로 사랑이 느껴지고, 행복하게 보내고 싶었다. 너무도 간절했다. 가족끼리 서로 바쁜 시간으로, 병간호로, 서로의 일상에 치여 살았다. 그로 인하여 그동안 함께한 시간이 별로 없었다.

하지만 결국 그것은 현실로 이루어지지 않았다. 생일을 맞이하기 이틀 전이었다. 늦은 밤이었다. 진날부터 극심한 복통을 호소하며 너무 아파하셨다. 먹었던 음식은 모두 배설물로 나왔다. 내부에서 소화가 전혀 되지 않았다. 움직이는 시간보다 수면에 드는 시간이 더 많았다. 처음은 몰랐다. 하지만 계속 이런 모습을 보이자 지연이는 두려웠다. 느낌이 썩 좋지 않았다. 어머님도 마찬가지였다.

결국은 119에 전화했다. 거동이 전혀 안 되었다. 다른 사람들이 직접 부축을 해도 소용이 없었다. 앰뷸런스를 불렀다. 집과 가까운 큰 병원의 응급실로 갔다. 감염의 원인으로 많은 사람들이 한꺼번에 응급실로 들어갈 수 없는 상황이었다.

오직 보호자 한 명만이 구급차에 환자와 같이 탈 수 있는 상황이었다. 지연이는 혹시 몰라서 마음의 준비를 단단히 하고 있었다. 알게 모르게 긴장이 많이 되었다. 걱정되었다. 매우 불안했다. 현장에서 어떻게 될지, 어떻게, 적절한 조치 내려지고 있는지 알고 있는 것은 아무것도 없었다.

낮에 서울에 있는 한 작은 회사에서 일하고 있을 때 위독하다는 연락을 받고 서울대학교 병원으로 급히 달려간 적이 있었다. 지연이와 같이 일하는 직장 동료 중에서 가장 나이가 많은 직원이 지연이에게 조언을 해주었다. '지연이 네가 마음의 준비를 단단히 하고 있어야 한다'고. 혹시나 했다. 처음은 이 뜻이 무슨 뜻인지 잘 몰랐다. 이해가 잘 안 되었다.

지연이는 집에서 기다리고 있는 동안 지연이는 자신의 것과 어머니의 여벌 옷과 칫솔과 치약, 담요 등 필요한 물건들도 모두 가방에 챙겼다. 혹시 모르니 아까 말한 품목을 모두 준비하고 다시 병원에서 지연이에게 연락을 줄 때까지 기다리고 있으라는 연락을 받았다. 병원 응급실 상황은 더욱 급박했다. 정말 급박하고, 치열하게 돌아갔다. 너무 치열했다.

꺼져가는 한 사람의 생명을 살리기 위한 의료진들의 손길들이 매우 분주했다. 지연이는 집에 남아서 혼자 기다리고 있었다. 초조했다. 불안했다. 걱정되었다. 한 곳에 가만히 있지를 못했다. 계속 서 있었다. 주변을 계속해서 왔다 갔다 했다. 지연이는 자신의 폰을 계속해서 들여다보았다. 잠시라도. 생일까지라도 좋으니 제발 다시 살 수 있기를 바라고 또 바랐다. 병원에서 연락이 다시 올 때까지 기다리는 시간 1분 1초가 마치 1시간 같았다. 100시간과도 같았다. 시간이 오래 걸리는 것처럼 느꼈다.

처음에 준비를 단단히 하고 있으라는 말에 지연이는 무슨 뜻인지 이해를 제대로 하지 못했다. 그냥 그 말을 있는 뜻 그대로 받아들였다. 어떻게 될지 걱정되고 또 긴장되었다. 지연이는 이제야 그 말이 비로소 이해가 되었다. 그 말을 떠올리고 흔들리지 않았다. 침착했다.

잠시 시간이 지났다. 지연이의 폰에 모르는 번호로 전화가 왔다. 지연이의 아버지가 응급실에 실려 간 병원이었다. 응급실에서 전화한 것이다. 아버지의 사망 소식을 전하기 위해 지연이에게 전화한 것이었다. 그 소식을 듣고 지연이는 모든 것을 잃어버린 것처럼 머리가 새하얗게 되었다. 모든 것이, 전부 다 무너졌다. 생일날 모두가 한자리에 함께 할 줄 알았다.

통화 종료한 뒤, 지연이는 멍해졌다. 망치로 머리를 세게 맞은 것 같았다. 마치 총 맞은 것 같았다. 이내 정신 차렸다. 그녀는 직접 준비한 가방을 챙겨서 집 밖으로 나섰다. 침착하게 택시를 불렀다. 새벽 1시가 넘은 시간에 병원까지 바로 이동할 수 있는 수단은 택시밖에 없었다. 버스나 지하철은 모두 끊겼기 때문이다. 지연이는 집 밖으로 나왔다. 손에는 짐이 많았다. 택시가 오기를 기다렸다. 지연이는 택시로 황급히 병원으로 이동했다. 15분이 지났다. 마침내 응급실에 도착했다. 응급실에서 야간 당직 근무 중인 한 직원이 지연이에게 다가왔다. 지연이에게 말 걸었다.

"무슨 일로 오셨나요?"
지연이에게 말했다.
"저 병원 응급실에서 연락을 받고 바로 왔어요."
"따라오세요."
지연이의 말을 듣고 그 직원은 지연이를 응급실 내부로 인도했다. 지연이는 그 사람이 인도하는 길을 따라갔다.

그 직원이 인도한 곳은 응급실 내부에 그녀의 부친이 있는 현장이었다. 응급실 내부에 따로 공간이 있었다. 그곳으로 들어가는 입구에 편찮으신 어머니가 휠체어에 앉아 울고 있었다. 사망 소식을 접하고 충격으로 이미 한차례 쓰러졌다. 지연이는 그 모습을 보고 놀랐다. 지연이는 집에서 가져온 짐은 입구에 놓고 다시 모친과 함께 들어갔다.

지연이가 부축해서 함께 그 공간으로 다시 들어갔다. 그녀의 아버지는 이미 하얀색 천으로 머리끝까지 덮여있었다. 지연이와 같이 아버지의 머리 부분을 들추어 열었다. 하지만 세상을 떠난 지 얼마 되지 않아서 신체에 온기는 아직 남아 있었다.

지연이는 아무 말 없이 그저 눈물 흘렸다. 말을 하지 못했다. 아니, 할 수 없는 상황이었다. 그동안 효도 한 번 제대로 하지 못하고, 잘해드리지 못한 것에서 오는 자책감과 이렇게 허무하게 떠나신 것과 완치된 이후 미래에 대한 행복한 상황을 생각하고 꿈을 꾸었는데 그러지 못한 것 등 많은 생각이 들었다. 그동안 잘해드리지 못해서 자신이 불효자인 줄로, 죄인인 줄로 생각했다.

그녀 앞으로 아버지의 부고장이 날아왔다. 병원에서는 그녀에게 사망진단서 10장을 주었다. 응급실 진료비를 모두 계산하고서 영수증과 세부계산서와 함께였다. 이제 하늘로 떠나보내기 위한 세상에서의 마지막 정식 절차를 밟았다.

...

아비의 장례가 모두 끝난 뒤, 얼마 지나지 않았다. 몇 년 전부터 백혈병으로 오랫동안 투병 생활을 이어오던 지연이의 어머니 또한, 위독한 상태로 서울 한양대학교 병원에 입원한 생태였다. 마침 학교는 방학 중이라 지연이는 병원에 와서 어머니를 간호하고 있었다.

입원해도 평소 밤 10시가 넘어가면 어머니도 지연이를 위해 기도하고 있었다. 지연이는 그런 어머니에게 "엄마, 너무 무리하지마. 지금 엄마 너무 아프잖아"라고 한마디는 했다. 하지만 어머니는 미소로 지연이에게 화답하시고는 했다.

"아니다. 엄마는 아파도 이렇게 기도하는 것이 가장 행복하단다. 지연이 니가 꼭 세계적인 인물이 되거라. 그것이 이 엄마의 소원이란다."

"엄마! 제발……."

지연이는 아파도 기도하는 것이 가장 행복하다는 어머니의 말을 듣고서 이제 더는 기도할 때 말리지 않았다. 어머니는 며칠이고는 그렇게 기도했다. 먹은 것이 없어서 뼈밖에 남지 않았다. 먹지 못해서 삐삐하게 말랐다. 나중은 움직이는 것이 힘들었다. 밤 10시가 넘은 시간이었다. 지연이는 어머니를 환자용 침상 옆에 있는 보호자용 간이침대에서 자리를 지키며, 하루는 간호하다 지쳐서 쓰러져 잠이 들었다.

잠시후였다. 갑자기 '쿵'하는 소리가 들렸다. 지연이는 분명 그 소리를 들었다. 그 소리는 분명 자신을 위해 기도하는 어머니의 움직임이라. 어머니의 몸이 말을 듣지 않아서 몸으로 움직인 것이다. 이제 더이상 몸이 말을 듣지 않았다. 몸으로 지연이에게 가려다 침대에서 바닥으로 떨어진 것이다. 지연이가 잠이 든 사이였다. 지연이의 한쪽 손이 어머니의 몸에 깔렸다. 그래도 지연이는 그것을 참았다.

시간이 지나자 지연이의 팔은 쥐가 났다. 하지만 지연이는 참았다. '아픈 어머니가 자신을 위해 생명을 걸고 기도하는데 이정도는 참자.'는 상각이었다. 꾹 참았다. 그녀의 어머니는 듣지 않는 자신의 몸을 간신히 자신에게로 옮겨와서 자신의 손을 지연이의 가슴에 얹었다.

"지연아……. 반드시……전 세계를 끌고 가는…세계적인 하나님의 사람이 되거라…세계적인 하나님의 사람으로…세계적인 부흥강사가…세계적인 CEO가…되거라…세계적인 주의 종이 되거라…꼭 크게 성공하거라……."

세상을 떠나기 직전이었다. 방금 했던 어머니의 말이 마지막 대화가 될 줄은 꿈에도 몰랐다. 하나님께 드리는 예배를 사수하고, 매일 2시간 이상 기도하라는 말과 아버지와 어머니의 마지막이자 유언이 될 줄은 지연이도 전혀 몰랐다. 꿈에도 생각하지 못했다.

그 시간을 넘기지 못하고 결국, 그녀의 어머니마저 세상을 떠났다. 지연이는 어머니가 다시 잠든 줄 알고 옆에서 일어선 순간이었다. 고개를 푹 떨어트렸다. 힘없이 떨어트렸다. 지연이는 어머니를 돌아보았다.

"엄마?"

지연이는 침대에 눕히고서 자신의 손을 코끝에 댔다. 지연이의 어머니는 이제 더이상 숨을 쉬지 않았다. 지연이의 품속에서 기도하다 숨을 거두었다. 이미 세상을 떠났다. 이제 지연이는 혼자가 되었다.

혼자 모든 것을 수습하고 장례를 준비하고 있었다. 그런 사이 지연이의 남아 있는 가족들이 황급히 달려왔다. 소식을 들은 것이다. 이 사실을 알게 된 지연이의 큰아버지가 그녀를 거두어 키우겠다고 했다. 일주일이 지났다. 지연이의 부모님 장례도 모두 끝났다.

어머니의 장례를 모두 마무리한 뒤로, 꼬박 한 달이 지났다. 본가에서 모두 수습을 마쳤다. 지연이는 그녀가 살 수 있는 보금자리가 더이상 없었다. 사라졌다. 모든 것이. 지연이는 자신이 가진 것이 더이상 없었다. 지연이는 집에서 입을 옷과 외출복 몇 벌과 그녀에게 필요한 위생용품을 커다란 배낭에 챙겼다. 그 가방을 등 뒤에 메었다.

지연이가 간 곳은 충주 시외버스 터미널이었다. 버스와 도보를 이용해서 그곳으로 갔다. 고속버스를 타고 대구로 갔다. 충주역에서 대구로 바로 가는 기차가 거의 없었다. 지연이가 탄 버스는 대구 시외버스 터미널을 거쳐 부산으로 가는 우등고속버스였다.

대구로 가는 버스 안에서 지연이는 혼자 혼란스러웠다. 막막했다. 절망스러웠다. 어떻게 다시 시작해야 할지, 어떤 것부터 해야 할지 망설이게 되었다. 미래를 고민하면서 대구로 갔다. 한치의 앞을 볼 수 없는 암흑과도 같았다. 오늘은 살아가지만, 내일의 일은 알 수 없었다. 아무도 알 수 없었다. 지연이의 미래에 대해 모두 알고 있는 사람은 아무도 없었다.

그녀 혼자 생각에 잠겼다. 생각하며 가다가 지쳐 도중에 잠이 들었다. 4시간하고 30분이 더 흘렀다. 어느덧 지연이가 탑승한 버스는 대구 시외버스 터미널에 도착했다. 지연이는 버스에서 내렸다. 그녀의 두 발이 대구 시외버스 터미널 플랫폼에 닿았다. 대구에서 불어오는 공기는 서울에서 불어오는 공기와 달랐다. 지연이는 나가는 길을 찾았다. 계단을 따라 올라갔다. 대합실로 연결되는 계단이었다.

이미 그녀의 큰아버지는 시외버스 터미널 대합실에 나와 있었다. 그곳에서 지연이를 기다리고 있었다. 지연이는 그곳에서 큰아버지를 만났다. 둘은 함께 그의 집으로 갔다. 지연이는 큰아버지와 함께 살게 되었다. 그러나 지연이는 그곳에서 사는 것이 별로 좋지 않았다.

일상을 생활하는데 필요한 물질과 학생으로서 공부하기 위해 학원 다니기 위한 부분에서 필요한 돈은 부족한 것 없이 정말 풍족했다. 하지만, 한 가지 단점이 있었다. 그것은 교회에 가서 마음껏 기도할 수 없는 것이었다. 학생으로서 공부하는 것 이외에 지연이가 잘하는 것이자 가장 중요하게 생각하는 것이 매일 기도하는 것이었다.

매일 기도하지 못하는 것은 곧 죽음과도 같았다. 지연이의 큰아버지 또한, 그녀가 학교에 다녀오면 매일 교회에 가는 것을 알고 있었다. 부모님이 교회를 위해 일해오다 고생하는 모습을 봐왔기 때문에 전혀 모를 리 없었다. 지연이보다 더 잘 알고 있었다.

지연이의 큰아버지가 하루는 지연이에게 물어봤다.
"지연아 너 학교 수업 다 끝나면 집으로 오는데 저녁만 되면 어디 다녀오길래 항상 밤늦은 시간에 2~3시간이 지나서 일정한 시간이 되면 집에 들어오냐?"

"교회에 들러서 매일 2~3시간씩 기도하고 와서요. 학생으로서 학교에서 공부하는 시간이 끝나면, 부모님이 평소에 매일 빠짐없이 교회 가서 하나님께 매일 최소 2시간씩 기도하라 하셨고, 돌아가시기 전에도 매일 2~3시간씩 교회에서 기도하라는 유언을 남기셨어요."

"뭐? 기도?! 학생이 무슨 맨날 교회 가서 기도야!! 기도는 대학 가서도 충분히 할 수 있잖아! 지금 너한테 가장 중요한 것은 공부하고, 수능 시험 잘 봐서 명문 대학에 좋은 전공으로 가는 거야!!

큰아빠가 지금 힘이 있고 너를 밀어줄 때 공부 열심히 해서 좋은 직장에 취직해서 승진하고, 사회에서도 어느 정도 위치가 되면 지연이 네가 하고 싶은대로 충분히 할 수 있잖아, 큰아빠 아는 사람들이 대부분 대학교 총장이나 이사장들이야. 너는 출세할 수 있는 길이 열렸다고! 교회는 일요일 하루만 종교적인 행사로 가도록 해."

"큰아빠! 그 마음은 저도 충분히 이해가 돼요. 학생으로서 공부하고 공부 잘하는 것은 제가 해야 하는 당연한 일이고, 도리이지만, 인생에서 공부가 전부는 아니잖아요"

지연이는 이 말을 들으면 들을수록, 집안의 핍박이 와도 아랑곳하지 않았다. 교회 가는 것으로, 기도하는 것 등 믿음을 타협하면 할수록 결국 지연이의 손해였다. 기도는 매일 빠짐 없이 해야 패턴을 잃지 않을 수 있다. 아파도 했다. 아프면 평소 하는 분량의 절반은 무조건 했다.

목숨처럼 중요시했다. 무슨 일이 있어도 그것만큼은 지켰다. 새벽과 저녁에 가서 각 1시간씩 했다. 새벽에 하지 못하면 밤에 가서 못한 것까지 모두 했다. 혼자 방에서 기도할 때, 때로는 펑펑 울면서 기도한 적도 많았다. 지금이 힘들지만, 절대 포기하고 싶지 않았다. 여기서 자신의 모든 것이 끝나고 싶지는 않았다.

어느 날 밤이었다. 밤이 깊었다. 밤 10시가 넘었다. 자정을 훌쩍 넘은 시간이었다. 큰아버지와 다른 식구들은 이미 깊이 잠들었다. 보통 큰아버지는 밤 10시 정도 되면 거의 무조건 취침에 들어갔다. 평소 취침 시간이 일렀다.

다른 가족들도 늦으면 밤 11시 안으로 취침에 들어갔다. 지연이의 큰아버지는 부대에서 별을 단 장군이었다. 그의 가족들에게 부대에서 볼 수 있는 규칙을 자신의 가정의 형편에 맞게 변형해서 '적어도 11시까지는 취침할 것'이라는 규칙을 적용한 것이다.

　하지만 지연이는 혼자 잠을 자지 않고 있었다. 방에 있었다. 지연이는 이 때만을 손꼽아 기다리고 있었다. 그녀는 집에 있는 빈 A4 용지와 편지봉투를 들고 그녀의 방으로 왔다. 그 종이에 직접 연필로 꾹꾹 눌러 큰아버지에게 긴 글의 편지를 썼다. 지연이는 모두 쓴 편지를 큰아버지가 쉽게 볼 수 있도록 거실의 식탁에 놓아두었다.

큰아버지께…….

안녕하세요. 저 지연이에요.

직접 큰아버지 얼굴 뵈어서 말씀드리는 것이 맞는 일이지만, 그러지 못하고 정말 예의 없이 이 글을 써드린 점 죄송합니다.

저의 부모님이 모두 돌아가시고 장례와 이 이후로 혼자인 저를 직접 거두어서 대구의 집으로 데려가셔서 지금까지 보살펴주고 키워주셔서 감사했습니다.

큰아버지 말씀대로 학생으로서 열심히 공부하여 대학교 가는 것은, 지금 제가 학생으로서 해야 하는 일이며, 마땅한 도리이나 학교 끝나고 교회로 가서 매일 2~3시간씩 기도하지 않고서는 도저히 살 수 없습니다. 저는 그것이 가장 행복해요. 큰아버지, 큰아버지께 많이 부족하지만 매일 교회 가서 기도하는 것만큼은 이해해주세요.

학생으로서 취직할 수 있는 직장이나 아르바이트에 가서 저 홀로 살아가는데 필요한 돈을 벌면서 끝까지 고등학교 잘 마치고 대학 가서 4년 동안 저의 전공 공부 잘 해내겠습니다. 취직해서 꼭 성공하겠습니다. 그 과정이 힘들겠지만 저는 할 수 있습니다. 이것만큼은 정말 자신 있게 큰아버지께 약속드릴 수 있어요.

대학교 졸업하고 좋은 직장에 취직해서 손색없는 좋은 직장인이 되어 큰아버지께 걱정과 폐 끼치지 않고 좋은 모습을 보여드리고, 잘하는 제가 되고 꼭 성공하여 큰아버지께 자랑스러운 저 지연이가 되어 다시 큰아버지께 돌아오겠습니다. 약속할게요. 그동안 감사했습니다.

지연 올림

이른 새벽이 되었다. 새벽 4시였다. 대구 큰아버지 집에서 지연이는 혼자 밖으로 나섰다. 발소리를 죽이고 최대한 몰래, 도망치듯이 빠져나왔다. 처음 큰아버지 집으로 올 때 집에서 챙겨왔던 몇 벌의 옷과 소지품들을 다시 커다란 배낭에 모두 챙겼다. 자신의 물건들은 모두 빠짐없이 가방에 넣었다. 이곳에 대한 미련은 없었다.

지연이는 다시 그 큰 가방을 메고서 집을 빠져나왔다. 그녀가 간 곳은 대구에서 전국 각 지역으로 갈 수 있는 시외버스 터미널이었다. 터미널까지 가는 버스와 대구 시내버스가 아직 운행되지 않는 이른 새벽 시간이라 도보로 이동했다. 차로 가면 금방 갈 수 있는 거리인데 자신의 두 다리로 걸어서 가니 상당히 오래 걸렸다.

여자 혼자라 새벽에 그녀 혼자 가면서 때로는 '누군가 뒤에서 몰래 자신의 발자취를 따라오고 있지 않나'하는 무서운 마음도 들었다. 겁도 났다. 하지만, 그렇다고 지연이는 그것에 휘둘리지 않았다. 그녀가 알고 있는 찬양곡을 불러가며 소리 내어 기도하면서 터미널로 걸어갔다. 주어진 상황에서도 지연이는 늘 감사했다.

큰아버지의 집에서 터미널까지 약 40분을 걸어갔다. 마침내 지연이는 대구 시외 버스터미널에 당도했다. 새벽 이른 시간이지만 터미널 대합실로 들어가는 문은 활짝 열려있었다. 지연이는 문을 열고 안으로 들어갔다. 지연이는 들어가서 가장 먼저 매표소로 갔다.

버스표를 구하기 위해서다. 대구에서 출발하여 서울로 가는 버스 시간표를 봤다. 그중에서 서울로 가장 빨리 출발하는 승차권을 결제했다. 그래도 터미널 대합실에서 조금의 대기시간이 있었다. 지연이는 비어있는 의자에 앉았다. 혼자 버스 출발하는 시간을 기다리면서 혼자 생각이 들었다. 이 선택이 절대 후회가 되지 않는 선택이기를 바라고 또 바랐다. 기도도 했다. 지연이는 늘 주님과 동행하는 삶이 되도록 기도하고, 일상에서도 계속 노력했다.

'하나님. 저 이제 대구를 떠나 서울로 갑니다. 큰아버지의 집에 있는 것보다 하나님이 더 좋아서, 교회 가는 것이 더 좋아서, 하나님께 더 무릎 꿇고 기도 많이 하고 싶어서 남들이 보기에 좋은 것을, 큰아버지가 이끄는 출세의 길을 다 포기했어요.

지금 저에게 돈이나 물건 등 가진 것이 아무것도 없어요. 지금은 초라하지만, 하나님 저 여기서 끝나고 싶지 않아요. 포기하고 싶지 않아요. 부디 저를 세계적인 부흥강사로, 세계적인 인물로 크게 축복해주세요. 꼭 성공하면 어떠한 사람들보다 하나님께 가장 많은 물질을 심고 싶어요.'

대합실에서 버스를 대기하는 동안 지연이는 인근에 문이 열려있는 매점으로 갔다. 편의점도 있었지만, 문이 닫혀 있었다. 그곳에서 서울로 올라가는 동안 허기질 배를 채울 수 있는 삼립 단팥빵과 삼각김밥 등 간단한 주전부리와 우유와 물을 샀다. 지연이는 자신이 직접 구입한 것은 모두 검은 봉투에 넣었다. 이른 아침이 되었다. 동이 틀 무렵이었다.

지연이는 표에 적힌 출발예정시각에 가까워지자 대합실 앞에서 출발대기하고 있는 많은 버스 중 자신이 탈 버스를 찾아서 올라탔다. 찾는데 시간이 조금 걸렸다. 지연이는 자신이 탑승할 노선과 버스의 번호판까지 모두 맞는지 일일이 확인했기 때문이다. 목적지가 다른 버스로 잘못 타게 된다면 그때는 지연이도 어떻게 할 수 없는 상황이 되기 때문이다.

지연이는 버스 탑승구 문 앞에서 자신이 운전할 버스에 탑승할 손님들을 서서 기다리고 있는 기사님에게 매표소에서 구입한 탑승권을 제출했다. 기사님은 기사님 전용 회수하는 표를 자른 뒤 따로 챙겼다. 남은 승객용 티켓은 다시 지연이에게 돌려주었다. 서울로 가는 버스에 올라탄 지연이는 서울에 올라가게 되어서 앞으로의 미래에 대한 기대와 꿈을 부풀고 있었다. 이윽고 버스는 머물렀던 터미널을 떠났다. 서울로 가기 위해 고속도로로 가는 길이었다.

어느새 날이 밝기 시작했다. 수평선 넘어서 해가 뜨고 있었다. 창문을 통해 버스 안에 아침 햇살이 비추고 있었다. 버스는 경부고속도로에 진입했다. 서울로 올라오는 길이었다. 버스로 서울에 가는 길이었으나 오늘따라 차가 많아서 평소보다 더 많은 시간이 걸렸다. 피곤했던지 지연이는 버스가 출발하고 처음은 잠이 들었다. 곤하게 잠이 들었다. 시간이 가는 줄 몰랐다. 한참이 흘렀다. 출출함을 느낀 지연이는 잠에서 깼다.

버스는 한창 고속도로를 달리고 있었다. 정확한 위치는 몰랐다. 배고픔을 견디다 못한 지연이는 출발하기 전 매점에서 미리 샀던 단팥빵 하나를 비닐 포장 뜯어서 먹었다. 시간은 무심하듯 흘렀다. 점심이 조금 지났다. 지연이가 탑승한 버스는 충주 인근 휴게소로 갔다.

모두의 휴식을 위해서다. 지연이도 버스에서 내렸다. 의자에 한 자세로 장시간 앉아 있었더니 온몸에 피가 제대로 통하지 않았다. 지연이는 버스에서 내렸다. 그녀의 두 발로 충주 땅을 밟았다. 충주의 공기는 서울에서 맡는 공기와 달랐다. 충주는 마치 자신의 고향에 온 것과 똑같았다. 두 발이 땅바닥에 닿는 순간 지연이는 가장 먼저 몸을 빳빳이 폈다. 기지개였다. 가장 먼저 간 곳은 화장실이었다. 급했다.

이후로 지연이는 휴게소에서 점심을 해결할 수 있는 간단한 음식으로 식사를 해결했다. 제대로 먹을 시간은 아주 촉박했다. 휴게소에서 쉴 수 있는 시간이 20분밖에 되지 않았다. 그새 시간이 되었다. 다시 버스에 탑승했다. 승객을 다 태운 버스는 충주에서 다시 출발했다. 서울로 가기 위한 남은 긴 여정이 시작되었다.

서울까지 남아 있는 여정이 많이 있지만, 그래도 서울에 갈 수 있다는 것이 지연이는 감사하고 또 감사했다. 제약 없이 원하는 시간에 마음껏 하나님께 기도할 수 있는 것과 주말에 교회 가서 주님의 일을 할 수 있는 것이 지연이는 가장 행복한 일이었기 때문이었다.

앞으로 어떠한 고난과 시련이 그녀를 기다리고 있을지 지연이 자신조차 알 수 없었다. 당장 다음날에 지연이를 향하여 벌어질 일들 한가지조차 알 수 없었다. 정말로 몰랐다. 그저 오늘을 위해 어제 행동한 일들로 오늘을 살아가고, 내일을 위해 오늘도 필요한 일을 하고 기도하는 것이다. 기도하는 사람은 절대 망하지 않고, 언젠가 반드시 일어서게 되어있다.

...

다음날이 되었다. 지연이는 서울에 도착한 뒤, 천신만고 끝에 자신의 친구 집에 도착할 수 있게 되었다. 그녀의 친구가 직접 부모님과 함께 서울 고속버스 터미널로 직접 마중을 나와서 기다리고 있었다. 지연이는 자신의 친구라는 것을 금방 알아봤지만, 옆에 있는 사람은 친구의 부모님이라는 것은 전혀 모르고 있었다. 한참을 두리번거렸다. 지연이는 누군가 자신을 부르고 있다는 것을 뒤늦게 알아차렸다.

"지연아 여기야!"

친구 재희가 큰소리로 말했다.

지연이는 소리가 들리는 방향으로 보았다. 그곳에 오랜 시간을 함께해온 자신의 단짝 친구가 기다리고 있었다. 그곳으로 뛰어갔다.

"재희야, 오랜만이야! 잘 있었어?"

지연이가 말했다.

"나야 잘 있었지! 여기는 우리 부모님이야!"

"안녕하세요."

지연이는 친구의 부모님이라는 것을 소개받고 인사했다.

"네가 지연이구나! 만나서 반갑구나. 네 친구 재희가 너에 대해 말해줘서 대충은 알고 있단다. 어떻게 된 것인지 우리에게도 말해줄 수 있니? 너에 대해 알아야 해줄 수 있는 것은 할 수 있단다."

지연이는 부모님 돌아가실 때와 서울로 올라오게 된 사연까지 그동안 있었던 일들을 사실대로 얘기하였다.

"어릴 때부터 지금까지 힘들었구나. 고생 많았다. 내 계산이 틀리지 않았다면 너도 지금은 재희와 같은 19살 맞겠구나."

"네…. 지금 19살 맞아요."

"그럼 이번 수능 시험 봐야 하는 것 맞지?"

"네!"

"좋다. 수능 시험 볼 때까지는 얼마 남지 않았으니 수능 시험 보고 네가 성인이 되는 20살이 되는 생일이 지날 때까지 3개월하고 절반 동안만 우리와 함께 지내거라. 성인이 된다면 너 스스로 자립하며 네 인생을 너 스스로 해쳐가며 나가야 한다. 너에게 자립하는 방법을 가르쳐주고 훈련 시키는 것은 내가 할 수 있겠구나."

"감사합니다"

지연이는 머리를 숙이면서 친구 재희의 부모님에게 연신 고맙다는 말을 했다. 막상 대구에서 버스 타고 서울에 올라왔지만, 당장 쉬고 잘 수 있는 곳을 걱정했었다. 하지만 그녀의 단짝 친구 재희와 부모님의 도움으로 지연이는 20살 생일이 될 때까지 잠시라도 온전하게 머물 수 있는 곳이 해결되어 무척 다행이라 생각했다. 학교는 전학 처리되어 수능시험보고 졸업하는 순간까지 서울에 있는 고등학교에 다닐 예정이었다.

잘 수 있고, 쉴 수 있는 곳이 해결된 만큼 지연이는 어느정도 걱정을 내려놓았다. 학생으로서 공부하면서 충분히 할 수 있는 프렌차이즈 분식집이나 커피숍 아르바이트, 빵집이나 마트 일, 물류센터에서 출고되어 전국으로 배송되는 물건들 포장하는 아르바이트, 길거리에 나가서 전단지를 돌리는 아르바이트, 이른 새벽에 신문을 돌리는 일이나 우유 배달, 독서실 총무 등 일자리를 알아보기 시작했다.

하지만 일자리를 구하는 과정이 절대 순탄치 않았다. 면접을 보러 다니면 절반 이상은 퇴짜맞았기 때문이었다. 학생이라는 이유로. 그래도 지연이는 본인 스스로 자신에게 필요한 돈을 벌겠다는 의지를 포기하지 않았다. 지연이는 왜 돈을 벌어야 하는지 이유도 충분히 알고 있었다.

단지 먹고 살기 위해서 그러는 것이 아니었다. 먹고 사는 것은 사람으로서 기본적으로 누구나 해야 하는 것이기 때문이다. 동물들도 마찬가지다. 하나님께 물질을 더 심고, 하나님을 위해, 교회를 아예 안 다니는 사람들이 교회에 다닐 수 있도록 그들을 전도하기 위해 돈을 더 사용하기 위해서다. 이미 오랜 연단과 하루도 빠짐없이 교회에 가서 기도하면서 희망을 포기하지 않는 법을 터득했었다.

...

10월 초가 되었다. 많은 대학에서는 새로운 1학년 신입생을 뽑는 수시모집을 한창 진행하고 있었다. 지연이도 지신이 갈 수 있는 학교와 가장 가고 싶었던 학교의 모집 요강을 받아서 읽었다. 필요한 서류들이 무엇인지 관련된 자료들을 샅샅이 찾아 수집했다.

관련된 자료들은 빠짐없이 모두 다 모았다. 지연이는 가장 가고 싶었던 학교와 전공이 있었다. 마침내 자신에게 맞는 전형까지 모두 찾았다. 준비하기 시작했다. 지연이는 먼저 동사무소 가서 증명서류를 받았다. 모두 부모님 돌아가시고, 그녀 혼자임을 증명하는 서류들이었다.

지연이는 이른 아침에 학교에 갔다. 날씨도 제법 쌀쌀했다. 10월 초였다. 지금 학교에 가는 시간이 상당히 일렀다. 하지만 학교에서는 더이상 수업을 나가지 않았다. 수능 준비하기 위해 3학년 교실을 실제 수능시험장으로 만들어놓고 본인 자리 찾아서 앉았다. 수시에 지원하기 위해 도움이 필요한 학생들은 교무실에서 담당 선생님과 면담이 있었다.

 학생들에게 대학교 가는 것은 매우 중요한 일인 만큼 한 학생당 해주는 상담도 더 오래 걸렸다. 선생님도 한 학생의 인생이 좌우되는 만큼 상담을 짧게 할 리가 없었다. 지연이도 교무실에서 면담을 받았다. 지연이 역시 선생님이 써서 주는 자료가 필요했다. 가고 싶은 학교에 서류를 내야 하는데 그것 역시 필요했기 때문이었다.

"지연아, 너 여기 갈 수 있니? 선생님은 걱정된다."

 담당 선생님이 지연이의 성적표와 생활기록부를 보면서 말했다. 지연이는 주눅이 들었다. 지연이의 입장으로서는 충분히 갈 수 있는 학교를 선정하여 준비했었다.

"선생님… 그러면 제가 어디를 갈 수 있다는 건가요?"

"적어도 네가 인 서울 할 것이라면 여기보다는 높은 곳을 지원하거나 아니면 지방으로 빠져야 가능하다."

"선생님, 다른 애들은 그냥 해주시던데 왜 저는…"

 지연이는 툴툴거렸다.

"지연아, 만약 네가 고등학교 3년 동안 공부를 꾸준히 잘 해왔다거나 아니면 1학년 첫 학기 성적은 좋지 않았다 해도 꾸준히 성적을 올려서 노력하고 좋은 모습을 보여주었다면 선생님이 이런 반응을 너에게 보였을까? 만약 네가 의대를 가겠다거나 아니면 서울대를 가겠다고 선생님에게 말했으면 별말 없이 합격할 수 있도록 그냥 잘 써줬어. 근데 너는 아니잖아. 성적이 이게 뭐야 지금?! 어?!!?!"

 지연이와 상담하는 담당 선생님이 상담을 위해 지연이의 고등학교 3년 총 성적표를 보고 말했다. 지연이의 성적이 처참했다. 처음은 공부를 꽤 잘했으나 3학년이 되어서는 성적이 좋지 않았기 때문이었다. 처음은 잘못 했어도 꾸준히 성적 올려서 발전되고 노력하는 모습을 보여주면 사람마다 다르지만 좋게 봐주는 경우가 많았기 때문이었다.

 지연이는 그래도 여기서 전부 포기하고 싶지 않았다. 아직은 포기하기에는 너무 일렀기 때문이다. 담당 선생님은 저렇게 말만 했을 뿐 실제로는 속으로 지연이도 대학 가기를 진심으로 원하고 있었다. 오직 그것 하나뿐이었다. 지연이는 어떻게, 어쩐 전형으로 갈지 알아보기 위해 이틀 밤을 꼬박 날 세웠다.

지연이는 다시 선생님을 찾아갔다. 다시 알아보고 준비한 것을 가지고서다. 선생님도 그제서야 지연이에게 필요한 것을 챙겨주기 시작했다. 그녀의 노력도 부모님이 모두 안 계시는 상황에서 그럼에도 불구하고 대학 가서 공부하겠다는 의지를 높이 샀던 것이었다.

"지연아, 선생님이 너에게 도와줄 수 있는 것이라고는 여기까지 밖에 없는 것 같구나. 학교에서도 해줄 수 있는 것이 이제 한계에 다다른 것 같아. 지연아, 그래도 포기하지마. 포기하지 않겠다는 의지를 갖고 계속 노력을 해.

지연아, 너는 할 수 있잖아. 처음에는 너를 잘 모르고 다른 학생들과 똑같이 대했었지만, 이제 너의 사연을 듣고서 너에 대해 제대로 이해할 수 있고, 앞으로 이 세상에서 혼자 살아가게 될 너를 보고서 노심초사하셨을 부모님의 마음도 이제 알겠구나."

지연이의 담당 선생님이 지연이에게 대학 입시에 필요한 서류를 쓴 다음 모두 지연이에게 건네주며 말했다. 정말 우여곡절이 많았다. 원하는 학교에 지원하는 원서 쓰기 오래전부터 지연이는 이른 새벽에 새벽기도 다녀온 뒤 학교에 바로 가게 되는 시간이 더 많았다.

잠이 부족하다 보니 학교 수업시간에 조는 일들이 상당히 많았다. 수차례 수업 시작하고서 5분만에 졸면 수업 끝날 때쯤 다시 깬다. 깨우는 이 없이 스스로 일어나는 경우가 많았다. 그렇게 졸아도 지연이는 자신이 맡은 일인 쉬는 시간마다 칠판을 모두 닦고, 분필 등 필요한 물건들을 모두 제자리에 놓았다. 그러다 코피를 흘린 적이 많았다.

지연이 담당 선생님 또한 그것을 모르고 있을 리가 없었다. 선생님의 입장에서 지연이의 행동을 이해하는 것이 힘들었다. 굳이 새벽 기도하러 새벽 시간에 일어나서 안 가도 되는데 왜 가서 기도하고 학원에 오는지 이해가 되지 않았다. 다른 선생님들이 직접 말해도 지연이는 아랑곳하지 않았다. 지연이는 늘 한결같았다.

9월 중순 무렵이었다. 수시 원서를 쓸 시간이 다 되었는데도 계속 그런 모습을 본 지연이의 담당 선생님이 참다 못해서 결국은 대학교 원서를 써주지 않겠다고 거의 협박하는 수준의 잔소리도 듣게 되었다.

지연이는 그런 협박을 들어도 아랑곳하지 않았다. 처음에는 속상했었다. 다른 애들은 다 원서를 써주는데 본인만 안 해줄 것에 대한 걱정도 있었다. 마침내 원하는 학교에 준비한 원서를 넣었다. 그녀의 손을 떠났다.

하늘에 운명을 맡기는 것 말고는 없었다. 아무것도. 이제 결과를 기다리는 것밖에는 없었다. 그것뿐이었다. 지연이는 원서접수를 모두 마치고 합격하기를 바랐다. 정말로. 기도했다. 이제 그녀가 할 수 있는 것은 아무것도 없었다.

...

며칠이 지났다. 지연이는 다시 초조했다. 무척 긴장되었다. 자신만의 방법으로 초조함을 극복하기 위해 애를 썼다. 하지만 시간이 지나면 긴장되는 것이 다시 슬며시 올라오기 시작했다. 지연이는 자신이 그토록 기다리던 날짜가 다가오고 있었다.

지연이는 계속해서 무언가를 그토록 기다리는 이유는 그날이 바로 그가 지원했던 학교의 수시 1차 합격자 발표였다. 이것 때문에 계속 긴장이 되었다. 처음 목표는 재수하지 않고 한 번에 바로 합격하는 것이 목표였다.

합격자 발표날짜 당일이다. 지연이는 자신을 담당하고 있는 담임선생님께 찾아갔다. 교무실로.

"선생님, 저 오늘 제가 썼던 학교에서 합격자 발표하는 시간이에요."
지연이가 말했다.
"그래?, 어디 학교가 결과 발표가 나와?"
지연이의 담당 선생님의 반응은 다소 미지근했다. 지연이에 대한 기대하고 있는 것이 별로 크지는 않았다. 다른 애들도 같았다. 지연이는 약간 주눅이 들었다.
"오늘은 학교 서영대학교 사회복지과랑 연세대학교 신학교 학부과정 수시모집 합격자 발표가 나와요. 내일은 이화여대 국제학부 수시 1차 모집 결과와 목원대학교 신학부 수시모집 결과가 모두 발표 나요. 근데 학교 입학처 홈페이지에 들어가서 직접 확인하세요. 개인정보 때문에 대신 확인을 못 해줘요."

지연이는 자신이 지원했던 학교의 수시 1차 결과 발표 일정을 모두 담당 선생님한테 말했다.

"그럼 오늘 나온다는데 네가 직접 들어가서 확인해봐."

"감사합니다."

선생님은 지연이가 결과를 확인하고 있는동안 다른 곳으로 자리를 비웠다. 지연이는 담당 선생님의 노트북을 합격자 결과 확인을 위한 용도로 사용을 허가받고 직접 하나하나 전부 다 들어가서 확인했다. 지금 이 순간이 가장 떨렸다. 손이 떨렸다. 손이 너무 떨려서 자판에 글을 쓰는 것이 어려울 정도였다. 지연이는 쓰기 전에 자신의 발을 붙잡았다. 손이 떨리는 증세를 차단하기 위해서였다. 진정시켰다.

지연이가 가장 먼저 들어간 곳은 서영대학교 입학처였다. '접속하기' 버튼을 눌렀다. 그런데 창이 변하더니 '접속자가 너무 많아서 대기하라'는 메시지가 뜨면서 하얗게 변했다. 지연이는 새로 고침을 몇 번이고 눌렀는데도 같은 상황이라 나갔다가 재접속했다. 그래도 아까와 똑같은 상황이었다. 이유는 합격자 확인 가능한 시간이 지나자마자 바로 접속자들이 한꺼번에 몰려서 서버에 문제가 생긴 것이다.

지연이는 몇 번이고 시도를 한 끝에 서영대학교 입학처로 들어가서 확인했다. 결과는 탈락이었다. 하지만 포기하기에는 일렀다. 이제야 한 군데만 확인했었기 때문이었다. 이어서 확인하지 않은 다른 곳들도 모두 확인했다. 지연이는 낙담했다. 정신이 없었다. 총 맞은 것 같았다.

그녀가 지원했던 학교에서 모두 떨어졌기 때문이었다. 수능이 얼마 남지 않은 시점에서 좋지 않은 소식을 접하였으니 처음에는 공부가 손에 잡히지 않았다. 집중은 될 리가 없었다.

게다가 엎친 데 덮친 격이었다. 이번 수능도 평년보다 어려웠다. 1등급 맞은 학생들의 숫자가 평소보다 훨씬 적었다. 재수생도 상황이 다를 바 없었다. 수능 점수를 확인하고서 수능 시험을 망친 지연이는 혼자 주저앉아서 울었다. 하염없이 울었다. 너무 서러웠다.

그동안 잘하기 위해 노력한 것들이 물거품이 되었고, 더 나은 미래를 위해 모든 것을 다 포기하고 혼자 서울로 올라왔는데 첫 시작이 좋지 않고, 초라함으로 저 바닥 밑으로 계속해서 추락하는 것 같았다. 바닥이 없는 출구로 계속 떨어지는 것 같았다.

...

  하염없이 우는 것보다 바로 행동으로 옮겨야겠다는 생각을 했다. 오후 내내 실컷 울었던 지연이는 다시 마음을 가다듬고 다시 시작했다. 학교에서의 남은 학기는 마무리하고, 겨울방학을 맞이했다. 방학해서 학교에 가지 않았다.

  다시 처음부터 시작하기로 마음먹은 지연이가 처음에 간 곳은 오산리 금식 기도원이었다. 전국 청창년 5일 금식 성회가 열리는 시간이었다. 1년에 2번씩 열렸다. 마침 그때였다. 그곳에서 다시 초심을 잡고 시작하기 위해서였다. 여의도순복음교회에서 기도원까지 셔틀버스가 운행되어 지연이는 그것을 타고 기도원으로 올라갔다. 그곳 산하였기 때문이었다. 기도원으로 올라가면서 지연이는 전투에 임하는 군인처럼 모든 것을 다짐하면서 기도원에 올라갔다. 금식을 통해 다시 처음부터 시작하겠다는 포부가 있었다.

23시

밤이 깊었다. 밖은 매우 어두웠다. 지연이가 있는 지금 이곳에는 도시에 설치되어 흔하게 보는 가로등이 많이 없었다. 앞은 잘 보이지 않았다. 마치 그곳은 시골에 간 것 같았다. 어두운 밤하늘을 수많은 별들이 아름답게 수놓고 있었다. 별자리도 있었다. 은하수도 같이 보였다. 손으로 아름다운 밤하늘에 떠 있는 별들을 하나씩 세어본다. 지연이는 모든 일정을 마치고 숙소에서 이불을 펴고 잠을 청했다. 금식하고 있어서 그동안 먹은 것은 정말 아무것도 없었다. 금식을 처음 할 때 배는 무지 고팠다.

하지만 그래도 지연이는 자신의 주어진 상황에 감사했다. 가진 것은 정말 아무것도 없는 초라한 학생이었음에도 불구했다. 항상 긍정적으로 생각했다. 불평과 불만을 최대한 하지 않기 위해 노력하고, 또 노력했다. 매일 바쁜 시간을 조금씩 쪼개서 기도하는 것에 힘썼다. 금식을 시작한 지 어느덧 2일을 넘겨서 3일차로 접어들기 시작했다.

3일차로 넘어가는 새벽이었다. 더 정확하게는 3일차로 넘어가는 자정이었다. 지연이는 잠이 오지 않았다. 전혀. 지연이는 자신의 이불을 잘 접어서 이불을 놓는 커다란 서랍장에 잘 정리해두었다. 화장실에 가서 세수하고, 머리 감는 등 씻었다. 젖은 머리카락을 모두 말린 후 헝클어져 있던 머리도 빗으로 빗어서 잘 정리했다.

그녀가 입고 있던 옷은 잘 때 입는 가벼운 옷차림이었다. 지연이는 옷을 외출복 차림으로 갈아입었다. 그런 다음 숙소 밖을 나섰다. 그녀가 향한 곳은 기도원 내부에 있는 공동묘지였다. 그녀에게 핸드폰도 없었다. 아무것도 없었다. 숙소 밖은 매우 어두웠다. 달빛과 가로등 불빛을 이용해서 갔다. 지연이에게는 가지고 있는 폰도 어떠한 것도 이때는 없었다.

새벽에 공동묘지로 간 지연이의 목적은 다름이 아니었다. 기도하기 위해서였다. 지연이는 기도하고 싶었다. 간절하게. 누구보다 간절하게 기도하고 싶었다. 이미 했는데도 더하고 싶었다. 단순히 남들에게 보여주는 겉보기식이 아니었다. 진짜였다. 지연이는 공동묘지로 가는 통로와 계단을 오르고 또 올랐다. 성큼성큼 걸었다. 얼마 후였다. 어느덧 지연이는 공동묘지 중턱에 도달했다. 그곳에서 올라가는 것은 더이상 올라가지 않았다.

지연이는 기도하기 가장 좋은 자리를 찾기 시작했다. 한참이 지났다. 지연이는 자리를 잡고 앉았다. 다른 사람들도 이미 그곳에서 적당한 자리를 잡고 기도하고 있었다. 지연이 혼자가 아니었다. 현장에서 기도하는 사람들이 상당수였다.

드디어 지연이는 기도를 시작했다. 처음은 외투를 입고 시작했었다. 그러나 차츰 입고 온 외투를 한 벌씩 벗기 시작했다. 더워서였다. 분명 11월 중순, 제법 추운 날씨였다. 이른 아침이 되면 서리가 내렸다. 눈이 내릴 때가 되었다. 기도를 많이 하면 추운 것이 아니라 오히려 기도를 더 하고 싶고, 체온 때문에 몸이 더워져서 처음 입고 온 것을 하나씩 하나씩 벗고 하는 것이었다. 추운지도 몰랐다. 겨울에도 기도하면서 시간을 보내면 땀으로 흥건했다. 여름은 땀범벅이었다.

너무 추운 날은 온몸에 바람이 들어오지 않도록 온몸에 랩까지 싸고서 공동묘지에 올라와서 기도를 시작하면 정반대로 갔다. 처음은 가장 먼저 랩을 벗고, 겉 외투를 벗는 것부터 차례대로 벗기 시작한 것이다. 지연이는 기도하기 위해 한번 자리를 잡은 곳에서 떠나지 않았다. 시간이 가는 줄 몰랐다. 정말로. 성령에 취해서 기도하면 30분이 5분 같고, 1시간이 10분 지나간 것처럼 느껴졌다. 실제로도 그랬다.

지연이는 새벽에 기도하는 시간이 너무도 소중했다. 새벽 시간뿐만이 아니었다. 언제든 이렇게 제대로 기도할 수 있는 시간이 모두 귀했다. 기도하는 순간이 너무 행복했다. 기도하는 시간은 목숨처럼 사수했다. 예배도 사수했다. 목숨처럼.

전 세계를 코로나가 강타하여 사람들이 모두 마스크 쓰고 다니며, 국내에서는 위치 추적 때문에 마음껏 움직이지 못하는 상황이 있었다. 정부가 아무리 그렇게 규제를 하여도, 모든 교회에 처음에는 19명까지 들어갈 수 있게 하고, 나중에는 9명까지만 들어갈 수 있도록 강하게 규제를 해도 지연이는 이것에 절대 협상하지 않았다. 차라리 발각을 각오하고 기도와 예배를 지켰다. 목숨보다 더 중요하게 여겼다.

천주교, 불교는 마음껏 들어가도 규제를 하지 않고 오직 교회만 이렇게 규제했다. 이렇게하는 정부가 전 세계 중에서 어디 있을까? 할 것이라면 공평하게 하던가 아니면 하지 않을 것이라면 아예 하지 않던지 등 형평성 있게 해야 하는데 이상하다. 이렇게 규제를 했던 당시 정부는 이해를 못하는 것을 넘어서 마귀가 다름없다.

코로나에 한 번 걸리면 각자 가지고 있는 핸드폰이 모두 위치 추적되어 그동안 자신이 어디 갔었는지 다 확인이 되었던, 그로 인해 그 사람이 대역죄인으로 몰리는 시기가 있었다. 믿음이 있는 사람들은 그것을 피하기 위해서, 적어도 자신 때문에, 한사람으로 피해를 주는 것을 막기 위해, 예배가 중단되는 것을 막기 교회에 올 때면 각자의 핸드폰을 아예 끄고 들어왔다.

어떤 사람은 비행기 모드로 변경해놓고 완전히 전원을 끄는 경우도 상당수 있었다. 나가는 것도 평소에 10분이면 실내에 있었던 많은 사람들이 전부 나가고 텅 비어있는데 이때는 1명, 2명씩 소수로 나가는 바람에 1시간씩 걸렸던 시간이 있었다. 코로나 증상이 있어도, 너무 아파도 병원에 가지 않았다. 만약 병원에 간다면 어떻게 되는지 결과는 뻔했다.

여름이었다. 40일 기도회 기간 중, 매주 금요일은 밤을 꼬박 세워서 간절히 기도하는 날이었다. 예배와 기도하던 중, 특히 새벽에 뜨겁게 찬송하고 기도하던 중 교회에 경찰이 들어온 경우도 있었다. 그때 안에 있었던 사람들은 열외 없이 모두 신발을 들고 교회의 옥상으로 대피했다. 강사와 스승님은 강단 뒤에 있는 공간에 숨었다. 누군가가 경찰에 신고한 것이다. 이럴 줄 알고 미리 대피하는 연습을 해본 것이 빛을 발했다.

신앙이 있는 사람들은 이 규제를 시행한 정부에 대해 거칠게 비판하였다. 그 규제를 따라서 행동했던 곳은 문을 닫았거나 성령이 모두 사라진 안타까운 상황이 초래했다. 지연이도 마찬가지로 성전에서 기도해나가며 자신의 일상 중에서 기도할 수 있는 충분한 시간을 확보했다. 교회를 벗어나 있는 시간에도 혈기를 내는 것을 최대한 자제하며, 늘 감사하고 또 감사하며 살기 위해, 다윗처럼, 사도바울처럼 살기 위해 지금도 계속 노력, 또 노력하는 중이다.

...

금식 4일차 낮이었다. 지연이는 전국 청장년 연합 금식 대집회 본 예배를 드리고 있었다. 금식 성회는 보통 1년에 2번씩 있다. 기도원에서 한다. 한번 할 때마다 5일씩 진행되었다. 보통 월요일 낮부터 시작하여 금요일 낮까지 정확히 5일이다. 이 시간동안 어떠한 음식을 먹는 것은 금지되었다. 쌀알 하나도 허용되지 않는다.

그러나 오직 한 가지만 허가되었다. 그것은 물 마시는 것이었다. 진통제 등 먹고 있는 약도 이 기간에 먹으면 금식했다고 인정할 수 없다. 아파도 기도원에 올라와서 함께 금식하는 기간만 참고 기도하는 것이다. 지연이는 오직 기도와 함께 물로만 버티고 있었다. 먹은 음식은 하나도 없었다. 아무것도 먹지 않은 만큼 속은 비어있었다.

기도원에서 그동안 먹은 음식은 아무것도 없었다. 정말 하나도 없었다. 금식을 시작할 때 처음은 힘들었다. 하지만, 이제는 괜찮아졌다. 매일 아침 8시부터 저녁까지 예배를 드린다. 새벽기도도 물론 있다. 새벽기도는 보통 새벽 5시에 시작한다. 약 1시간 정도 말씀을 전하는 시간이 있고, 그 다음은 기도원 대강당에 모인 사람들 모두 함께 기도한다. 매번 예배시간마다 다른 강사들이 올라와서 다른 주제로 말씀을 전한다.

지연이는 예배를 드리되 금식 4일차인 오늘 낮 2시에 시작하는 예배와 내일 마지막 날 마지막 낮 예배를 가장 손꼽아 기다리고 있었다. 이유는 그때 지연이가 가장 기다리던 사람이 말씀을 전하기 위해 강단에 서기 때문이다. 오늘 말씀을 전하기 위해 강단에 선 그 사람은 다름이 아니었다. 그는 조용기 목사님, 지연이의 스승님의 스승님이자 추후 학부생 때부터 가장 존경했던 김홍도 감독님이다.

이번에 수시로 지원했던 학교들 전부 떨어졌었던 지연이는 그때만 슬펐다. 절망스러웠다. 그때만 실컷 울었다. 학교 떨어져서 서럽고 슬펐던 마음을 모두 없어질 때까지였다. 그것이 하룻밤을 넘기지 않았다.

지연이가 실컷 운 것은 그때 그 시간뿐이었다. 실컷 울고서 다시 시작해야겠다는 마음을 먹고 독기를 품고, 오뚝이처럼 다시 일어섰다. '나는 할 수 있다', '나를 더 크게 만들기 위해 지금 이렇게 연단시키는 것이다.'등 긍정적인 생각을 가졌다. 지연이는 수능 시험 끝난 이후 흐트러진 마음을 전부 다 잡았다. 초심을 유지할 필요가 있었다.

그러기 위해서는 금식이 필요했다. 마침 지연이는 오산리 금식기도원에서 1주일 금식 성회를 한다는 소식을 들었다. 이 금식 성회는 한 번 할 때마다 5일동안, 1년에 2번씩 진행되었다. 그래서 지연이는 금식을 통해 초심을 유지하고, 적어도 자신의 믿음을 지키기 위해서 절제 등 다양한 것을 배우고 기도하기 위해 이 성회에 간 것이다.

...

새벽이었다. 정확하게는 새벽 2시였다. 금식기도 하러 온 사람들 중 상당수가 공동묘지에서 기도하고 있었다. 지연이도 그 무리에 포함되어 함께 기도하고 있었다. 처음은 외투를 입고 시작했으나 하나씩 벗고 하기 시작했다. 계속 이어가니 자꾸만 더웠다. 체온이 올라가서다.

더 정확하게는 지연이에게 성령이 임한 것이다. 그렇게 되면 몇 시간이고는 오랜 시간동안 거뜬히 시간이 가는지도 전혀 모른 채 기도할 수 있다. 지연이는 그 자리를 떠나지 않고 계속 기도하고 싶었다. 시간이 가는 줄 몰랐다. 전혀.

어느덧 시계는 새벽 3시 40분을 가리키고 있었다. 지연이와 함께 공동묘지에서 기도하는 사람들의 목소리가 많이 뜸해졌다. 4시쯤 되면 지연이 혼자 공동묘지에 남아서 기도하고 있었다. 처음은 분명 기도하는 사람들이 많았었다. 다름이 아니었다.

그곳에서 기도하다가 앞으로 엎어져서 조는 사람들이 있는가 하면, 어떤 사람들은 쏟아지는 졸음에 더이상 기도를 하지 못하고 아예 자러 숙소로 들어가는 사람들도 있었다. 제각각으로 기도를 했다. 어느덧 지연이는 자신의 온몸에 땀이 흘렀다. 흘린 땀으로 입고 있었던 속옷이 흠뻑 젖었다.

새벽 5시였다. 정각이다. 종소리가 들려왔다. 새벽 예배와 기도가 시작하는 것을 알리는 종소리다. 누군가 종을 치기 시작한 것이다. 종소리로서 새벽 예배 시작하는 시간을 알리는 것이다. 지연이는 이 종소리를 듣고서 비로소 개인 기도를 끝냈다. 새벽기도에 가야 했기 때문이다.

서둘렀다. 황급히 공동묘지에서 내려왔다. 지연이가 향한 곳은 여자 숙소다. 새벽기도에 가기 위해서라면 적어도 숙소에 들러서 땀으로 흠뻑 적은 옷을 새 옷으로 갈아입기 위해서라면 서둘러야 했다. 뛰었다.

지연이는 새 옷으로 갈아입은 뒤에 비로소 본당으로 도착했다. 10분이 걸렸다. 대성전 내 빈자리를 찾아 앉았다. 예배를 시작하는 준비찬양이 한창이었다. 이번 금식 대성회에는 지연이의 친구 재희도 와있었다. 지연이는 대성전에서 친구 재희를 발견하고서 놀랐다. 낯이 익은 사람이 있어서 매우 반갑기도 했다.

재희가 이곳에 올 줄은 전혀 몰랐기 때문이었다. 지연이는 재희에게로 다가갔다. 재희도 평소에 늘 기도하는 사람이었다. 재희도 불가피하게 지연이와 같이 재수를 하게 되는 상황이었다. 그도 수시 최종 결과를 듣고 많이 속상했다. 이유는 올해 가장 가고 싶어 했던 학교와 전공에 떨어졌기 때문이었다. 친구 재희를 뒤늦게 발견한 지연이는 그곳으로 자리를 옮겼다.

"재희야, 잘 잤니? 오랜만이다!"
지연이가 말했다.
"응. 나 자다가 새벽 종소리 듣고 겨우 새벽 기도에 왔어."
"근데 너는 이번 5일짜리 금식기도에 어떻게 왔어?"
"난 부모님이 오산리 금식 기도원에서 하는 5일동안 하는 금식기도에 가라고 하셨어. 다녀와서 모든 것을 다 잡고 초심을 유지해서 처음부터 다시 시작하라고 하시면서. 근데 너는 어떻게 왔어? 꽤 힘들었을텐데……."

"나는 커피숍 아르바이트해서 번 돈으로 차비 마련해서 왔지. 올해는 나도 잘 안되었으니까 금식기도하고 다시 처음부터 시작하려고. 지금 드리는 것이 적지만, 헌금도 드렸지. 진짜 잘되기를 바라면서."

"진짜…우리 다시 시작해서 올해는 꼭 각자 원하는 학교로 가자!"

"야, 우리 올해는 잘 좀 하자!"

지연이가 메아리처럼 다시 말했다. 할 수 있다고.

재희와 지연이는 서로 대강당에서 짧은 얘기를 나눴다. 어느새 말씀이 시작하려 한다. 지연이가 준비찬양이 끝나고 사도신경을 시작할 때 '말씀 시작한다.'고 재희에게 인지를 줬다. 옆에서 속삭였다. 재희는 잠시 강단을 쳐다봤다. 분주하게 돌아갔다.

둘은 새벽기도를 드렸다. 둘은 새벽기도부터 저녁 예배까지 하루종일 같이 붙어서 예배를 드렸다. 기도하는 것도 마찬가지였다. 저녁 8시였다. 7시 30분부터 30분동안 준비찬양이 모두 끝나고, 바로 말씀이 시작되었다. 그 30분동안 개인이 준비한 헌금도 같이 드려진다. 그곳 사역자분들이 돌아다니면서 금식 성회에 참석한 사람들의 헌금 봉투를 받는다. 손이 닿지 않는 곳은 바구니에 긴 장대를 달아서 그 장소에 있는 사람들도 헌금을 낼 수 있도록 하였다. 이를 통해 사역자들이 받은 봉투들은 헌금 바구니에 모두 모아서 한꺼번에 드려진다.

저녁 예배에 드려지는 말씀이 다 끝나면 밤 10시거나 조금 늦게 끝나면 10시 30분이었다. 말씀이 끝나면 모든 사람들이 다 함께 기도해야 하는 공동 기도 제목을 놓고 기도회를 몇 번 하고 완전히 끝났다. 인도는 말씀 전하러 온 강사님들이 직접 기도회를 인도한다. 지연이는 그때부터 기도가 시작하여 정식으로 모든 것이 끝나도, 숙소로 바로 돌아가는 것이 아니라 밤늦은 시간에는 공동묘지로 올라가서 밤을 세워서 너무도 간절하게 기도했다.

대강당에서 말씀이 끝나고, 그들은 여자 숙소로 들어가지 않았다. 강당에서 기다렸다. 대부분 다른 사람들이 모두 강당에서 자리를 뜨기까지. 지연이와 재희는 그곳에서 짧은 휴식을 가진 뒤, 지연이와 친구 재희는 곧장 공동묘지로 다시 올라갔다.

공식예배와 기도회는 끝났는데 둘은 기도를 너무 하고 싶었다. 간절했다. 반드시 이루고 싶은 소원과 기도 제목들이 많았다. 그것이 작은 것이 아니였다. 모두 큰 꿈과 소원들이었다. 어느 누가 봐도.

　지연이와 재희는 올해 수능 시험을 보고서 응시 원서를 보내서 지원했던 학교들 모두 떨어졌다. 속상했지만, 그때뿐이었다. 오히려 더 긍정적으로 생각했다. 이렇게 지금 공동묘지에 올라가서 하는 기도가 오늘이 마지막 날이다. 4일째다. 다음날은 5일 동안 금식기도 모든 일정을 마무리하는 진짜 마지막 날이었다.

　이렇게 새벽 4시 반 혹은 5시까지, 새벽기도를 알리는 새벽 종소리가 들릴 때까지 밤을 세워가며, 각자 가지고 있는 기도 제목들을 모두 제대로, 환경에 구애받지 않고, 시간에 제약받지 않고, 정말로 마음껏 할 수 있는 날은 오늘뿐이었다. 그 사실에 지연이와 재희는 모두 아쉬웠다. 다음을 기약했다. 다음을 기약한 뒤, 기도원에 오는 셔틀버스를 통해 기도원에서 내려왔다. 버스가 도착했다.

　하차한 곳은 서울 여의도순복음교회였다. 각자의 일상으로 돌아갔다. 지연이는 여의도에서 내려서 지하철과 버스를 이용해서 강동구 명일동의 독서실로 돌아갔다. 그곳이 지연이의 유일한 보금자리였기 때문이었다.

…

　다음날이었다. 지연이는 서울 명성교회의 새벽기도를 다녀온 뒤, 아침 일찍 독서실 문을 열었다. 오픈 시간에 맞춰서 열었다. 1분의 어기는 시간도 없이. 어제 마감하면서 빠진 부분이 있었는지, 청소하고 갔는데 부족한 부분이 없었는지를 확인했다. 또한, 어젯밤 학생들이 공부하며, 배고파서 독서실에 있는 라면과 과자를 사 먹으면서 비어있는 부분은 얼마나 비었는지 일일이 확인한 후 창고에 가서 꺼내왔다. 빈 매대를 모두 채웠다.

　이제 더이상 오고 갈 곳이 없는 지연이는 혼자서 쉴 수 있는 보금자리를 구하는 것과 생활용품을 구하기 위해 돈을 버는 일자리와 밥을 먹는 것 등 모든 것을 스스로 해결해야 하는 상황이 되었다. 고3을 보내면서 부모님이 모두 돌아가신 뒤로, 지연이는 20살에 진짜 어른이 된 것이었다.

　또한, 원하는 학교에 원서를 보내고 수능을 봤는데 또 떨어져서 재수를 도전하였으나 또 실패해서 3수를 도전하려는 채비였다. 오산리 금식 기도원에 가서 1주일동안 금식기도를 하고 다시 돌아온 상황이었다. 금식을 모두 마쳤으니 밥은 먹었다. 그동안 먹고 싶었던 것 위주로 마음껏 먹었다. 배고픔을 모두 해결하고 새 힘을 얻을 수 있는 만큼 충분히 먹었다. 금식 끝나고 먹는 음식은 행복했었다.

다시 추운 겨울이 되었다. 감수성이 상당히 예민한 사람들은 간혹 계절을 타서 혼자 쓸쓸한 기분이 드는 사람들이 있지만, 지연이는 전혀 그러지 않았다. 오히려 행복이 넘쳤다. 지연이는 주님이 동행하심에, 분명 현실은 학교를 또 낙방 되어서 3수를 하고 있는 상황이다.

3수생이면 공부하기 바쁜 상황이다. 공부를 해야하는 등의 이유로 핑계 대면서 학교 다닐 때는 정말 잘 가던 교회를 재수하면서 가는 것을 소홀히 하는 경우가 많다. 지연이는 3수를 하면서도 주말이 되면 공부를 전혀 하지 않았다.

월요일부터 금요일까지 주중은 새벽기도를 다녀오면 독서실 문을 열고, 독서실을 오픈하기 전에 지연이 개인적으로 준비를 모두 마친 뒤 독서실에 다니는 학생들을 한 사람, 한 사람 모두 진실하게, 사랑을 주면서 맞이했다. 지연이는 학생들을 맞이할 때 조금도 흐트러짐 없는 깔끔한 모습을 유지했다. 독서실 상황도 최신식이 아니었다. 오래되고 낡은 곳이었다. 엘리베이터도 없어서 계단으로 독서실이 위치한 5층까지 걸어서 왔다 갔다 해야했다.

쉽게 말하면 망해가고 있는 독서실이었다. 사장님도 걱정거리가 이만저만이 아니었다. 월세를 못 내서 오픈할 때 냈었던 보증금을 계속해서 까먹고 있었다. 건물 입구 앞에서 담배에 불을 붙여서 피고 있었다. 담배 연기를 뻐끔뻐끔 입 밖으로 피웠다. 지연이가 그 독서실에 총무로 왔을 때 그곳에 다니는 학생들도 단 14명뿐이었다.

열악한 환경의 독서실에 처음 왔을 때는 지연이도 앞으로 어떻게 해야할지 혼자 고민이 들었다. 그래도 이곳으로 온 것은 하나님의 뜻이라 생각했다. 바로 받아들였다. 적어도 전에 오래 있었던 서울신문사보다는 이곳 독서실이 훨씬 나았기 때문이었다. 신문사에서는 잠을 제대로 못 자면서 일하며, 깡패들에게도 특별한 이유 없이 맞기도 했다. 신문사 배달하는 시절이 지연이에게는 되게 힘들었다. 신문사 생활에 비하면 이곳 독서실은 정말 천국이었다.

그 14명의 학생들 중 한 명은 지연이가 독서실에서 총무로 있을 때 직접 전도한 재현이었다. 이미 이 독서실에 먼저 와서 수능 공부하고 있었다. 재수였다. 그도 역시 처음은 지원했던 학교에 낙방당했다. 다시 재수하고 있는 상황이었다. 공부 잘하는 친구였다. 처음은 누구나 가고 싶은 서울대, 연고대를 정말로 가고 싶었다.

예전에는 학벌 위주의 사회가 정말 심했다. 공부만 잘하면 전부인 사회였다. 자신의 이름을 걸어놓고 직접 사업을 시작해도 어느 정도 궤도에 올릴 수 있는 사회였다. 하지만 지금은 어느 정도 많이 완화되었다. 그래도 여전히 누구나 이름만 들어도 다 알고 있는 명문대 입학해서 공부한다고 말하면 주변 사람들의 눈빛과 태도가 아예 달라지는 뿐만 아니라 졸업하고 회사로 취직하면 평범한 학교를 졸업한 사람보다 우대하는 경향이 있다.

그러나 지연이의 전도에 따라 친구인 재희와 함께 둘은 같이 매 주일이 되면 서울 명성교회로 가서 예배를 드렸다. 주중에 재현이가 공부하기 위해 독서실에 오면 공부하기에 앞서 먼저 교회로 가서 1~2시간씩 꼭 기도하고 오라는 지연이의 말에 따랐다. 처음은 왜 하야하는지 의문이 들었고, 오랜 시간동안 하는 것 자체가 부담되었다. 불편하고 처음은 집중도 잘되지 않았다. 지연이는 그런 상황을 잘 알고 있었다. 처음은 같이 가서 도와주었다. 혼자서 잘할 수 있을 때까지.

재현이가 기도하고 다시 독서실로 돌아오면 지연이는 재현이가 가서 정말로 기로를 했는지. 하지 않고 다른 곳으로 가서 놀다 오지 않았는지 물어보고는 했었다. 고민이 있는 학생들은 한 명씩 불러서 개인적으로 진심을 담아서 그를 위해 상담을 했었다.

물론 기도도 했었다. 상담하기 전에는 무조건 기도를 했다. 그냥 하지는 않았다. 그들이 지연이의 상담을 받고 난 이후, 변화되는 이유는 지연이의 기도가 있었기 때문이었다. 세상에는 어떠한 공짜는 없었다.

지연이는 최선을 다해서 한명 한명을 진심으로 상담을 해주었다. 처음은 어색했지만, 독서실에 있는 학생들 모두 총무인 지연이를 따랐다. 모두가 그렇게 변했다. 지연이가 진심으로 학생들 한 명 한 명을 대해주고, 힘을 나라며 격려를 하고, 진로에 대해 고민이 있다며 지연이에게 상담을 원할 때 진심으로 해주었다. 지연이는 자신이 과거에 아픔을 먼저 겪었고, 그때의 심정을 잘 알기에 지금 어려움을 겪고 있는 학생들의 심정을 누구보다 더 잘 이해할 수 있는 사람이었다.

새벽기도와 주일에 교회 가면 기도도 해주는 등 매사에 최선을 다했다. 작은 것 하나도 놓치지 않고, 꼼꼼하게 신경을 써서 일했다. 지연이는 자신의 공부를 할 시간이 많이 없을 법하지만 그렇다고 불평불만을 하지 않았다. 오히려 긍정적으로 생각하고 주어진 상황에도 늘 감사했다. 그러다 보니 학생들도 자연스럽게 지연이를 따랐다.

기도하는 것 중 하나는 만약 자신을 사용하는 것이 정말이면, 축복을 해주시는 것이 정말이라면 그에 대한 응답으로 독서실 부흥과 마감이라는 것으로 보여달라는 기도를 하기도 했었다.

토요일이 되면 교회에 가서 교회 일을 할 수 있는 것과 매일 2~3시간씩 기도할 수 있는 것에 항상 행복했다. 항상 감사했다. 주중에는 지연이가 교회에 가서 2~3시간씩 기도하는 동안만은 독서실 사장님의 자녀들이 대신 봐주었다.

지연이는 자신의 상황을 직접 사장님에게 미리 말하고 양해를 구했다. 사장님도 허락은 했다. 사장님도 성당을 다니는 사람이었다. 지연이의 상황과 처지를 아예 모르지 않았다. 교회에 가는 것에 대해서 일일이 터치하지는 않았다. 다만, 지연이와 독서실 사장님의 믿음의 차이일 뿐이다.

다른 사람들이 보면 지치고 힘들어할 법한데 지연이는 전혀 지치지 않았다. 부정적인 생각을 하지 않고, 성경 말씀대로, 주님을 모시고, 긍정적으로 생각하고 행동하기 위해서 혼자 많은 노력을 했다. 가장 우선순위를 교회와 매일 기도하는 것을 무슨 일이 있어도 꼭 지키기 위해 노력하고 초점을 두었기 때문이다.

...

한참이 지났다. 어느새 해는 점점 저물어가고 차츰 어둠이 몰려오기 시작했다. 지연이는 독서실에 있었다. 다시 봄이다. 지금 지연이는 4수하고 있는 중인 상황이다. 그녀가 보려는 책 부분을 폈다. 시험에서 떨어진 것을 확인한 지연이는 마음을 다잡았다. 흐트러진 마음을 다 잡고 다시 시작하기 위해 다시 5일동안 금식기도를 하러 오산리 금식 기도원으로 다녀왔다. 그곳에서 기도했다.

처음은 5일동안은 오래 금식하면서 기도하는 것이 힘들었다. 하지만 지금은 오히려 그것은 어렵지 않았다. 처음보다 더 쉬웠다. 1년에 두 번씩 4년간 해왔으니 이제는 꽤 능숙했다.

지원했던 학교를, 가장 가고 싶어하는 학교를 계속해서 떨어질수록 지연이의 기도는 더더욱 간절해지고 깊은 기도가 나왔다. 가고 싶은 생각은 굴뚝 같았지만, 그렇다고 당장 눈앞에 있는 큰 문제인 '이번에는 꼭 제가 원하는 학교와 학부에 합격하게 해주세요'라고 기도는 하지 않았다. 거의 하지 않았다.

만약 그것을 놓고 기도했는데 실제로 그 꿈이 이루어지면 더이상 꿈과 비전은 없기 때문이다. 그 순간 더이상 발전은 없다. 그래서 큰 꿈을 놓고 계속해서 기도했다. 큰 꿈을 이루면 그 안에 내포된 작은 꿈들은 모두 이루어져 있으니까.

그렇게 한다면 실제로 이루어놓은 뒤가 문제다. 지연이는 그것보다 미래를 위해 큰 꿈을 놓고 기도했다. 기도하는 내용들은 절대 작은 것들이 아니었다. 전부 다 큰 꿈들이었다. 지연이 혼자 할 수 없는 것들이다. 그렇기에 더 간절히 무릎 꿇고 기도를 했다. 때로는 누군가의 중보기도도 필요했다. 혼자 기도하는 것보다 평소 기도하는 수많은 사람들이 함께 중보기도가 당사자에게 더욱 힘이 되는 것처럼.

기도하는 내용은 다음과 같았다.

'세계적인 부흥강사가 해달라는 것, 조용기 목사님과 같이 큰 집회를 하게 해달라는 것', '김삼환 목사님을 앞에 모셔놓고 서울 명성교회 본당에서 3번 이상 집회를 하게 해달라는 것, 전 세계를 돌 수 있는, 저의 영원한 스승님이 받으셨던 모든 축복과 은사와 능력을 저에게 동일하게 달라는 것'과 '금란교회에서 담임목사님 다음으로 인정받는 오른팔 수제자가 되는 것', '세계적인 부흥강사가 되는 것', '전 세계를 끌고 가는 세계적인 ceo가 되게 해달라는 것', 그리고 '지금 이렇게 하나님께 심고 드리는 물질이 적지만, 꼭 어떠한 주의 종보다 가장 많이 물질을 심을 수 있는 물질의 축복자가, 물질의 청지기가 되게 하는 것' 등 큰 기도와 많은 축복을 놓고 주로 기도를 많이 했다.

누구보다 정말 간절하게 많이 했다. 한번 자리 잡고 기도를 시작하면 시간이 가는 줄 전혀 몰랐다. 누가 자신을 불러도 전혀 모르고 계속 기도했다. 분명 5분이나 10분정도 기도한 것 같은데 시계를 보면 1시간이 훌쩍 지나가 있었다. 기도하고 돌아가는 길, 버스 안에서 창문 밖을 통해 보이는 온 세상이 마치 자신의 것처럼, 기분이 너무 좋고, 의기양양했다. 하루의 일과 중 기도하는 시간이 가장 행복했다.

이제 지연이는 재수하는 학원에서 수업시간 끝나면 쉬는 시간에 칠판을 닦아주고 정돈하는 아르바이트를 시작했다. 지연이는 스스로 필요한 돈을 벌기 위해서다. 그냥 가만히 있을 수는 없었다. 받은 돈으로 차비와 헌금 생활을 꾸준히 이어나갔다. 새벽기도는 거의 빠지지 않았다. 그렇게 바쁨에도 불구했었다. 정말 아파서 못 가는 경우를 빼고서다. 지연이에게는 누구보다 돈이 가장 필요로 하는 상황이었기 때문이다.

잠을 적게 자서라도 지연이는 약속이나 출근하기로 한 시간에 늦는 것을 가장 싫어했다. 차라리 일찍 가서 주변에서 혹은 약속한 장소에 차를 세워두고 차 안에서 기다렸다가 시간 맞춰서 가는 것이 더 좋았다.

그것이 더 속 편했다. 새벽 2시에 독서실을 마감한 뒤, 약 1시간동안 마감 청소를 하였다. 계속 청소를 하다보니 요령이 생겼다. 마감하기 약 1시간쯤 전부터 학생들이 공부하는데 전혀 방해되지 않는 선에서, 소음이 적게 나는 것부터 순서대로 청소했다. 그러다 마지막 학생이 가방을 챙겨서 독서실에서 집으로 돌아가면, 지연이는 한쪽 구석에 있는 커다란 청소기를 학생들이 사용하는, 자신의 자리 앞으로 가져와서 전기 코드를 콘센트에 꽂았다.

그런 다음, 독서실 바닥 전체를 청소기로 모두 쓸었다. 그런 다음 화장실에 있는 봉 걸레에 먼저 물을 묻힌 다음 독서실 전체를 닦았다. 그렇게 청소를 했다. 아직 끝난 것이 아니었다. 학생들이 라면을 먹고 버린 음식물 쓰레기를 처리하고 더러워진 음식물 쓰레기를 담는 통은 주방용 세제를 그곳에 소량 넣은 뒤, 깨끗하게 하여 다시 원래 있었던 자리에 놓았다. 그 3가지 일만으로 30분은 금방 지나갔다.

그런 다음, 지연이는 오고 갈 데가 없는 상황이었다. 마음 놓고 편안히 씻을 수 있는 상황도 여의치 않았다. 여자 화장실에 있는 마대를 빠는 큰 세면대에서 머리를 감았다. 씻었다. 혹은 수도꼭지 입구 부분에 고무호스를 연결해서 아예 샤워했다. 여름에는 괜찮았지만, 겨울에는 난방이 제대로 되지 않아서 찬물에 샤워하는 경우가 꽤 많았다. 화장실에서 추위에 떨며 아무도 없는 곳에서 혼자 씻은 적이 꽤 많았다. 바디워시와 비누는 지연이가 따로 챙겨둔 것을 가지고 와서 씻었다. 갈아입을 새 옷도 같이 챙겨와서 씻었다. 샤워하는 것은 사람이 아예 없을 때나 가능했다.

자는 것은 독서실 내부에 쪽방이 있었는데 그곳은 어른 두 명이 누우면 정말 꽉차는 2평 남짓한 좁디 좁은 방이었다. 새벽 2시 늦게 마감을 하고 청소를 모두 마친 뒤, 지연이는 화장실에 가서 개인적으로 모두 씻었다. 샤워까지 그곳에서 모두 했다. 겨울에는 뜨거운 물을 구해와서 손이 매우 차가울 때마다 조금씩 붓고 씻었다. 화장실에서는 뜨거운 물이 아예 나오지 않았기 때문이다.

그런 다음, 근처 명성교회로 새벽기도에 가기 위해 1~2시간 쪽잠을 자고 다녀오는 것이 일상이었다. 새벽 기도에 다녀오면 보통 8시쯤 되었다. 독서실로 돌아오면 거의 9시는 되었다.

지연이는 쉬지 않고 바로 독서실 문을 열어놓고 학생들을 맞이해야 했다. 고3은 아침에 학교에 가서 아침 시간대에는 오지 않았다. 보통 오후 늦은 시간인 5시 정도는 되어야 한 명 두 명씩 오기 시작했다. 그러나 방학이면 아침 시간대부터 공부하기 위해 독서실로 온다.

지연이는 그렇게 잠을 너무 적게 자는 것을 계속해서 이어갔다. 학원에 가서 알바하는 동안 졸면서 일을 한 적이 꽤 많았다. 칠판을 닦아주다가 코피를 많이 흘려서 한동안 제대로 하지 못했다. 화장실에 가서 휴지로 지혈시키고 오는 것이 급했기 때문이다. 그래 놓고서 힘든 기색 없이 지연이는 자신에게 주어진 일을 묵묵히 해나갔다.

평소 그를 알고 지내는 사람들이 지연이에게 쉬면서 하라는 등 안쓰러워서 걱정을 해주어도 지연이는 힘들어하는 내색하지 않았다. 지연이는 개인적으로 자신의 힘듦을 다른 사람들에게 내색하는 것을 싫어했다. 자신에게 주어진 일들을 묵묵히 할 뿐이었다. 하루도 빠짐없이 성실하게 수행했다. 그것이 다였다.

학원에서도 강사들이 지연이의 성실함은 인정해주었다. 학원에서 매 강의시간이 끝나면 쉬는 시간에 칠판 닦아주는 알바를 해서 처음 받는 시급은 적었지만, 그렇게 인정받은 이후로 처음에 지연이가 받는 시급은 최저시급보다 더 많이 받게 되었다.

지연이는 지금 독서실에서 총무로 일하면서 개인적으로 한가지 바라는 것이 있었다. 자신이 나중에 꼭 크게 쓰임 받는 것이 맞다면, 지금 이 독서실 정원 300명 부흥해서 모두 마감으로 응답해달라는 기도를 새벽기도나 매일 기도하러 가면 자신의 큰 꿈과 같이 기도하였다.

누가 지연이의 꿈을 들어보면 이상한 사람으로 혹은 '미쳤다.'고 욕을 하는 사람들이 많았다. 아무도 그녀의 곁에서 지켜주는 사람들이 아무도 없었다. 그녀의 꿈을 응원해주고 진짜로 지연이를 위해 기도해주는 사람들이 아무도 없었다. 광야에 혼자 남겨진 것 같았다. 아무리 노력해도 바뀌는 것이 전혀 없는 것 같았다. 자신이 원하는 학교에 계속 떨어져서 초라한 자기 자신을 안 좋게 생각하는 사람들이 더 많은 것 같았다. 시선이 곱지 않은 것 같은 기분이 들었다.

지연이는 더 비참해지는 것 같은 생각과 기분이 들었다. 혼자 남겨진 것 같았다. 하지만 그런 생각은 잠시일 뿐, 지연이는 다시 힘을 내서 주어진 일에 최선을 다했다. 사람이다 보니 이런 부정적인 생각이 들게 되더라도, 금방 이겨냈다. 부정적인 말과 불평하는 생각은 하지 않기 위해 계속 노력했다. 긍정적으로 생각하고 행동하기 위해 계속 노력했다.

지연이가 대구에 있는 큰아버지의 집에서 살게 되었다면 성공을 할 수 있는 상황이었다. 큰아버지의 집안 환경이 남부럽지 않게 잘 사는 집안이었기 때문이었다. 큰아버지 또한 지연이의 부모님이 지연이가 어려서부터 시골에서 고생하는 모습을 계속 봐왔기 때문에 지연이를 고생시키지 않고서 출세의 길로 인도하고 싶은 마음이 더 컸다.

부모님으로서 자신의 영향이 전혀 없어도 스스로 잘할 수 있도록, 자식을 잘 되게끔 출세시키고 싶은 욕심이 있었다. 자신이 힘이 있을 때 지연이를 도와주고 싶었다. 지연이도 그런 큰아버지의 마음은 충분히 이해가 되었다. 그러나 한가지 큰 문제가 있었다. 바로 큰아버지가 믿음이 아예 없었다.

지연이에게 '학생이 기도는 무슨 공부를 해야지, 왜 매일 교회에 가는 것이냐?'고 하면서 주중에는 교회에 아예 가지 말고 오직 주일 하루만 종교적인 행사로 교회에 다녀올 수 있다고 했었다. 지연이의 큰아버지는 힘이 있는 장군이었다. 지연이는 매일 2~3시간씩 기도하고 싶었다. 또한, 부모님의 유언이기도 하다. 지연이는 매일 교회에 가는 것이 가장 행복했다.

큰아버지에게 그동안 감사했다는 편지를 쓰고 새벽에 큰아버지의 집을 거의 도망치듯이 빠져나온 지연이는 서울 성동구 왕십리로 올라왔다. 지연이가 탄 버스는 대구에서 출발하여 서울 왕십리 인근 시외버스 터미널에 도착했다. 새벽 이른 시간에 고속버스터미널에서 버스를 타고 4~5시간 걸려 혼자 서울로 올라왔다. 고등학교 졸업할 때까지는 사정을 구해서 친구 집에 잠시라도 있을 수 있었다.

그 기간동안 만큼 의식주는 해결되어서 그것에 전혀 신경 쓰지 않고, 공부하는 것에는 문제가 없었다. 하지만, 그 이후로는 더이상 있는 것이 어려웠다. 아예 서울신문사로 들어갔다. 지연이 스스로 자신에게 필요한 돈을 벌기 위해서면 그렇게 할 수밖에 없었다.

새벽에 일찍 일어나서 신문 돌리는 일을 했었다. 지금은 다마스로 한꺼번에 실어서 배송할 구역을 모두 돌리지만, 그 당시는 커다란 트럭이 신문 보급소에 할당량을 모두 놓고 가면 지연이는 신문지 사이에 전단지를 끼우는 작업을 일일이 손으로 다 한 뒤, 자신의 몫을 자전거에 모두 실어서 보급소에서 출발했다. 다른 곳은 전혀 상관이 없었다. 힘든 곳이 있다면 바로 경사가 있는 달동네다. 달동네는 자전거가 전혀 들어갈 수 없는 곳이다.

오토바이는 커녕 자전거조차 그 길을 따라 들어갈 수 없을 정도로 경사가 심하거나 사람만 들어갈 수 있을 정도로 도로의 폭이 매우 좁았다. 그 도로들은 보통 언덕 중턱에 있었기 때문이다. 그곳은 자전거를 평지 달동네 입구 부근에 잘 세워두고 바구니에 넣어둔 신문을 뭉치로 들어서 지연이의 두 발로 직접 뛰어서 배달했다.

배달 해야하는 신문지를 조금씩 가지고 계단을 올라가고, 내려가면서 배달했다. 다른 사람들은 보통 1개 또는 2개 구역을 맡아서 했지만, 지연이는 3개 구역을 맡아서 처리했다. 깡패들에게 맞는 것보다 일을 조금이라도 더하는 것이 더 나았기 때문이다.

신문 보급소 대표번호로 걸려오는 민원전화도 만만치 않았다. 분명 배달되었는데 누가 훔쳐 가서 손님이 못 받았거나 아예 없어져서 다시 해달라고 하는 것은 기본이었다. 그러면 다시 해야 했었다. 그래도 지연이는 감사한 생각으로 다녀왔다. 이후 다음날 그곳에 배달할 때는 신문을 아예 깊숙이 던져 넣었다. 비나 눈이 오는 날은 배달이 완료되면 쉬는 날이었다. 남들은 실내에서 편히 쉴 수 있는 시간으로 생각하고 행동했다. 그러나 지연이는 그 시간이 가장 힘들었다.

지연이가 있는 신문사 보급소에는 집이 없어서 갈 곳 없는 깡패들이 너무 많았다. 잘못한 것이 없는데 화풀이 등 아무 이유 없이 지연이를 때리거나 힘들게 했기 때문이었다. 그때 지연이는 보통 신문구독료를 받으러

나갔다. 비가 오는 날에는 우비를 단단히 맺었다. 틈 사이로 빗물이나 눈이 들어오는 것을 최대한 막기 위해서, 속으로 파고 들어오는 매서운 추위를 조금이라도 막기 위해서다.

신문구독료를 받기 위해 자신이 맡은 구역과 추가로 요청이 들어온 곳까지 모두 받으러 다니는 일도 쉬운 일이 아니었다. 신문 보급소를 출발하여 한참을 달렸다. 지연이는 처마가 있는 대문 앞에 자전거를 세워두었다. 그런 다음 초인종을 눌렀다.

"누구세요?"

그 집 주인이 큰소리쳤다. 문을 열었다.

"서울신문사에서 나왔는데요, 신문구독료 받으러 나왔습니다."

"뭐야, 나 미납이야?"

"아뇨, 미납은 없는데 이번 달 구독료를 받으러 왔습니다."

그 집주인은 다시 집으로 들어가서 자신의 지갑을 가지고 나왔다. 열어서 구독료를 지연이에 주었다. 이렇게 점잖게 하는 사람도 있었지만, 사람들 모두 제각각이었다. 지연이는 첫 번째 집의 구독료를 받은 뒤, 다음 집으로 갔다. 다시 초인종을 눌렀다. 반응이 없자, 다시 초인종을 눌렀다. 초인종이 고장 났다는 메모를 초인종 바로 위에 자필로 써서 붙인 집에 도착하면 지연이는 직접 자신의 손으로 쾅쾅 소리를 내며 대문을 노크하기도 했다. 안에 있는 사람이 충분히 들을 수 있도록 소리를 냈다.

"누구세요?"

"아, 서울신문사입니다. 선생님, 이번달 신문구독료 받으러 나왔습니다."

"한창 재미있는 것을 하고 있는데 갑자기 네가 와서 분위기 다 흐트려 놓네. 에이 짜증나."

어떤 집주인은 이렇게 짜증을 내면서 지연이에게 돈을 주거나 혹은 지연이가 인사만 하고 별 얘기하지 않았는데 재수 없다며 돈을 지연이의 얼굴에 전부 맞도록 돈을 확 집어던지는 사람도 있었다. 그러고서 문을 도로 쾅 닫았다. 요란했다. 지연이는 기분이 나빴다.

그러면서 구독료로 지연이에게 현금으로 준 돈은 일단 챙겨야 하니 모두 챙겼다. 구독료로 받은 돈을 신문사에서 출발할 때 챙겨 온 주머니에 넣은 뒤, 잔돈들이 쏟아지지 않도록 입구를 단단히 묶어두었다. 지연이는 서둘러 다음 장소로 이동했다. 속상했다. 자신이 왜 그런 대우를 받아야 하는지 슬펐다.

지쳐서 중간에 쉬다 가기 위해 한 음식점에 들렀다. 그곳은 어느 중식당이었다. 문을 열고 내부로 들어갔다. 그런데 갑자기 그곳에 있었던 깡패가 주방에서 사용하는 큰 식칼을 들고 지연이에게 다가왔다. 그 사람은 술을 얼마나 많이 마셨었는지 특유의 술 냄새가 풍겼다. 냄새가 심했다. 딱 봐도 술을 많이 마셨다는 것을 알아차릴 수 있었다.

큰 식칼을 피하기 위해 뒷걸음질 치며 계속 도망치던 지연이는 이제 더이상 피할 곳이 더이상 아무곳도 없었다. 벽이 있었다. 사면초가였다. 그 앞에는 무언가 커다란 것이 세워져 있었다. 그 사람은 아랑곳하지 않고 지연이에게 큰 식칼을 들고 계속 위협을 가했다. 지연이는 피하려다가 뒤로 넘어졌다. 그곳은 다름이 아니었다. 커다란 고무대야가 있었는데 그곳에 빠진 것이다.

그런데 냄새가 고약했다. 그 고무대야 안에 음식물 쓰레기를 한곳에 모아둔 음식물 쓰레기통에 지연이가 빠진 것이다. 지연이의 코에는 고춧가루가 섞인 국물이 들어갔다. 코로 들어간 순간 통증이 왔다. 굉장히 고통스러워했다. 꽤 많이 아팠다.

처음은 잘 몰랐지만, 책이나 다양한 기록들에 나와 있는 일제강점기에 독립운동가들이 독립운동하다 일제 경찰에게 붙잡혀 감옥에 가서 모진 고초를 겼을 때 받은 수많은 고문 중 주전자에 물을 받아서 그곳에 고춧가루를 타서 코로 집어넣었다는 기록이 있는데 이제야 그 기분이 무엇인지, 어떠한 고통인지 이해를 할 수 있게 되었다. 그렇게 들어가면 몸에 있는 구멍이나 심지어 눈으로 나오기도 했다. 고통스러웠다.

지연이는 황급히 그곳을 도망쳐 나왔다. 겨우 도망쳐 나왔다. 문 앞에 세워둔 자전거에 급히 올라탔다. 페달을 쉼 없이 계속 밟았다. 큰 식칼을 든 깡패가 지연이를 더이상 지연이의 뒤를 쫓아오지 않을 때까지 계속 페달을 밟았다. 뒤도 돌아보지 않았다. 있는 힘껏 세게 밟았다. 전속력으로 도망쳤다. 밖은 비가 많이 오고 있었다.

세차게 오고 있어서 앞이 제대로 보이지 않을 정도였다. 안경에는 빗물이 튀었다. 그것이 시야를 흐렸다. 지연이는 신문 배달 나가기 전, 신문사에서 준 우비를 입고 있었는데 그럼에도 소용이 없었다. 단추 사이로 벌어지는 틈 사이로 빗물이 새어 들어오기 때문이었다. 꾀죄죄한 모습이 되었다. 지연이는 그런 자신이 초라하게 느껴졌다.

그러면서 울었다. 펑펑 울었다. 서글프게 울었다. 정말 서러웠다. 그런 자신의 모습이 너무도 초라했다. 자전거 페달을 밟고 다른 곳으로 빠르게 가면서 지연이는 혼자서 다짐하고 또 다짐했다. 울면서 다짐했다. 옆에 사람이 지나가도, 지연이를 쳐다봐도 전혀 아랑곳하지 않았다. 이미 지연이의 얼굴은 빗물과 눈물, 콧물 범벅이었다. 안경은 빗물이 묻은 상황이라 앞이 잘 보이지 않았다. 그래도 가면서 기도를 너무도 간절하게 했다. 울면서 했었다.

'하나님, 제발 저 버리지 마세요. 지금은 초라하지만, 무슨 일이 있어도 반드시 세계적인 부흥강사가 되고 싶어요. 저를 써주세요. 지금은 하나님께 드릴 물질이 적지만 세계적인 부흥강사가 되면, 세계적인 주의 종이, 세계를 이끌고 가는 CEO가 되면 그 누구보다도 가장 많이 하나님께 물질을 심고 싶어요. 하나님께 큰 영광을 드리고 싶어요. 하나님, 제 마음 아시죠?'

...

지연이가 처음 독서실로 왔을 때 단 14명의 학생들로 시작했다. 거의 망해가는 독서실이었다. 시설도, 학생들이 쓰는 책상과 의자도 모두 다 낡은 데다 심지어 엘리베이터도 없었다. 계단으로 5층까지 올라와야 하는데 게다가 고도가 높아서 체감으로는 6층 혹은 7층 높이에 있는 것 같았다. 처음 지연이가 독서실에서 일하기 시작했을 때, 이렇게 기도했다.

하나님, 정말로 저를 사용하시는 것이 맞다면 독서실 부흥으로,
300명 마감으로 응답하여주세요

지연이는 정말 간절했다. 지금은 초라하지만, 지금을 준비 잘하고, 잘 이겨내서 꼭 단련한 다음에 순금같이 귀하게 쓰임 받기를 원했다. 원하고 바랐다. 서울신문사에서 퇴사한 지연이는 독서실 총무로 일하러 갔다. 서울 강동구 명일동, 지하철역은 굽은다리역 인근에 위치했다.

길을 잘 모르는 사람들도 찾기 쉬웠다. 버스 등 차들이 많이 다니는 큰 대로변에 있었다. 처음은 학생의 수가 적었다. 그러나 그곳에 있는 학생

한명 한명을 진심을 다해 학생들 개개인의 고민과 진로 등 많은 것을 상담해주고, 헌신했다.

사설 독서실 마감 시간이 보통 새벽 2시다 보니 마감하고 청소를 모두 마치는 순간까지 잠을 잘 수 없었다. 청소를 모두 마치고 쪽잠을 잔 뒤, 씻고서 인근에 있는 서울 명성교회로 새벽기도를 드리러 다녀왔다. 기도하고서 오픈 시간에 와서 다시 독서실을 정문을 자물쇠 따고 열어야 하는 의무도 지연이의 몫이었다.

그런 진심이 통했는지 그 소문이 학생들 사이에서 돌기 시작했다. 소문을 듣고 지연이가 일하는 독서실로 차츰차츰 지연이가 총무로 일하는 독서설에 등록하는 학생들이 많아지기 시작했다. 이제는 70명 가까운 학생들이 낡은 시설의 독서실에 등록해서 다녔다. 다른 장소에서 하는 공부도 그곳에 가지고 와서 했다.

여름방학을 앞둔 어느 금요일이었다. 날씨는 제법 더워졌다. 평소와 같이 공부하는 학생들로 가득했다. 지연이는 지금까지 독서실에 온 학생들이 자신이 언제 왔는지 시간을 적었는지 언제 집으로 갔는지 집에 간 시간을 제대로 적었는지 출석부를 일일이 보고 있었다. 대충대충 보는 것이 아니라 모두 빠짐없이 꼼꼼히 보았다.

학생들이 기록하는 출석부를 지연이 본인의 자리로 가지고 가서. 지연이의 책상 한편에는 수능 국어, 수학, 영어 문제집과 참고서가 놓여있었다. 지연이는 벌써 5수째 준비하고 있다. 출석부에 누락이 되어있는 부분은 그 학생을 찾아가서 물어와서 독서실에 언제 왔는지 등 세밀하게 전부 확인을 했다.

학부모님들이 독서실로 전화가 오면 그동안 기록되어있는 출석부 등으로 일일이 상담을 전부 했었다. 출석부는 학생들이 오면 쓸 수 있도록 하는 것도, 그것을 관리하는 일도 지연이의 몫이었다. 혹은 그 학생과 직접 통화하고 싶다며 바꿔 달라고 요청하면 그렇게 하기도 했다.

한참이 지났다. 지연이는 분명 학생들이 많이 있는 것을 분명 확인했는데 일부 학생들이 없어진 것을 확인했다. 일부 학생들이 없어진 것을 본 지연이는 운동화로 갈아신고 밖으로 나갔다. 멀리 가지는 않았다. 지연이가 향한 곳은 다름이 아닌 당구장이었다.

지연이가 일하고 있는 독서실 앞에 당구장이 있었다. 없어진 학생들 4명이 그곳에 가서 놀고 있었다. 누가 오는지 전혀 모른 채 정말 마음 놓고 놀고 있었다. 자신들이 해야 하는 공부는 하지 않고서다. 독서실 앞에 있는 당구장으로 들어간 지연이는 금방 그들을 발견했다.

"야, 니네 이리와 봐!"

지연이가 그들을 향해 손짓하면서 말했다.

함께 당구를 치고 있던 도중 지연이의 목소리를 들은 학생들은 모두 한결같이 깜짝 놀랐다.

"야, 니네 하라는 공부는 안 하고 왜 여기 있어?"

"죄송합니다."

학생들이 대답했다.

"모두들 다시 독서실로 돌아가. 지금 니네 공부해야 할 때잖아, 지금 평가원 주관 모의고사 얼마 안 남은 거 알아?"

"죄송합니다. 총무님 얼른 갈게요."

"그럼 이거는 어떻게 해요?"

학생 한 명이 자신들이 한 것을 어떻게 처리하는지 물어봤다.

"사장님께 잘 말씀드려보면 처리해주실거야."

10분이 흘렀다. 당구장에 갔던 학생들이 다시 돌아왔다. 지연이는 그들이 다시 독서실로 돌아온 것을 확인했다. 정확하게는 당구장에서 그 친구들과 함께 들어왔다. 데리고 들어온 것이다. 가장 먼저 그들 한 명씩 불렀다. 지연이가 평소 독서실에 있는 그녀의 자리로 불렀다. 지연이의 책상 옆에 사람이 앉을 수 있는 의자 하나를 뒀다.

학생들 모두 독서실에 도착했다. 지연이가 당구장에 가서 놀고 있었던 학생들을 모두 데려왔다. 그 학생들이 다시 자기 자리에 앉는 모습을 먼 발치에서 바라보았다. 5분이 흘렀다. 지연이는 자신의 책상 옆에 접이식 의자를 폈다. 당구장에 갔던 학생들 한 명씩 불렀다. 자신이 가지고 온 접이식 의자에 학생을 앉힌 다음, 상담이 들어갔다.

물이나 커피 등 학생이 먹고 싶은 음료를 한 잔 내어주었다. 남들에게 말하지 못하는 개인적인 고민을 들어보고, 그에 따른 적절한 조언과 동기부여를 했다. 진심으로 학생들 한 명씩 대하고 사랑을 줬다.

학생들 모두에게 그랬다.

처음은 불과 14명으로 시작했었다. 분명 그랬다. 누가 봐도 그곳에서 한 줄기의 희망은 찾아볼 수 없었다. 절망스러운 상황이었다. 하지만 지연이가 총무로 온 뒤로 모든 것이 조금씩 바뀌기 시작했다. 지연이의 행동 하나하나로 좋은 소문이 주변으로 알려지기 시작했다.

 다른 독서실에서 공부하려는 학생들이 하나, 둘씩 지연이가 일하는 독서실로 등록을 하고 공부했다. 새로 들어오는 학생들의 무리 속에는 학교 다니는 고등학생들이 주로 이루었다. 재수생들도 있었다. 계속 들어와서 70명으로 불어났다가 이제 어느새 150명의 학생들이 지연이가 있는 독서실에 다니고 있었다. 처음은 이들이 한눈에 들어오지 않았다. 사람이 많다 보니 처음은 정신을 못 차렸다. 그것도 잠시뿐이었다.

 많은 인원을 관리하기 위해 지연이는 직접 조직을 효율적으로 짜기 시작했다. 그런 다음 가장 신뢰가 가는 학생들에게 충분히 할 수 있는 일을 맡긴 다음 관리를 시작했다. 또한, 학생들 한 명 한 명 모두에게 진심을 다해서 그들의 고민이나 진로에 대해 상담을 해주었다. 때로는 힘을 내라며 격려를 했다. 분명 자신도 몇 년째 재수를 하고 있는 상황임에도 했었다. 이제는 독서실에 있는 수많은 학생들이 한눈에 들어왔다.

 분명 지연이가 있는 독서실이 최근에 지어진 다른 독서실보다 책걸상 등 시설이 많이 낡은 것과 공부하는 환경이 열악하고, 독서실로 올 때, 엘리베이터가 없어서 5층까지 계단으로 직접 올라와야 하는 불편한 상황임에도 그것을 다 감안했다.

 처음 지연이는 150명의 학생들이 너무 많아서 정신을 못 차렸다. 처음은 독서실에 있는 많은 학생들이 자신의 한눈에 들어오지 않았다. 완벽하게 적응하기까지 시간이 걸렸다. 하지만 그 상황에 얼마나 빨리 적응하는 것도 지연이의 몫이었다.

 많은 학생들을 한눈에 다 들어오기 위해서는 지연이가 연구한 끝에 생각해낸 스스로의 방법을 취했다. 처음에는 그녀 역시 적응기와 여러 시행착오가 있었다. 이런 시행착오도 다 지연이의 경험이었다. 지연이에게 다 피와 살이 되는 중요한 요소들이었다. 철저하게 조직을 구성하고 그곳에 적절한 사람들 배치했다. 최종 허락은 사장님에게 최종으로 컨펌을 받았다.

...

지연이는 많은 학생들이 자신이 총무로 있는 독서실에서 공부하는 모습을 아무 말 없이 독서실 전체를 둘러보았다. 공부하는 모습을 지켜보았다. 학생들이 각자의 자리에서 공부하는 모습을 보면서 여러 가지 많은 생각을 했다. 지연이도 자신이 원하는 대학교에 들어가는 것을 계속 실패하여 4수를 하는 상황이라 분명 공부할 것이 있는데, 어쩌면 이제 첫 수능을 보는 고3 학생들보다 더 바쁠텐데 지연이는 자신보다 독서실에서 공부하는 학생들이 더 우선이었다. 그들을 더 격려했다. 힘든 것을 누구보다도 잘 알고 있는 지연이었다.

어떻게 하면 학생들이 더 힘을 내서 각자의 공부를 할 수 있을지, 학생들을 위한 작은 이벤트를 하려는데 어떤 것이 좋을지 여러 가지 생각이었다. 그들의 목표는 한가지다. 수능 시험에서 좋은 성적을 받아서 그들이 원하는 학교와 전공에 합격하는 것이었다. 재수하는 사람들도 마찬가지였다. 다들 똑같았다.

마침내 지연이는 결정했다. 독서실 학생들을 위한 체육대회를 하기로 결정했다. 아마 이런 생각을 한 것도 지연이가 처음일 것이다. 그런 생각을 떠올린 지연이는 세부계획을 정하기 시작했다. 지연이의 자리에 있는 컴퓨터로 관련된 자료들을 샅샅이 찾아다녔다. 그것만으로 며칠이 걸렸다. 날짜는 주중 금요일, 혹은 토요일로 생각하고 있었다.

지연이처럼 주일에 교회 다니는 사람들까지 모두 고려해서 있는 학생들 모두 100% 참석시키기 위해서는 날짜를 신중하게 선택 해야했었다. 주일 아침부터 있는 각자의 교회에서 예배를 성수하기 위해서라면 적어도 이런 일로 지장을 주면 안 되기 때문이었다.

이 일로 끝을 볼 때까지 집요하게 몰두하며, 매일 빠짐없이 새벽과 저녁으로 기도하며, 독서실 총무일 등 지연이 본인에게 맡겨진 상황을 전념하다 보니 일주일이 순식간에 지나갔다. 학교 다닐 적 날짜개념이 없었던 지연이도 독서실에서 사소한 일들까지 신경 쓰면서 전부 처리해야 하니 날짜 감각도 그 외 사소한 것들과 기본이 비로소 모두 잡혔다. 처음은 소심한 성격으로 평소 이성에게 잘 다가가지 못했던 지연이도 차츰차츰 담대함이 생기기 시작했다.

...

며칠이 지났다. 독서실로 들어오는 주 출입구에 광고지 하나가 붙어있었다. 지연이가 일하는 독서실에서 공부하는 학생들 한 명도 빠짐없이 볼 수 있도록 출입문에 하나씩 붙였다. 동전을 넣고 캔 음료를 뽑아서 마실 수 있는 음료수 자판기를 비롯하여 많은 과자와 각종 컵라면을 판매하는 간식코너와 컵라면을 해먹을 수 있는 셀프바 곳곳에 붙였다.

화장실로 들어가는 현관문에도 독서실 체육대회 관련 광고 글을 붙여놓았다. 학생들의 눈에 잘 띄는 곳이라면 모두 하나씩 붙였다. 곳곳에 광고를 붙여놓았다. 눈에 잘 보이는 곳이라면 전부 다 붙였다.

지연이가 마감 청소를 하면서 광고를 곳곳에 붙여놓았다. 학생들도 관심을 가지고 그 광고를 보았다. 체육대회 시작하기 약 1주일 전부터 지연이는 독서실로 직접 찾아오는 부모님과 전화로 상담하는 학부모님을 상담할 때 마지막에 항상 이 말을 덧붙여 말했다.

그것은 5월 초순 날짜와 함께 독서실에 다니고 있는 모든 학생을 대상으로 체육대회가 있으니 양해해달라는 것과 회비로 조금의 현금을 챙겨서 현장으로 보내주면 그것으로 학생들 모두 함께하는 식사 자리를 마련하여 함께 식사하고, 서로 친해질 수 있는 자리를 마련하겠다는 광고했다.

지연이가 붙여놓은 광고는 오랫동안 고민해온 독서실 체육대회를 개최한다는 내용이다. 날짜는 5월 초순이었다. 날씨가 많이 풀려서 집중을 제대로 하지 못하고 공부보다는 쉽게 풀어지기 아주 쉬운 시간이었다. 공부하는 것보다 놀 생각을 더 하게 되는 시간이다.

어느새 체육대회를 하기로 한 날짜가 되었다. 당일이다. 학생들은 광고에 적힌 학생들이 준비해야 할 것인 운동복과 축구를 하는 학생이면 축구화, 마실 수 있는 음료나 생수 등 개인용 물건 중 운동복은 집에서 출발할 때 아예 입고 현장에 도착하거나 신발 등 휴대할 수 있는 물건들은 가방에 넣어서 챙겨왔다.

지연이는 이날에 맞춰서 운동장 대관 등 공통사항을 준비했다. 지연이도 가지고 있는 옷 중에서 오늘 활동하기 가장 편한 옷으로 입고 모이기로 한 시간인 아침 10시에 맞춰서 도착했다. 더 정확하게는 20분 전에 도착해있었다. 학생들을 기다리고 있었다.

모두가 모인 것을 다 확인하기 위해 지연이는 맨 앞으로 나와서 출석했다. 방법은 학생들의 이름을 불러서 확인하는 것이다. 지연이는 하루 전, 컴퓨터에 학생들의 명단을 만들었다. 당일 독서실에 다니는 학생들의 명단을 챙겨왔다. 시간이 되자 지연이는 단상에 올라가서 한글 가나다순으로 학생들을 부르기 시작했다.

자신의 이름이 불린 학생들은 모두 '네'라고 대답했다. 그것으로 꼬박 15분을 보냈다. 대답이 없는 학생은 온 학생들과 다르게 표시했다. 그래도 온 학생들의 숫자가 더 많았다. 출석을 모두 부른 지연이는 옆에 세워둔 빨간색 스피커를 들었다. 전원을 틀었다. 한층 더 커진 목소리로 말을 이어갔다.

"오늘 하루는 그동안 공부하고, 교육청 또는 평가원에서 주관하는 전국 단위 모의고사 시험으로 쌓인 스트레스와 피로를 이 자리에서 모두 날리고, 같이 한 독서실을 다니는 친구들과 함께 운동하면서 교제하고 몰랐던 사이라면 서로를 알아가는 시간이 되기를 원해요. 여러분, 준비되었죠?"

"네!"

학생들이 지연이의 질문에 모두 이구동성으로 대답했다.

시작을 알리는 지연이의 말이 끝났다. 본격적으로 시작되었다. 남학생과 여학생들끼리 하는 게임도 있었다. 이 체육대회를 위해 준비한 수많은 내용에서 축구가 빠질 수 없었다. 남학생들이라면 빠질 수 없는 것이다. 다만, 학생들이 빠지는 일 없이 모두 참여할 수 있도록 다른 것도 해야 하는 만큼 시간제한이 있었다.

축구를 싫어하는 사람이 거의 없었다. 축구 등 점수를 낼 수 있는 게임은 이기는 팀에게 걸맞는 상품이 준비되었다. 이 순간을 다들 즐겼다. 오늘, 지금 순간이 지나면 다시 올 수 없는 것이기 때문이었다.

이 모든 것을 준비한 지연이도 학생들이 부족한 자신을 잘 따라와 주는 것에 고맙고, 감사한 생각이 들었다. 걷힌 회비로 모두가 함께하는 식사 자리는 고기를 준비했다. 큰 불판에 숯을 넣어서 불을 지핀 후 철판 위에 구워 먹는 것이었다. 다 익은 것은 한 사람당 하나씩 받은 일회용 개인 접시에 담아서 자기 자리에 가서 먹는 것이다. 그것으로 독서실 체육대회 마지막 시간을 모두가 함께 보냈다.

‘독서실 체육대회’로 학생들을 위한 단합이 모두 끝났다. 어느 독서실에서 찾아볼 수 없었다. 이것을 생각해낸 사람이 지연이가 거의 유일했다. 이 체육대회에 참가한 학생들은 끝나고 모두 기분 좋게 그동안 쌓인 피로와 스트레스를 날리면서 같이 독서실을 다니는데 그동안 몰랐던 사람들을 이번 기회에 알게 되고, 독서실 다니는 것은 알고 있었으나 아직은 어색했던 사람들도 이번 기회를 통해 친해질 수 있었다.

지연이가 있는 독서실에 다닌 지 얼마되지 않은 새로운 학생들에게도 굉장히 좋은 행사였다. 잘 적응할 수 있는 최적의 기회와 이곳에 다니는 학생들의 얼굴을 익히고 친해질 수 있는 정말 좋은 기회였다. 보람된 하루를 보낸 것 같았다. 학생들도 기분 좋게 돌아갈 수 있었다.

한번 수능 시험에 실패하여 다시 공부하는 학생들과 수능이 정말 처음인 고3 학생 등 다양한 유형의 친구들이 많았다. 별난 학생들이 많았다. 다들 수능 시험공부 하느라 지치고 힘들었던 것과 쌓인 에너지와 스트레스를 이번 체육대회를 통해 모두 해소할 수 있었다. 지친 기색을 회복하고, 다시 힘을 얻을 수 있는 아주 좋은 기회가 되었다. 행복했다. 지연이는 그런 모습을 보고 혼자 뿌듯함을 느꼈다.

옹기종기 모여서 모두가 함께한 저녁 식사하면서 이루어진 학생들 사이의 모든 대화는 아름다웠다. 식사 후 뒷정리도 지연이가 먼저 모범을 보였다. 학생들도 그 모습을 보고 뒤따라 함께 뒷정리를 모두 완료했다. 식사하면서 발생한 쓰레기까지 모두 처리했다.

지연이는 학생들과 함께 운동장 인근 쓰레기 버리는 장소로 갔다. 함께 준비한 종량제 봉투에 지연이와 학생들이 모두 다 같이 저녁 식사하면서 나온 쓰레기들을 모두 담아서 입구를 단단히 묶은 쓰레기들을 모두 일반 쓰레기들을 모으는 바퀴가 달린 커다란 통에 다 버렸다. 그다음 오늘 체육대회 했던 운동장 정문으로 다시 돌아왔다. 그곳에서 지연이는 학생들과 함께 작별인사했다.

학생들을 모두 집으로 보낸 뒤, 지연이는 다시 그녀의 보금자리가 있는 독서실로 돌아왔다. 독서실 내 작은 방으로 들어왔다. 고시원 방처럼 굉장히 비좁았지만 그래도 지연이의 유일한 보금자리였다. 유일하게 쉴 수 있는 공간이었다. 쉴 수 있다는 것에 감사했다. 불평과 불만을 하지 않았다. 지연이가 이곳에 들어온 시간이 밤 9시가 넘었다. 해는 저물고 어두운 밤이 되었다.

독서실의 학생들은 대부분 집이 가까운 학생들이라 직접 걸어서 돌아갔다. 독서실에서 집까지 거리가 꽤 있는 일부 학생들은 각자 집으로 가는 버스를 이용해서 집으로 돌아갔다. 독서실 학생들을 위한 체육대회를 모두 마친 이후 지연이는 지친 기색이 상당히 있었다. 그래도 지연이는 감사했다. 자신이 지치는 것하고 아무런 상관이 없었다.

학생들이 독서실에 나와서 공부하는 것은 물론이거니와 가장 중요한 것은 정말 따로 있었다. 그것은 독서실에서 공부하는 학생들 모두 하나님 예수님을 잘 믿고, 교회 잘 다니는 것이다. 그런 순수한 마음으로 지연이는 학생들 한 명씩 모두 개개인별 고민과 진로에 대한 고민을 진실로 사랑을 주면서 상담 해주고, 교회 잘 다닐 수 있도록 전도한 이유다.

이렇게 지연이의 순수한 노력으로 처음 독서실은 단 14명이었던 학생들이었으나 독서실 학생들의 체육대회 할 때는 180명~200명으로, 이제 300명 정원이 모두 마감되었다. 지연이도 처음은 많아진 학생들 한명 한명 개인별로 세심하고 꼼꼼하게 커버하는 것에 진짜로 정신이 없었다. 체육대회 이후, 지연이는 자신이 있는 독서실에 갑자기 많아진 학생들이 눈에 들어오지도 않았다. 여러 가지 시행착오도 있었다.

그러나 학생들 개인별로 어떻게 신경 써주는지 상담해주는 스킬을 습득하면서 적응했다. 독서실 사장님과 그의 가족들도 지연이를 보고 고마워했다. '지연이가 진짜 복덩어리다'라는 칭찬을 아끼지 않았다. 이제 독서실 운영하는 실질적인 사람은 사장님이 아닌 지연이다. 그 정도로 사장님과의 신뢰가 깊이 쌓이고 인정을 받았다.

집안 환경이 자신보다 더 안 좋은 학생이거나 자신처럼 원하는 학교에 계속 떨어져서 5수 6수를 하는 학생인데 많이 힘들어하는 사실을 알게 된 지연이는 사장님에게 잘 말해서 독서실 1달 이용료를 일정 비율로 감면해주거나 돈이 없어서 독서실조차 다니는 것이 매우 어려울 정도인 학생들에게는 무료로 다닐 수 있게 해달라는 허락을 구한다.

학생들 한 명 한 명에게 진심을 다해서, 사랑을 주면서 헌신을 다하여 상담을 통해 그 학생의 현재 처지와 집안 사정이 어떠한지 자세히 알기도 한다. 그런 열악한 환경에 처한 학생을 위한 배려차원이었다.

돈이 없어서 공부를 아예 못하는 것을 그나마 이 독서실 비용을 지연이가 사장님에게 잘 말하여 감면해 주어서라도 공부는 계속할 수 있도록,

꿈을 포기하지 않고 계속 이어갈 수 있도록, 그 끝에는 보물처럼 귀하고 소중하게 간직해 온 꿈을 이루어서 자신의 인생을 멋지게 살아갈 수 있도록 도움을 주는 것이었다.

가격 부담 때문에 공부를 포기하는 일이 없이, 자신이 직접 성경책을 들고 독서실 내부에서 고민을 상담해주며 직접 전도를 통해 주일에는 교회에 잘 나가고, 기도하는 것을 습관 잘 들여서 매일 기도하면서 믿음 생활을 잘하는 것이 지연이의 소원이었다. 사장님은 지연이가 말한 그 사정을 듣고 허락해주기도 했다.

지연이가 처음 독서실 총무 일을 하기 위해 사장님과 면접 볼 때, '월급은 안 줘도 된다, 다만 제가 쉴 수 있는 보금자리만 마련해주면 일하겠다. 부모님이 전부 돌아가셔서 집이 없어서 오갈 수 없는 상황이다'고 지연이의 현재 사정을 말했다. 그렇게 일을 시작했다.

2년은 그렇게 무보수로 독서실 총무 일을 했다. 독서실 총무로 일을 시작한 지 어느덧 3년차 되더니 사장님이 지연이에게 월급으로 10만원을 주었다. 지연이는 그것마저 감사했다. 처음은 정중히 사양하려 했었다. 그러나 지연이는 대화를 통해 결국 그것을 받게 되었다. 추후 지연이가 독서실 총무 일을 그만둘 때까지 사장님은 매년 10만원 단위로 월급을 계속 올려주었다. 지연이는 그것마저 너무 감사했다.

처음 지연이는 독서실 내부 간식 코너에서 판매하는 다양한 종류의 컵라면과 과자, 음료수 중 자신이 가장 먹고 싶은 것을 사 먹을 때 사장님이 쉽게 볼 수 있는 보드의 외상 가격을 적는 공간에다 자신의 이름을 적고, 무엇을 먹었는지 품목과 가격을 빠짐없이 모두 다 적었다.

사장님이 독서실에 있는 시간에는 직접 말해서 허락받고 먹었다. 추후 지연이에게 돈이 생기면 외상값을 모두 지불했다. 나중은 먹고 싶은 것이 있으면 마음껏 먹어도 된다고 사장님이 허락했다. 그럼에도 지연이는 처음에 했던 행동 그대로 가격을 적고 나중이라도 물건 외상값을 냈다. 그것이 하나님께서 보시기에 더 감동을 주면서 최선을 가하고자 노력했다.

그동안 자신이 하나님을 믿으면서, 기도하면서 일상에서 직접 경험한 것과 성경에 적혀있는 하나님의 말씀대로 살아가고자 노력하고 또 노력한다. 지금도. 여전히.

만일 자신이 알게 모르게 잘못한 것이 있거나 만약 하나님이 자신을 보기에 싫어하시는 것이 있다면 바로, 즉각 하루 24시간 금식기도를 시작하여 회개하는 기도를 많이 해서 용서를 구한다. '하나님이 나를 지켜보고 있다.'는 신념을 가지고 자신에게 주어진 일상을 살아가기 위해, 하나님께 영광을 드리기 위해 노력하고 또 노력했다.

지연이는 지금, 현재 이 모습이 가진 것 하나 없어서 초라하였지만, 하나님 한 분만으로, 매일 교회에 들러 기도할 수 있는 것에 감사하고, 정말로 좋아했다. 자신이 언제 어디를 가나 '하나님께서 늘 자신과 함께 동행하신다'는 것에 지연이는 그 어느 누구보다도 10년동안 길고 오랜 재수 생활이 오히려 행복했다. 가장 찬란했던 시간이었다. 그 시간은 동굴이 아니라 긴 터널이었다.

항상 긍정적으로 생각하고, 어떤 좋지 않은 상황과 환경이 자신에게 주어졌음에도 화내고 불평불만부터 하는 것이 아니라, 늘 하나님께 감사하는 법을 직접 터득하였고, 제대로 알게 되었다. 이렇게 주어진 환경에서 감사하며, 오직 주님 한 분만 붙들고 자시의 큰 꿈과 비전들을 위해 기도하며 감사하면서 생활한 것이 추후 멀고 먼 미래에 어떠한 결과가, 어떠한 상황이 펼쳐질지 아무도 몰랐다.

지연이 자신조차 미래에 대해 아무것도 몰랐다. 아는 것이 전혀 없었다. 장차 지신이 크고 귀하게 전 세계적으로 쓰임 받을 것이라고 전혀 모르고 있었다. 나중에 이 일이 간증이 될 것이라고 상상조차 하지 못했다. 이때의 지연이는. 자세히, 정확하게 알고 있는 사람과 세밀한 것까지 계획하는 사람은 오직 하나님 한 분뿐이었다.

새벽 0시 15분

자정을 넘었다. 시계는 새벽 시간을 가리키고 있었다. 깊은 밤이었다. 모든 것이 고요했다. 조용했다. 두 눈이 초롱초롱하게 눈을 떠서 깨어있는 사람보다 깊은 잠을 자는 사람들이 더 많은 시간이다.

대낮에는 무심하게 집이나 사무실을 청소하기 위해 청소기를 켜서 청소하거나 세탁기를 돌리는 것이나 집에서 직접 피아노 치거나 악기를 부는 등 시끄럽게 하거나 소음이 발생해도 그것에 대해 별 신경 쓰는 사람들이 별로 없다. 그러나 새벽 시간이 되면 하지 못하는 것들이다.

사소한 행동 하나까지 조용하게, 조신하게 행동해야 했다. 조심하게 행동했다. 은밀한 새벽 시간에 깊은 잠들어있는 대부분의 사람들을 위한 배려하는 차원이다. 이것은 누구나 다 알고 있는 기본예의다.

어떤 사람들은 이 은밀한 새벽 시간이 예술을 하는 사람들에게 집중이 잘 디는 시간대이다. PD들은 좋은 카메라로 녹화한 엄청난 양의 영상을 배정된 공중파 방송에 내보내기 위해 편집 작업하거나 새로운 책을 써서 작품을 탄생시키기 위해 오랫동안 생각하고 구상한 아이디어를 컴퓨터 워드에 모두 작업하기에 집중할 수 있는 가장 좋은 시간이다. 때론 새벽 감수성에 흠뻑 젖어서 새로운 구상한 것을 조금도 지체없이 곧바로 행동으로 옮겨 적기도 한다.

작업할 때 다른 사람들에게 전혀 방해를 받지 않고 최대한 집중해서 할 수 있는 좋은 시간이었다. 한 권의 책이 되어 실물로서 오프라인과 온라인 서점에 나올 수 있도록 워드로 완료하는 것과 오탈자 수정하는 것 등 모두 마무리하기까지 원고는 작가가 직접 한다. 원고가 다되어 작가가 직접 출판사에 엄청난 양의 원고를 넘기는 순간, 그때부터는 온전히 출판사들의 몫이었다.

낮에는 각자의 일상에, 각자의 직장에서 자신들이 맡은 업무들에 치여 살지만, 신기하게 퇴근한 이후 새벽 시간만 되면 머리에 새로운 아이디어가 번뜩 떠오르거나 새롭고 많은 내용들이 머릿속에 잡히기 시작한다.

그러면 그것을 빠짐없이 모두 다 쓰기 위해 시간 가는지 전혀 모르고 한 번 앉은 자리에서 최소 a4 용지 10바닥을 많게는 20바닥 이상을 한 번에 써내고는 한다. 지연이도 똑같았다. 지연이라고 해서 예외는 없었다. 똑같았다. 일단 그냥 그 자리에서 생각나는 대로 먼저 다 썼다.

앞뒤 문맥이 전혀 맞지 않아도, 내용이 이상하게 전개되어서 일단 무조건 생각나는 대로 다 적었다. 그런 다음, 시간이 지나서 나중이라도 오타난 글자와 추가할 내용과 삭제를 해야 하는 내용 등 수정할 부분이 보이는 차례대로 고치고, 추가할 부분은 그때 다시 작업한다. 그것이 다였다.

지연이는 평소 하루의 일과가 모두 끝나면 자투리 시간을 내서 매일 매일 일기를 썼다. 거창한 방법으로 쓰는 것이 아니다. 화려하지도 않았다. 단순했다. 글을 처음 쓸 때 다들 문장력이 좋지 않았다. 지저분하게 쓰는 사람들도 있었다. 일기를 쓰면 하루를 돌아보면서 자신의 일상에서 벌어졌던 일들을 먼저 전부 다 적는다. 작은 것이라도 빠짐없이 모두 적는다.

그 일들을 겪으면서 어떤 생각이 들었는지 본인의 생각, 의견들과 비판하는 내용 등 거짓 하나도 없이 솔직하게 적었다. 모두. 내용이 짧아도 때로는 매우 길어도 전혀 상관없었다.

빈 종이나 문구점에 가서 마음에 드는 작은 수첩을 마련한 다음, 그곳에 자신의 일상을 모두 기록하는 것이었다. 나중에 다시 그것들을 읽으면 추억이 되고 잘못은 다시 혼자 반성할 수 있는 아주 좋은 기회가 되고, 한층 더 크게 성장할 수 있는 아주 좋은 기회다.

매일 그렇게 글 쓰는 것을 반복해서 쓰는 것이 지연이에게 큰 도움이 되었다. 그것이 훈련이었다. 나중에 직장에 취직해서 각종 문서를 쓸 때, 특히 그녀가 새로운 업무를 맡아서 수행하거나 행사를 추진할 때 필요한 문서에 글을 쓸 때, 일기들과 기록들을 모아서 그녀의 본명으로 에세이와 소설 등 책을 써서 정식 출간할 때 그것이 큰 빛을 발휘했다.

...

지연이가 7수째 하고 있을 때였다. 이때는 지연이의 인생을 통틀어, 재수 10년 했던 기간 중 가장 힘들었던 순간이었다. 많은 시간이 지나서 이 시간을 다시 돌아보면 지연이는 이때를 어떻게 보냈었는지 때로는 신기해할 정도다. 다른 때는 지금처럼 전혀 그러지 않았다. 떨어져도 금방 털어내고 오뚝이처럼 일어났다. 금식하러 기도원에 올라갔다가 한 강사 목사님으로부터 충격적인 말을 들었기 때문이었다.

그 말에 대한 충격으로 자신은 하나님께 기름 받지 않았다는 생각 때문이었다. 진짜로 그런 줄 알았다. 원서를 넣었던 학교 4곳에서 모두 낙방했다는 소식을 접한 순간이었다. 낙방 소식에 한동안 충격이 가시지 않았다.

슬픔을 이겨내기 위해 3시간은 그녀의 독서실 내부 작은 방에서 앉은 자리에서 실컷 울었다. 그것으로 끝났다. 하지만, 하나님께서 자신을 버린 줄 알고, 기름 붓지 않은 줄 알고서 그녀가 일하는 독서실 내 작은 방에서 외부로 단 한 번도 나가지 않고, 3일 동안 누워있었다. 3끼 밥도 일절 먹지 않았다. 독서실 밖에 있는 화장실 다녀오는 시간을 제외한 나머지 시간은 독서실 내 작은 방에서 지냈다.

3일 동안 단 한 번도. 이유는 기도원에 올라가서 일주일 금식 기간 중 한 강사 목사님이 지연이에게 '하나님께서 너에게 큰 축복을 기름 붓지

않았다. 세계적인 인물이, 큰 사람이, 주의 종이 하나님의 사람이 아니다'
라고 말했기 때문이다.

그래도 지연이는 마음을 다잡고 초심을 유지하기 위해 다시 일어났다.
공부를 시작하기 전, 1주일 금식하기 위해 다시 오산리 기도원으로 올라
갔다. 지연이는 시간 맞춰서 이동했다. 버스 타는 장소로. 여의도 순복음
교회에서 운행하는 셔틀버스를 타고 갔다.

아직 지연이는 가진 것 없는 초라하고 가난한 학생의 신분이었다. 현재
지연이가 가지고 있는 돈을 조금이라도 아끼기 위해서다. 이유는 단순했
다. 기도원가면 하나님께 물질을 심기 위해서다. 금액의 숫자가 많고 적음
을 떠나서 일단 자신이 가지고 온 물질을 드리는 것이 훨씬 더 중요했다.

한 푼이라도 더 아껴서 물질을 더 드리기 위해 지연이가 총무로 일하는
독서실의 위치인 서울 강동구 명일동 명성교회 인근에서 서울 잠실까지
버스 등 대중교통을 타지 않고 몇 날 며칠이고는 뛰어다녔다. 그 거리를
걸어가면 약 2시간 30분 걸리는 꽤 먼 거리였다.

1주일 금식기도가 모두 끝난 뒤, 기도원에서 셔틀버스 타면 내리는 장소
인 여의도 순복음 교회에서 다시 자신이 일하는 독서실로 돌아갈 수 있도
록 차비만 빼고 가지고 있는 돈을 모두 드렸다. 지연이는 가진 돈을 모두
헌금으로 하나님께 심은 뒤 울면서 이렇게 기도를 했다.

"하나님 지금 제가 드리는 물질이 이것밖에 없어요. 하지만 하나님, 제
마음은 아시죠? 저 여기서 끝나고 싶지 않아요. 제발 저 버리지 마세요.
남들에게 정말 보잘 것 없는 작은 자리일지라도 저는 좋으니 제발 저를
써 주세요. 나중에 꼭 세계적인 부흥강사가, 세계적인 주의 종이, 전 세계
를 끌고 가는 CEO가 되어도, 그 어떤 사람들보다, 어떠한 하나님의 사람
들보다 가장 많은 물질을 하나님께 심고 드리는 사람이 되게 해주세요."

정말이었다. 간절했다. 너무도. 처절했다. 분명 금식 기간이었다. 늦은 밤
이었다. 다들 숙소에서 이불 덮고 곤히 자고 있었다. 하지만 지연이는 자
지 않았다. 기도원에 올라오면 늘 하는 일이 다른 사람들처럼 밤에 자지
않고 간절히 기도하는 일이다.

지연이는 습관에 따라 공동묘지에 올라가서 새벽기도를 알리는 새벽종이
칠 때까지 움직이지 않고, 한 자리에서 간절하게 기도한 것이다. 이번에도
지연이는 똑같이 기도하기 위해 공동묘지로 올라갔다.

그런데 이번은 달랐다. 평소에는 빈손으로 기도하러 올라갔었다. 지금 지연이의 한 손에는 무언가가 들려있었다. 작은 물건이 아니었다. 크기는 휴대할 수 있는 크기의 물병이었다. 용량은 물 500ml를 담을 수 있는 용량이다. 재질은 병 속에 들어있는 내용물을 쉽게 볼 수 있는 투명한 유리병이었다.

내용물은 정체를 알 수 없는 액체가 담겨있는 병이었다. 상태는 끈적거리지 않았다. 투명했다. 그러나 색은 있었다. 약간 노란색이었다. 냄새는 조금 독했다. 이것은 보통 시골에서 어렵지 않게 구했다. 매년 봄에 새롭게 농사지을 때 꼭 필요한 것 중 하나였다.

그것은 다름이 아닌 바로 농약이었다. 지연이는 자살을 결심한 것이다. 모든 것이 안 좋았던 것에 지연이는 매우 힘들어했다. 자신과 같은 사람이 있을지 궁금하기도 했다. 1주일 동안 금식 기도하기 위해 금식 기도원에 올라가기 전이었다.

지연이는 어떻게 자살할지 다양한 방법을 알아보았다. '일반 가정집 주방에서 사용하는 커다란 식칼로 자신의 손목을 긋고 자살할까?, 아니면 높은 곳에 밧줄을 단단하게 설치하고, 거기에 자신의 목을 매달까?' 등 많은 생각을 하고 다양한 방법을 알아보았다. 살고 싶지 않았다. 인생이 절망적이었다. 모든 것이 절망적이었다. 그것뿐이었다.

지연이는 고통스럽게 자신의 인생을 마감하지 않고 짧고 굵게 끝내고 싶었다. 지연이는 공동묘지에 그것을 가지고 기도하러 올라갔다. 그곳에서 마지막으로 기도하다가 뚜껑을 딴 다음, 그것을 마시고 자신의 인생을 모두 끝내기 위해서였다. 오산리 금식 기도원에 올라오기 전에 지연이는 미리 자신의 인생을 정리하고 온 것이다. 만반의 준비하고 온 것이었다. 이미 한차례의 자살 시도가 있었다. 하지만 그때 시도를 했었으나 실패하고 여기까지 온 것이다. 버티는 것이 힘들었다.

하지만, 그 순간이었다. 지연이는 공동묘지로 갔다. 농약이 든 병의 뚜껑을 따서 마시기 직전이었다. 그 찰나였다. 오늘 낮 예배시간이었다. '지옥은 있는가?'라는 주제로 말씀 듣는 시간이었다. 강사 목사님이 사회자의 소개를 받고 강단에 직접 올라와서 전한 말씀이 떠올랐다. 들었던 말씀들이 지연이의 머리를 순식간에 지나쳤다. 그것은 바로 "자살하면 지옥에 간다."라는 말이었다.

지연이는 그 말씀을 떠올린 것이다. 바로 충격에 빠졌다. 정말 큰 일 날 뻔했다. 망치로 머리를 제대로 맞은 것 같았다. 어릴 때 천국과 지옥이 있다는 것을 정말 확실하게 알고 있는 지연이었기 때문이었다. 그 확고한 믿음과 뚜렷한 흑백논리를 가질 수 있었던 것도 모두 부모님이 가르쳐준 것이었다. 부모님의 확고한 믿음을 그대로 물려받은 지연이었다.

소스라치게 놀랐다. 무서웠다. 지연이는 농약 마시는 것을 오늘 말씀 전한 내용과 그 말씀이 생각난 그 순간 멈췄다. 생각을 한참동안 했다. 갈등이었다. 그 갈등이 오래가지 않았다. 지연이는 농약이 들어있는 유리병을 땅으로 집어 던졌다. 한치도 지체가 없었다. 그 병을 깨트린 것이다. 이번 일 이후로 지연이는 다시 자살 시도하는 것에 대해 조금도 생각을 하지 않았다. 전혀.

미련을 아예 없앴다. 자신이 지금까지 해왔던 대로 다시 험한 길을 스스로 해쳐 나가기로 결심했다. 앞으로 본인의 미래에 펼쳐질 찬란한 모습을, 주님께 귀하게 쓰임 받으면서 복음을 전하는 사명자로서, 꿈을 이루어진 자신의 모습을 보고서 그것에 대해 희망을 가지고 다시 처음부터 시작하겠다는 결심하고 했었다. 그 고비를 넘겼다. 1주일 중 남은 금식기도 기간을 모두 보낸 뒤, 지연이는 다시 내려왔다. 기도원에서. 다시 초심을 가졌다. 어느새 지연이는 재수한 지 10년째다.

그것으로 지연이는 자신의 20대를 거의 다 보냈다. 지연이는 부족하고 초라했던 20대가 절대 후회하지 않는 찬란한 시간이었다. 앞으로 더 큰 미래를 바라보게 되면 재수 10년이라는 이 시간은 남김없이 철저하게 무너지고 인생 가장 밑바닥까지 내려가는 초라한 인생을 겪었다. 지연이가 하는 일 중 대부분은 되는 일이 없었다. 하지만 장기적으로 보았을 때, 이 시간은 지연이에게는 준비하는 시간이었다.

다른 사람들이 지연이의 이런 초라한 모습을 보기에는 지연이를 '바보, 멍청이'라고 비웃기에 충분했다. 이유는 남들은 서울대, 연고대를 졸업하고 미국 동북부에 있는 아이비리그 명문 대학의 대학원에 유학 가서 석사 또는 박사학위를 받아오는 경우가 있기 때문이다. 그렇게 해서 국내 대기업이나 좋은 회사에 취직해서 남부럽지 않게 잘 나가는 사람들이 많다.

그런 사람들에 비해 지연이 자신도 너무 초라하고, 가진 것 없는 아주 초라하고 비참하다고 생각이 들 수 있다. 부정적인 생각이 들 수 있다. 충분히 그러고도 남을 수 있는 상황이다. 분명했다.

하지만, 그러한 초라하고, 악조건 속에서 긍정적으로 생각하기 위해 계속해서 노력했다. 포기하지 않았다. 매일 기도하면서 주님 뜻대로 살아가고자 노력하는 사람이었다. 지연이는 어느새 한국식 새는 나이로 곧 30이 다되어가고 있었다. 해가 바뀌면 30이다.

11월 중순이었다. 지연이는 10년 재수를 하고 10번째 수능을 본 직후였다. 해는 뉘엿뉘엿 지평선을 넘어가고 있었다. 차츰 어두워지고 있었다. 가로등에 불빛이 들어오고 있었다. 지연이는 시험장을 나서서 간 곳은 다름 아닌 그녀의 보금자리로 갔다.

지연이의 보금자리는 이제 더이상 독서실 내부의 좁고 작은 방이 아니었다. 작지만 지연이와 그의 가족들이 살 수 있기는 충분한 장소였다. 감사했다. 지연이의 입장에서 가족이라고 해봤자 지신이 가장 사랑하는 남자를 만나서 이제 막 결혼한 신혼부부였다. 지연이는 결혼식을 위해 주례할 사람을 찾았다. 처음은 자신이 다니던 서울 명성교회에서 하고 싶었으나 결국 퇴짜 맞았다.

지연이는 처음 재수할 때부터 어느 것도 바라지 않았다. 그런 기도조차 하지 않았다. 재수하는 동안 어떠한 이성을 만나 교제하지 않겠다는 기도했다. 오로지 공부만 집중한 것이다. 지연이는 재수하는 시간에 예배드리는 것과 하나님이 가장 좋았다. 그녀에게는 오직 하나님이었다.

아침 7시, 이른 아침에 지연이가 직접 독서실을 오픈하기 전, 매일 새벽기도 가서 한 시간 이상 기도하는 것과 주말이 되면 지연이가 다니는 명성교회에 가서 교회 청소 등 주일 준비를 했다. 주일 예배를 드리는 것과 주일 학교 학생들을 위해 봉사 등 하나님의 일을 하는 것이 행복했다. 정말이었다.

하나님의 복음을 전하는 것과 교회에서 하나님의 일을 하는 것과 독서실에서 총무로 일하면서 다니는 300명의 학생 개개인 모두를 진심으로 상담해주고, 먹는 것은 제대로 먹지 못해도 그것들 덕분에 충분했다. 정말 행복했다.

...

1주일 금식하는 것은 1년에 2회를 기도원에 올라가서 실시했다. 이것처럼 장기적인 금식을 하였다. 하루동안 금식하는 것은 밥 먹듯이 했다. 이러니 영양실조에 걸려서 꽤나 힘들어했다. 영양실조 때문에 쓰러져서 충주에 있는 병원에 입원했다. 병원에서 지연이는 조금 충격적인 말을 들었다. 의사가 하는 말이었다.

"지금 많이 위험한 상황입니다. 그동안 먹은 것이 없어서 환자 몸 상태가 지금 이지경 까지 왔어요. 앞으로 3년동안 하시는 일은 중단하시고, 요양하셔야 정상인으로 돌아올 수 있어요."

그 소식을 들은 지연이는 그 당시 그때뿐이었다. 전혀 아랑곳하지 않았다. 얼마 지나서 퇴원했다. 당시 지연이의 옆에서 병간호를 해주었던 사람은 연재였다. 지연이는 퇴원한 이후 충주에 계속 머무는 것이 아니라 다시 서울로 올라왔다.

지연이는 그녀의 일터가 있는 독서실로 다시 돌아왔다. 일상에 바로 복귀했다. 서울 명성교회로 가서 기도하는 것 이외에도 지연이는 밤에 삼각산 100일 기도를 했다. 2번을 하니 1년이 금방 지나갔다. 삼각산 100일 기도도 매일 갈 수 없었다. 산에 갈 수 있는 봉고차가 와야 갈 수 있었다. 차가 아예 못 오면 기도는 하지 못한다. 그만큼 종료되는 날짜는 연장되는 것이다.

지연이는 퇴원한 이후 다시 삼각산 100일 기도를 하기 위해 산을 탔다. 함께한 사람들과 친한 친구들과 같이 산에 올라갔다. 위험을 무릅쓰고 기도하기 위해 산을 타기 시작했다. 지연이는 삼각산 100일 기도를 시작하며 임하는 각오가 남달랐다. 교회에서 삼각산 100일 기도하기 위해 매일 산을 타는 사람들이 꽤 많았다. 개인차가 있는 사람들은 자신의 차로 직접 운전하고, 없는 사람들은 같이 타고 오거나 혹은 봉고차로 함께 타고 삼각산까지 직접 왔다.

인근에 주차할 수 있는 곳에 주차했다. 매일 계속해서 올라갔다. 병원에서 퇴원은 했지만, 아직 영양실조와 급성 간염에서 완전히 회복되지 않은 상황이었다. 몸이 성치 않은 상황이었다.

사람들이 다니는 길을 따라 산에 올라가기 위해 한 걸음씩 발걸음을 옮길 때면 어지러웠다. 눈이 핑 돌았다. 세상이 빙빙 돌았다. 앞이 제대로 보이지 않았다. 눈 망막에 하얀색 막이 쳐진 것처럼 뿌옇게 되었다. 어지러웠다. 앞이 흐렸다. 그동안 지연이는 먹은 것이 하나도 없었다.

정말 없었다. 먹은 것이 있어도 형편없었다. 겨우 컵라면 하나로 또는 삼각김밥 두 개로 하루를 버틴 적이 있었다. 그것만이었다. 김치도 없었다. 다른 반찬도 없었다. 하나도. 없었다. 심지어 그것만도 못한 적이 있었다. 먹을 것이 전혀 없으면 없는 대로 버텼다. 굶는 것도 밥 먹듯이 했다. 지연이의 시야에서는 그렇게 그것처럼 보였다. 정상적으로 세상을 보고 싶어도 그러지 못했다. 너무 아팠다. 속이 쓰렸다. 지연이는 결국 쓰러졌다. 삼각산 중턱에서.

지연이가 쓰러진 모습을 보고 함께 올라온 친구들은 다시 지연이가 있는 곳으로 다시 돌아갔다. 지연이가 다시 스스로 일어설 때까지 근처에서 기다렸다. 그러나 한참이 지나도 지연이는 일어서지 못했다. 입에는 거품이 물려있었다. 끙끙거리는 소리가 들렸다. 동료들은 지연이가 걱정되었다. 진짜 괜찮은지.

하지만, 지연이는 자신과 함께 따라온 동료들에게 피해가 될 것 같아서 미안해했다. 지연이가 말했다. 숨 차는 목소리로 말했다.

"애들아…그냥……. 그냥…너희들 먼저…올라가…나는 괜찮아…나는 여기서 기도할게……. 진짜 너희랑 더이상…정상까지 같이 못 올라갈 것 같아……. 제발 부탁이야……."

지연이의 말에 함께 온 다른 사람들은 알겠다는 반응을 보였다. '알겠다.'고 대답을 하거나 고개를 끄떡였다. 다들 지연이를 이곳에 놓고 정상으로 올라갔다. 지연이는 혼자 남은 것을 확인했다. 아파서 혼자 스스로 몸을 제대로 못 가누는 상황이다. 그래도 지연이는 기도하고 싶었다. 분명 산 중턱이었다. 그곳에서 지연이는 혼자 기도를 하기 시작했다.

오직 기도하는 것만이 그녀의 희망이었다. 그것이 그녀의 유일한 무기였다. 새벽 4시까지 지연이는 내려가지 않고, 자리를 떠나지 않고, 그곳에서 끝까지 간절하게 기도했다. 지연이가 독서실 총무로서 앉는 책상 가장 잘 보이는 곳에 이런 문구를 자필로 써서 붙였다.

하나님, 저를 세계적인 부흥강사로, 세계적인 하나님의 사람으로, 전 세계를 이끌고 가는 세계적인 CEO로서 축복해주시지 않는다면, 지금 이 기회에 저의 생명을 거두어 주시옵소서.

이렇게 쓴 다음 코팅까지 해서 자신의 자리에 가장 잘 보이는 곳에 붙여놓았다. 그것을 독서실에 다니던 재수생인 유희가 보았다. 삼각산에서 기도를 마친 지연이는 같이 갔던 친구들을 다시 만나서 부축받아서 겨우 내려올 수 있었다. 돌아올 수 있었다. 일상으로.

며칠이 지났다. 지연이는 병원에서 퇴원한 이후로 정기 점진과 진료가 있었다. 예약이 잡혀있었다. 지연이는 진료시각에 맞춰서 진료를 받으러 병원으로 갔다. 지연이의 이름으로. 그곳에서 지연이는 희소식을 들을 수 있었다. 아주 좋은 소식이었다. 누가 봐도 틀림없는 좋은 소식이었다. 나중에 오직 지연이만 할 수 있는 간증이 되었다.

그것은 바로, 지난날 급성 간염과 심한 영양실조에 걸려서 한 달 동안 큰 병원에 입원하였다. 병원에서 퇴원한 이후 다시 서울로 돌아와서 삼각산 100일 기도를 통해 깨끗하고 완벽하게 고침을 받았다. 이상을 전혀 찾아볼 수 없는 100% 치유였다. 너무도 감사했다. 이 소식을 듣고서 지연이는 하나님께 너무도 감사한 나머지 병원 진료실을 빠져나온 뒤, 바로 울 뻔했다. 주저앉아서.

지연이는 주기적으로 삼각산 100일 기도와 오산리 금식 기도원에 가서 1주일 금식기도까지 모두 끝냈다. 재수하고 처음 금식을 시작하여 4수까지는 1년에 2번씩 금식기도를 하는데 보통 3일이 지나면 배가 고팠다. 처음은 그러는 것이 정상이었다.

3일이 지난 이후부터 마지막 끝나는 순간까지 버티는데 꽤 힘들었다. 사람에 따라 차이가 있어서 다 다르지만 심하면 머리가 아픈 사람이 있다. 금식기도 하다가 머리가 아프면 바로 중단한다. 만일에 있을 문제들을 사전에 막기 위함과 다른 상황들을 고려하는 것이었다.

하지만 5수 지나고서 마지막 10수를 하기까지는 1년에 2번씩 1주일 금식기도를 하는데 전혀 배가 고프지 않았다. 배고픈 것을 거의 느끼지 못했다. 처절했고, 자신의 모습이 초라했기 때문이었다. 또, 자신의 큰 꿈과 비전에 관해서 매우 간절했다. 꼭 이루고 싶었다. 어머니가 돌아가시는 순간까지 자신의 곁에서 생명을 걸고 '꼭 큰 인물이 되거라'는 간절한 기도를 하며, 지연이 본인에게 남긴 유언도 있기 때문이다.

지연이는 포기하지 않았다. 앞만 보고 이 순간까지 달려왔다. 자신도 초라한 이 모습에서 끝나고 싶지 않았다. 포기하고 싶지 않았다. 오직 주님

한 분만 의지하여 기도하고 넘어져도 계속 다시 일어섰다. 앞으로 자신이 축복받는 모습을 상상하면 포기할 수가 없었다.

지연이는 독서실 총무로서 5년 9개월 동안 일하면서 처음은 단 14명의 학생들이 있었던 망해가는 독서실을 300명 정원을 모두 마감시켰다. 또한, 자신이 이 독서실을 그만두기까지 계속해서 마감시켰다. 독서실 사장님과 그의 가족들도 연신 지연이에게 고마워했다. 지연이가 정들었던 독서실을 그만두고 다른 곳으로 이동해서 일하게 된 뒤, 그 독서실은 얼마 안 가서 결국 망했다. 폐업하게 되어 역사 속으로 사라졌다.

처음은 전보다 부쩍 많아진 학생들에 완전히 적응하기까지 시간이 걸렸지만, 지연이는 이내 금방 적응했다. 바쁜 독서실 총무 일과 자신의 재수 공부를 병행하면서도 학생들의 고민이나 앞으로의 진로에 관해 상담을 자신에게 신청하면 한 명 한 명 모두 진심으로 상담해주고 학생들에게 조언을 아끼지 않았다. 사랑을 주고 헌신을 다했다.

학생들이 독서실을 그만두고 떠나려고 하면 그만두려는 이유와 학생의 진심을 듣고, 노력했다. 개인적으로 불러서 상담을 해주었다. 그 학생을 위해 지연이는 진심으로 그 학생에게 사랑을 주었다. 헌신했다. 그리고 최선을 다했다. 수능시험보고 학생들이 각자 원하는 대학교에 합격해서 지연이가 일하는 독서실을 떠났어도 오래가지 않아서 다시 돌아왔다. 대학생이 되어서 다시 돌아온 것이다. 3월 입학식 끝나고 4~5월쯤 학교 중간고사 시험 기간에 맞춰서.

자신들이 받는 용돈으로 감당할 수 있는 선에서 독서실 정기권을 사서 다시 그 독서실에 돌아와서 과제를 해결하거나 시험 때는 자신이 해야 하는 두꺼운 전공 책들과 필기한 노트를 다 가지고 와서 공부하기도 한다. 분량이 상당했다. 일부 집안 환경이 좋아서 잘사는 학생들은 부모님이 대학교에 합격한 것을 축하하는 뜻과 함께 학교생활 잘하라는 뜻으로 노트북을 사주는 경우도 상당수 있었다.

재수는 실패해서 3수, 4수를 다시 공부하러 오는 학생들도 다른 좋은 독서실로 가지 않고 다시 지연이가 있는 독서실로 와서 공부했다. 다른 독서실로 갔다가 얼마 가지 않고, 포기하고 다시 지연이가 있는 서울 강동구 명일동 성심 독서실로 돌아오는 학생들도 있었다. 그 학생들도 자신이 독서실에 있을 때 지연이가 해준 것에 도저히 잊을 수 없었다.

수시나 정시로 학교에 합격해서 대학생이 된 사람들도, 다시 재수하는 학생들도 자신이 공부했던 독서실의 총무로 일하던 지연이를 잊을 수 없었다. 자신을 위해 이렇게까지 하는 사람은 자신의 부모님이 아니면 찾아보기 힘들기 때문이다. 그들이 부모님 다음으로 가장 많은 도움을 받은 사람이 바로 독서실과 지연이었다. 때로는 자신의 고민을 부모님께 털어서 상담받는 것보다 지연이에게 먼저 말해서 상담받고, 해결책을 얻을 때도 있거나, 위로를 받을 때도 있었다.

...

10년동안 오랜 재수 생활을 했던 지연이도 마지막 시험을 끝내고 접수기간에 그가 원하는 학교에 원서를 모두 써서 보냈음에도 불구하고 학교에서 별반 좋은 소식이 없었다. 감감무소식이었다.

최종 합격자 발표날짜가 다되었음에도. 발표하기로 한 시간이 훌쩍 넘었어도. 아무 소식이 없었다. 전화나 문자 등 아무 연락이 없었다. 소식을 기다리던 지연이는 불안함을 못 이겼다. 결국, 지연이는 컴퓨터를 켰다. 직접 학교 입학처 홈페이지로 들어갔다.

지연이가 직접 합격자를 확인하기 위해서다. 본인 인증을 한 뒤 직접 결과를 확인했다. 지연이는 다시 표정이 어두워졌다. 합격자 명단에 자신의 이름은 없었다. 다만 합격자 예비순번을 받았다. 그것은 운에 맡기는 것밖에 없었다. 정말로. 자신이 할 수 있는 것은 정말 하나도 없었다. 지연이는 자신의 모든 것을 전부 내려놓았다. 기대는 하지 않았다. 그래도 초심을 유지했다. 평정심을 유지했다.

다른 곳들도 똑같이 합격자 예비순위를 받았다. 그러나 지연이가 받은 예비순번의 숫자가 한자리가 아니라 두 자릿수였다. 절망스러웠다. 전부다. 학교 입학처에서 합격했다는 전화를 기다리는 수밖에 없었다. 운명에 맡길 수밖에 없었다. 모든 것을. 지연이는 언제 올지 모르는 전화 연락에 그사이 며칠간 금식기도를 했다. 기도원에 가서.

남편은 아무 걱정하지 말라며 희망을 안겨주고, 다시 할 수 있도록 동기부여해주었다. 지연이에게 재수학원 등록비를 남기고 직장에 출근한 생태다. 집에는 아무도 없었다. 집에는 지연이 혼자 있었다. 오산리 금식 기도 원에서 금식기도를 마치고, 집으로 돌아온 지연이는 혼자 식사했다. 그동 안 먹고 싶었던 것을 먹었다. 이를 통해 배고픈 것은 다 해결했다.

일주일동안 제대로 씻지 못해서 꾀죄죄한 모습을 모두 정리하고 깨끗하 게 씻었다. 손톱 정리와 지저분한 모습은 모두 없앴다. 집안을 모두 깨끗 하게 청소하였다. 먼지 하나도 없이 깨끗하게 청소했다.

퇴근하고 저녁에 돌아오면 무지 배고플 남편을 생각하여 집에 도착하면 바로 먹을 수 있도록 식사를 준비하였다. 찌개와 김치를 비롯하여 반찬과 하얀 쌀밥을 정말 먹음직스럽게 준비했다. 모든 준비를 마친 지연이는 다 시 재수학원을 알아보기 위해 외출복으로 갈아입었다. 집 현관문을 열고 밖으로 나갈 채비를 했다.

그녀의 외투를 걸쳐 입고 현관문을 열었다. 재수학원을 알아보기 위해 집 밖을 나서려는 순간이었다. 그 찰나였다. 전화기가 울렸다. 시끄럽게. 지연이는 이미 신었던 오른쪽 신발을 벗었다. 빠른 걸음으로 전화기 앞으 로 갔다. 처음은 두려웠다. 학창시절부터 지금까지 오랜 친구가 자신에게 '그동안 잘 있었는지. 최근에 어떻게 지내는지. 아직도 재수하고 있는지'등 안부를 물어보기 위해 전화를 거는 것인 줄 알고 처음은 전화를 받지 않 았다.

그런 자신의 모습이 너무 부끄러웠다. 자신이 초라했다. 지연이의 입장에 서 지금은 솔직하고 자신 있게 받을 수 있는 자신이 없었다. 그럴 수 있 는 처지자 아니었다.

그런데 한번이 아니라. 두 번 세 번이고 계속 전화벨 소리가 울렸다. 처 음은 못 받았으나 바로 전화가 걸려왔다. 남편에게 회사에서 무슨 일이 있는 것이 아닌지 덜컥 걱정이 들었다. 문득 무서운 생각이 들었다. 느낌 이 이상하게 들었다. 결국, 지연이는 그 전화 받았다.

"여보세요?"

지연이가 말했다.

"아, 네, 여기 목원대학교 입학처인데요, 혹시 윤지연 학생 맞나요?"

"아, 윤지연 학생이 바로 전데요. 무슨 일이시죠?"

"어떤 학생이 등록금을 못 내서 우리 지연 학생이 지원했던 신학부에 추 가로 합격이 되었습니다. 축하합니다."

"감사합니다. 혹시 등록금 고지서랑 합격증은 어디서 뽑을 수 있나요?"

"먼저 입학처 홈페이지 들어가서 직접 학생의 이름으로 로그인하시고, 다음으로 마이페이지에 들어가서 합격자 관련 사항에서 모두 확인하면 됩니다."

"감사합니다."

1차로 학교에서 합격자 연락이 왔다. 시간이 한참 흘렀다. 첫 번째 합격 전화를 받은 뒤로 꼬박 2시간이 지났다 또 전화가 왔다. 전화벨이 시끄럽게 울렸다. 지연이는 전화를 받았다. 곧바로 받았다.

"여보세요?"

"아, 네, 여기 연세대학교 입학처인데요, 혹시 윤지연 학생 맞나요?"

"네. 그 학생이 전데요, 무슨 일이시죠?"

"어떤 학생이 등록금을 못 내고 입학 포기해서 우리 학생이 경영학부에 추가로 합격이 되었습니다. 축하합니다."

"감사합니다. 혹시 등록금 고지서랑 합격증은 어디서 뽑을 수 있나요?"

"우리 입학처 홈페이지에 먼저 들어가서 학생의 아이디로 직접 로그인해서 고지서 납부금 영수증을 출력하면 됩니다."

"감사합니다."

지연이는 두 번째로 걸려온 전화를 끊었다.

두 번째로 걸려온 전화도 똑같이 지연이가 원서 보냈던 합격 소식을 알리는 전화였다. 두 번의 합격 소식을 받게 된 지연이는 환희에 젖었다. 이제 지연이에게 근심, 걱정은 더이상 없었다. 처음은 전화 받는 것에 두려웠다. 하지만 두 차례에 걸친 합격 전화를 받은 다음으로 이제 걸려오는 전화에 두려움이 없었다.

처음은 친구들이 자신에게 '야, 지연아, 이제 10년 만에 대학 붙었냐?, 아니면 떨어졌냐?'라고 말하며 자신에게 안부를 물어보기 위해 전화한 것인 줄 알고 두려웠다. 그것 때문에 처음 전화 받는 것이 머뭇거렸다. 처음은 받지 않았던 것이었다. 또 시간이 흘렀다. 지연이가 두 번째 합격 전화를 받은 지 어느새 2시간이 지났다.

시계는 오후 4시를 가리키고 있었다. 또다시 전화가 걸려왔다. 지연이는 이미 두 차례 합격 전화를 받고서 학교 입학처 홈페이지에 모두 들어가서 각각 합격 증명서와 등록금 납부 내역서를 이미 모두 출력했었다. 이번이 세 번째로 받는 것이다. 지연이는 수화기를 들었다. 자신 있게 말했다. 이제 더이상 전화를 안 받을 이유가 없었다.

"여보세요?"

지연이가 말했다.

"아, 여기 이화여자대학교 입학처입니다. 혹시 윤지연 학생 맞나요?"

"아, 제가 바로 윤지연 학생인데요, 혹시 무슨 일이시죠?"

"어떤 학생이 등록금을 안 내서 지원했던 국제학부에 추가로 합격 되었다는 소식을 전해 드리려고 전화했습니다. 축하합니다."

"감사합니다."

2시간 간격을 두고 지연이가 입학원서를 보냈던 3개 대학에서 모두 합격 소식을 전하기 위해 연락이 왔다. 이렇게 되는 것도 결국은 하나님께서 역사하는 것을 온몸으로 느끼는 순간이다. '쟤는 내가 직접 손을 쓰지 않으면 환갑까지 계속 재수할 놈이겠구나'하고서.

지연이는 너무 기뻤다. 재수 생활을 한 지 10년만에 합격이라는 좋은 소식을 받는 순간이었다. 지연이는 한 학기당 적게는 약 300후반~400만원대에서 비싸면 500만원 이상하는 비싼 등록금을 납부해야하는 문제를 떠나서 지연이는 일단 학교에 합격했다는 사실에 너무 좋아했다. 10년을 재수하고 합격한 것이니 너무 기뻤다.

...

마침내 지연이는 합격 소식을 들은 뒤로 한참이 지났다. 지연이는 짧은 시간동안 집 밖으로 외출했다. 약 2시간 뒤, 다시 집으로 돌아왔다. 저녁이었다. 해는 저물었다. 늦은 가을이었다. 가을 특유의 냄새가 났다. 어느새 초겨울로 넘어가고 있었다. 제법 쌀쌀하다. 11월 어느 날 오후였다. 찬바람에 제법 자신의 손이 시려왔다.

여름철보다 해가 일찍 저물어서 이제 오후 7시가 되면 어두운 밤이 되었다. 직장에서 남은 업무들이 있어서 야근한 뒤, 평소보다 늦은 시간인 오후 8시 돼서야 지연이의 남편이 집으로 돌아왔다. 지연이는 기다렸다는 듯이 현관문 쪽에서 들려오는 인기척을 듣고 방에서 나와 그를 반겼다.

지연이는 합격해서 너무 기쁜 모습은 온데간데없이 모두 감췄다. 너무 기뻐하는 티를 내지 않았다. 전혀. 평소와 같은 모습을 유지했다. 지연이의 10년 재수 끝에 마침내 원하는 학교에 합격했다는 소식을 알 리가 없는 재현이는 전혀 모르고 있었다. 일상복으로 갈아입고 씻으러 화장실로 가는 것뿐 이었다. 퇴근하고 온 만큼 지친 기색도 있었다.

남편이 씻으러 화장실로 간 사이, 지연이는 다시 주방으로 갔다. 늦은 오후에 식사를 준비한 것을 다시 준비했다. 오늘 회사에서 늦게 돌아오는 바람에 찌개 등 열기가 있는 음식들은 거의 다 식었기 때문이다. 지연이도 밥을 먹지 않고 남편이 퇴근하고 돌아오기를 기다렸다가 함께 밥을 먹었다. 처음 둘이 약 5분동안 아무런 말 없이 그냥 밥을 먹었다. 지연이가 침묵을 깨고 먼저 대화의 말문을 열었다.

"오늘 회사에서 힘들지 않았어?"

"뭐, 그냥…오늘은 그랬어……. 오늘따라 복잡한 일들이 평소보다 더 많이 있어서 늦게 끝났어. 보통 오후 6시 되면 끝나거든. 근데 왜?"

"나 당신한테 물어볼 것이 있는데 말해도 돼?"

"뭔데?"

"만약에 내가 내년에 또 재수하게 된다면 만약 당신은 어떻게 할거야?"

"지금처럼 다시 도와줄 수 있어."

"진짜? 그럼 그다음에도 또 하게 된다면 당신 그때는 진짜로 어떻게 할거야?"

"뭐, 어떻게 하기는?! 그렇게 되어도 그게 하나님의 뜻이라고 받아들이고 당신이 정말 원하는 대학 합격할 수 있도록 도와줄게."

"그럼 마지막으로 물어보자. 만약 내가 환갑까지 재수하면 그때까지도 포기하지 않고 끝까지 지금처럼 할 수 있어?"

"진짜야. 진짜라고!! 우리가 그러는 것도 결국은 하나님의 뜻이잖아. 정말 그럴 수 있을 자신 있어. 당신은 돈 걱정은 하지 말고 제발 공부해서 합격했으면 좋겠어."

재현이는 본인의 입에 있는 밥을 모두 삼켰다. 그가 먹은 입속에 있는 것을 도로 뱉을 뻔한 것을 정말 어렵게 목구멍으로 넘겼다. 그런 다음이었다. 지연이에게 울부짖으면서 말했다. 그의 눈가에는 이미 눈물이 고였다. 한가득 고였다. 울기 직전이었다. 조금만 더 건드리면 정말로 울 것 같았다. 아내인 지연이를 향한 그의 진심과 사랑이 드러났다.

"아니야! 나 이번에 합격했어! 이번에 지원했던 3개 대학교에서 모두 합격했다고! 오늘 당신 회사로 출근한 사이에 전화로 모두 합격했다고 전화

왔어! 정말이야! 어떤 학생들이 모두 등록금 못 내서, 입학을 포기해서 내가 추가로 합격 되었다고!!"

지연이는 방에 들어가서 자신이 직접 출력한 종이를 가지고 왔다. 6장 모두 들고 왔다. 지신이 입학처 홈페이지에 직접 출력한 합격 증명서와 1학년 1학기 등록금 내역서를 모두 남편인 재현이에게 보여주었다. 재현이도 지연이가 준 것들을 모두 읽었다. 다 읽은 뒤 오히려 합격한 당사자인 지연이보다 더 기뻐했다. 둘은 서로 얼싸안았다. 둘은 하나님께 감사하는 마음이 들었다. 합격해서 너무 기쁜 것이었다.

합격 소식을 들은 뒤 며칠이 지났다. 지연이는 붙은 학교 중에서 어디 학교에 가야 할지 한참을 고민했다. 처음 자신이 중학생 때 부모님이 교회에서 일반 성도님들이 싸움을 벌이는 모습과 어머님이 얼굴에 남자 성도님이 주먹을 세게 휘둘렀다.

지연이의 어머니 사모님은 그 주먹을 한쪽 눈에 제대로 맞고 비명을 지르면서 쓰러지는 장면, 아버지는 예배시간에 말씀 전하는 시간 도중에 체격 좋은 성도님이 앞으로 나오더니 갑자기 아버지 목사님의 멱살을 잡았다. 지연이의 아버지 목사님은 멱살 잡힌 채 강단에서 끌려 내려온 모습들을 보았다. 지연이도 이 모든 장면을 지켜보면서 상처가 많이 되었다.

슬펐다. 울고 싶었다. 혼자서. 자신의 부모님이 왜 저런 모습까지 당해야 하는지 서러웠다. 하지만 그들을 미워하고, 원망하거나 온갖 저주를 하지 않았다. 다만, 그들이 사회에서, 각자의 위치에서 다들 잘 되기를 기도하는 것뿐이었다. 그들을 아무 이유 없이 원망하고 시기 질투하지 말라는 성경책의 말씀대로 지키기 위해 계속 노력했다.

본인 스스로 연세대 서울캠퍼스이거나 서울 감리교 신학 대학교 이상이 아니면 절대 가지 않겠다는 중학교 시절 자신과의 약속을 지켰기 때문에 연세대학교를 가야 할지, 신학교 선배들이 꽤 두꺼운 대전에 위치한 목원 대학교로 진학해야 할지 고민이 되었다. 다른 곳은 거들떠보지 않았다. 등록 최종마감 날짜는 다음주 수요일까지였다. 두 개 학교는 수요일이 마감이고, 나머지 한군데는 목요일이었다. 시간이 없었다. 속히 모든 것을 결정해야 했었다.

그런 자신과 독하고 독한, 어찌보면 질긴 싸움에서 이겨내기 위해 재수 10년을 한 것이다. 그 10년동안 자신에게 있었던 더러운 음식은 먹지 못하는 것, 부모님 다 돌아가신 뒤, 계급장은 별을 단 장군인 큰아버지의 집이 있는 대구에서 살다가 하나님이 좋고 매일 2~3시간씩 교회에서 기도하는 것이 너무 좋아서 그것을 지키고 싶었다.

주일 예배와 주중에 있는 모든 예배, 그리고 새벽기도까지 가고 싶었다. 빠짐없이 가고 싶었다. 그것이 없으면 지연이에게는 죽음과도 같았다. 그 호화로운 생활을 모두 박차고 서울로 올라와서 처음 간 직장인 서울신문사에 들어가서 신문 배달 일하면서 겪은 수많은 서럽고 억울한 일들 슬픈 일들 등 상당한 시간동안 그곳에서 갖은 고생을 했다.

그다음 서울 명성교회 인근에 있는 성심 독서실에 독서실 총무로 들어가서 5년 9개월동안 300명 정원의 학생들을 모두 마감시키면서 그곳의 학생들에게 사랑과 헌신을 다하며 앞으로의 큰 조직을 끌고 갈 때를 위한 기초를 다졌다. 그것이 리더로서의 기본기였다. 1년에 2번씩 오산리 금식 기도원에 올라가서 주기적인 1주일 금식기도와 하루 평균 2~3시간씩 간절한 통성 기도로 더 확고하게 자기 자신을 다져나갈 수 있었다.

며칠이 더 지났다. 벌써 토요일이다. 지연이는 혼자 이러다가 저러는 등 다양한 고민을 하다 마침 주일 예배를 기다렸다. 손꼽아 기다렸다. 주일 예배를 드리고 자신을 맡고 있는 담당 교역자와 함께 자신의 스승님에게 조언을 구하기 위해서다. 지연이는 자신이 합격한 대학교 합격증서 3장을 들고 서울 금란교회로 갔다. 굉장히 기쁜 마음으로 갔다.

재수할 때부터 특히 10년째 마지막으로 재수할 때부터 다니던 금란교회로 갔다. 그곳에는 지연이가 처음 오산리 기도원에서 금식기도를 하면서 주 강사로 왔던 분이 저 큰 강대상에서 선포함을 통해 그 강단에 있던 분이 말씀 전하기 위해 강단에 올라왔다. 지연이는 그 모습이 너무 멋있었다. 단지 그것뿐이었다.

전에는 서울 명성교회를 다녔으나 이곳에 다닌 지 정말 얼마 되지 않은 상황이었다. 이제 재수 10년이 막 끝난 초라한 지연이었디. 과연 스승님이 자신을 어떻게 생각하고 있을지, 과연 자신을 이곳의 핵심으로 받아줄지, 과연 자기 자신을 알아줄지 다양한 생각과 걱정이 들었다. 긴장도 되었다.

한참이 지났다. 지연이는 담당자와 함께 스승님이 주로 하루의 일과와 예배시간에 해야 할 설교를 준비하고, 강대상에서 직접 무릎을 꿇고 기도하고 내려온 이후에도 부흥회를 열고 기도를 많이 하는 곳, 수많은 업무를 수행하는 공간인 전용 사무실 앞에 도착했다. 여기까지 오는데 우여곡절이 있었다. 지연이는 그 앞에 갈 때, 그냥 빈손으로 가지 않았다. 급하게 가면서도 가까운 수퍼마켓에 들러서 판매하고 있는 선물용 물건 중 손잡이가 달려있는 종이 박스에 잘 포장되어있는 음료 세트를 사서 갔다.

비서를 맡고 있는 사람에게 먼저 연락했는데 계속 퇴짜 맞았다. 계속해서 전회도 했었다. 찾아갔었다. 그럼에도 불구하고 잠깐이라도 뵙는 것이 정말 어려웠다. 그럼에도 지연이는 포기하지 않았다. 끈질기게 갔다. 심지어 며칠씩 금식하고서 갔다.

한 번은 우연히 주보를 보게 되었는데 그곳에 스승님에게 바로 연락되는 직통번호를 알게 되었다. 그것을 보고 지연이는 가만히 있을 리가 없었다. 바로 행동으로 옮겼다. 지연이는 근처 공중전화기로 달려가 번호를 누르고 전화했다. 신호음이 가고 얼마 기다리지 않았다. 스승님이 직접 전화를 받았다.

"여보세요."

수화기 반대편에서 스승님의 목소리가 들렸다. 목소리를 들은 지연이가 대답했다.

"안녕하세요. 저 금란교회 윤지연입니다. 이번에 세로 신학교 1개와 국제학부, 경영학부까지 총 3개 학교에 모두 합격해서 감독님께 인사드리고자 연락을 드리게 되었습니다. 부디 선처해주십시오."

"…그래? 그럼 1월 5일 오후 4시에 합격증서와 이력서를 가지고 내 방으로 와. 시간이 없으니 시간 맞춰서 빨리 오기를 바란다."

통화가 종료되었다. 지연이는 손에 들려있었던 수화기를 원래대로 돌려놓았다. 기분이 묘했다. 굉장히 묘했다. 그래도 기뻤다. 그동안 기도원에서 말씀 전할 때, 금란교회에서는 주일 예배 등 공식 예배시간 말고는 볼 수 있는 시간이 거의 없었다. 꼭 뵙고 싶었던 자신의 스승님을 가장 가까이서 뵐 수 있는 것에 기뻤다.

지연이는 이력서와 합격증서를 준비했다. 날짜에 맞춰서. 또한, 이날만큼은 옷차림에도 매우 신경 썼다. 평소 입는 허름한 옷차림이 아니었다. 깔끔했다. 반 양복 차림이었다. 머리도 깔끔하게 빗어서 뒤로 넘겼다. 약속했던 시간보다 상당히 일찍 도착했다. 교회 안으로 들어가서 먼저 지연이는 담당자를 찾아갔다. 지연이의 두 손에는 합격증서 3장과 자기 자신의 모든 것이 담겨있는 이력서가 있었다. 둘은 한참을 걸어갔다.

담당자가 먼저 노크했다. 안에 충분히 들릴 정도로 크게 했다. 3초가 흘렀다. 정적이 흘렀다. 문이 열렸다. 지연이가 그토록 가까이서 너무도 뵙고 싶어했던, 스승님이 사무실 안에서 나왔다. 담당자가 말하기에 앞서 깍듯이 인사했다. 그다음 지연이를 소개했다. 지연이는 90도 인사를 했다. 예의를 다해서 인사를 했다. 초라하지만 자신의 머리부터 발끝까지 온몸을 깨끗하게 씻고 깔끔하게 한 뒤, 마치 가까이서 대통령을 보는 것처럼.

"자네, 고개 한번 들어봐."
지연이를 보고 말했다.
처음 지연이는 그냥 가만히 있었다. 잘못 들은 것처럼.
"네?"
"얼굴 한 번 들어봐"
지연이는 얼굴을 들었다. 스승님을 보았다. 이때 두 눈으로 똑똑히 볼 수 있었다. 지연이를 본 그는 다시 말했다.
"자네, 하나님께서 자네를 작정하고 쓰시려고 연단 많이 받았네!"
지연이는 이 말을 듣고서 어리둥절했다. 처음은.
"자네, 꽤 오랫동안 재수 생활했지?"
"네?!!?!!"
지연이는 그 말을 듣고 깜짝 놀랐다. 자신은 아무 말을 하지 않고 그저 고개를 들어보라는 말에 단지 쳐다만 보았을 뿐이었는데, 10년동안 재수 생활한 것까지 모두 꿰뚫어 본 것에 매우 놀랐다. 쓰러질뻔했다.
처음에 지연이는 무슨 뜻으로 예기한 것인지 잘 몰랐다. 의아했다. 지연이도 아직 자신에 대해 깊숙하게 잘 모르는 부분까지 다 꿰뚫어 보고서 말한 것이었다. 이게 첫 만남이자 정말 짧은 만남이었다. 그녀의 스승님은 사람을 꿰뚫어 볼 수 있는 은사가 있어서 지연이처럼 사람을 잠시 쳐다만 봐도 어떤 사람인지 파악이 되었다. 이것도 오랜 기도를 통해 얻은 결과물이다.
지연이는 오늘을 위해, 스승님께 드리기 위해 미리 준비한 이력서와 합격증서는 드리고 나왔다. 첫 만남은 그것으로 끝났다. 금란교회에서 지연이는 주일 학교 교사를 맡고 있었다. 처음 맡은 부서는 중등부였다. 지연이는 이제 대학교에 들어간 학부생 1학년이다. 신입생이다.
지연이는 고려하고 또 고려해서 목원대학교에 들어갔다. 처음으로 스승님을 뵙고 난 이후 오랜 의논을 통해 결정했다. 자신이 지금 너무도 귀하게 쓰임 받는 스승님 밑에서 제대로 훈련을 받을 것이라고는 전혀 꿈도

꾸지 않았다. 핵심들은 다들 학부 끝나고 대학원 석사과정에 재학 중인 사람들이기 때문이었다.

처음은 새로운 환경에 잘 적응하는 것부터 일이었다. 그다음 자신이 맡은 학생들의 이름을 알고, 이 학생이 어떤 사람인지 특성과 성격 등을 일일이 세밀하게 다 파악했다. 모두에게 관심을 주고, 사랑을 주었다. 헌신했다. 자신이 독서실에서 총무로 일할 때 학생들에게 했던 것처럼 초심을 가지고 뛰었다. 이곳에서도 똑같이 했다.

돈이 없는 등 어려운 환경에 있는 학생들은 상황에 알맞게 도움을 건네주었다. 배려했다. 하나님 중심으로 자신이 이루고 싶은 원하는 꿈을 찾을 수 있도록, 교회에서 매일 기도할 수 있도록, 겸손과 오직 하나님을 심어 주었다. 학생 한 사람 한 사람을 모두 눈높이에 맞춰서 나아갔다. 그것이 전부였다. 다른 것은 없었다. 하나도 없었다.

1년에 적게는 4번, 많게는 6번 정도 주일 예배를 총동원 예배를 드린다. 더 크게 부흥하기 위한 것과 복음을 전하여 한 사람의 영혼 구원하라는 하나님의 지상 마지막 명령을 수행하는 것이다. 스승님께서 더 많은 사람들이 교회를 다닐 수 있도록 만들기 위해, 더 부흥하기 위해 주로 수행하는 일종의 승부수였다.

총동원 예배가 있는 주일이라면 보통 최소 보름 전에 핵심들과 교역자들을 모아놓고 공지가 나온다. 지연이는 이 공지를 들으면 곧바로 실천했다. 1초의 망설임과 꾸물거림 없이 행동으로 옮겼다. 학생들을 격려하며 평소 학교에서 친한 친구들을 초대하여 예배를 같이 드릴 수 있도록, 혹은 자신의 부모님도 교회에 초청하여 함께 주일 예배를 드릴 수 있도록 격려하고, 전체를 이끌었다.

그러다 지연이는 한 가지 사실을 알게 되었다. 주일 매 순간 순간 예배마다 학생들이 예배드리러 부모님과 함께 오는 것을 세세하게 전부 확인하는 출석부가 최종으로 정리되어 자신의 스승님에게까지 보고가 들어가는 것을 알게 되었다. 그 사실을 뒤늦게 알게 된 지연이는 가만히 있을 리 없었다. 눈이 돌아갔다. 지연이는 곧바로 행동으로 옮겼다. 1초의 꾸물거림도 없었다.

주일 예배와 핵심들만 모여서 이루어지는 종례가 모두 끝난 뒤, 지연이는 그냥 집에 가지 않았다. 육체는 피곤할 수 있지만, 영혼을 위해서라면 일을 할 수 있는 새 힘을 얻고, 새로운 한 영혼을 위해서라면 전국 어디든 상관을 마다하지 않았다. 다음주 주일 예배에는 한 명이라도 더 와서 함께 예배드릴 수 있도록 이날 못 온 학생들은 학생이 거주하고 있는 집 앞에 차를 세워두고 같이 간 사람들 모두 기도회를 했다. 빠른 시간이면 자정쯤이었고, 대거 다음날로 넘어가는 새벽 시간이었다.

늦은 시간에 남의 집 초인종을 누를 수 없는 상황이니 차를 집 앞에 세워두고 기도하는 것 말고는 방법이 없었다. 그다음 그 친구에게 자신이 그 학생을 위해 진짜로 기도하고 갔음을 알리는 문자를 남겼다. 사진과 함께. 전도도 진돗개처럼 전도했다. 진돗개는 목표물을 한번 물면 놓치지 않으려는 특성이 있다. 그 특성을 이용해서 '진돗개 전도 축제'로 이름을 지은 것이다.

지연이는 자신을 중심으로 토요일 오후 시간대는 필수로 하여 주중 오후 등 시간 여유가 있는 사람들 위주로 같이 전도 나갈 사람들을 모아서 교회 주변으로 전도를 나갔다. 주로 사람이 많은 번화가였다. CGV처럼 큰 영화관까지 있었다. 물론 각자 자기 사비를 털어서 필요한 전도 물품을 모두 준비했다.

스스로, 서로의 힘을 합쳐서 모든 것을 준비했다. 전도 당일이었다. 약속한 시간에 지연이까지 모두 모이기로 한 장소에 집결했다. 각자 가지고 온 차는 인근 공영 주차장이나 큰 빌딩 주차장에 대놓았다. 사이즈가 큰 물건은 낑낑거리며 들고 왔다. 지연이는 가지고 온 파라솔을 설치하는데 도와주었다.

다 같이 기도했다. 작은 소리로. 교회 안에서 평소 기도하던 대로 밖에서 똑같이 하면 모르는 사람들이 교회로 전화하여 민원을 거는 경우가 많았다. 어쩔 수 없었다. 옆 사람들이 서로 들을 수 있을 정도로 기도했다. 아직 예수 안 믿는 사람들을 한 사람이라도 더 전도하기 위한 간절한 마음들이 있었다. 함께 나온 서로를 위해 기도하였다.

밖으로 전도 나왔다는 것을 개인으로도, 모두에게 보고하기 위해 전도 나간 사람들 모두가 나오도록 한 다음, 누군가 한 명이 자신의 폰으로 직접 인증샷을 찍고 시작했다. 그것으로 시작이다. 모두 뿔뿔이 흩어졌다. 주변으로. 혼자 가거나 두 명이 함께 다녔다. 주변으로.

노래 잘하는 사람과 통기타 잘 치는 사람들이 있었다. 보통 2~3명 선이었다. 큰 스피커를 이곳에 가지고 와서 그것을 틀어놓은 다음, 무선 마이크와 스피커에 연결된 것을 확인한 다음, 음악을 틀었다. MR이었다. 그들은 바로 노래 불렀다. 일명 길거리 버스킹이다. 지나가는 사람들이 그것을 보고 구경하기 위해 그 앞에서 있는 경우가 정말 많았다. 대학생들과 학교를 모두 마치고 이제 막 직장 잡은 지 얼마 되지 않은 청년들이나 고등학생인 경우면, 대화를 통해 자신들이 다니는 교회를 소개했다.

그 안에서 어떤 일 하는지 세세히 말했다. 간절했다. 눈빛부터. 정말 원했다. 그들이 자신과 함께 교회에 나와서 변화되기를. 처음은 자신도 이런 곳이 있었는지 전혀 모르고 살아왔던 사람인데 교회에 다닌 이후로 이렇게 바뀌었다고 증명한다. 거짓이 하나도 안 들어간 순수한 사실들이었다.

…

시간이 흘렀다. 지연이가 서울 중랑구 소재 금란교회에 온 지 어느덧 5년이 흘렀다. 그사이 많은 것이 바뀌었다. 주변 환경부터 하여 모든 것들이 많이 변했다. 정말로. 다니는 직장의 근무환경도 바뀌었다. 중간에 한 차례 다른 회사로 이직하는 일도 있었다.

지연이도 그동안 그녀가 소속되어있는 부서도 몇 번 옮겼다. 신기한 것은 지연이가 중등부에서 고등부로 가면 중등부가 무너지는 현상이 발생되고, 지연이가 다시 중등부로 가면 고등부가 아예 무너지는 현상이 계속 발생한다. 다른 사람들도 그런 상황을 몇 차례 목격했다. 지연이를 잘 알고 있는 교역자들도 이와 같은 상황을 계속 목격했다.

또한, 지연이가 중등부로 가면 같이 중등부로 가서 교사로서 함께 일하고 싶은 사람들이 꽤 많았다. 이유는 딱히 없었다. 그냥 좋은 것도 있었다. 함께 일하면 오랫동안 함께 하고 싶었다. 다들 그랬다. 지연이가 평소 자신의 회사 일에 관해서 어떻게 일하는지 자세하게 잘 모르는 사람들이 대다수이지만 적어도 저녁과 주일에 교회 와서 일을 잘한다는 것을 대부분 인정했다. 누구나 다 아는 사실이다. 변명의 여지가 없었다. 전혀.

교역자들도 담임목사님 주관 교역자 회의를 통해 이런 현상에 대해서 칼을 뺐다. 이를 보다 못한 것이다. 새해가 바뀌자마자 다른 부서로 이동할 때 대대적인 단행을 이어갔다. 그것은 지연이가 중등부와 고등부를 통합으로 하여 단독으로 이끌고 가고, 그 위에 지연이가 직접 출석 등 부서에 관한 모든 내용들을 보고할 수 있도록 새로운 질서를 확립했다. 이전에 없었던 결정이었다. 새로운 결정이었다. 지연이는 그 뜻에 따랐다. 어떠한 변명의 여지도 없었다. 법처럼 받아들였다. 그러나 이 상황에서도 그냥 조용하게 넘어갈 리가 없었다. 이 결정에 대해 말이 너무 많았다.

슬하에 자식을 두고 있는 수많은 부모님들 중 한 교회를 같이 다니는 가족들이, 특히 부모가 장로인 집안에서 말이 가장 많았다. 자신의 자식들이 이 교회의 사역자인데, 혹은 신학교 대학원생인데 왜 이제 대학교 1학년인 지연이 혼자 중등부와 고등부를 총괄하는 담당 목사와 함께 교회의 중, 고등부 전체를 이끌고 가게 하는지 불만이었다. 작은 것 하나에도 괜한 트집 잡으려는 사람들이 있었다.

자기 자신의 부족함을 알고, 그것을 더 나은 모습으로 개선하기 위해 다시 돌아오지 않을 이 귀한 시간에 지금 당장 자신의 두 눈에는 보이지 않지만, 오직 기도와 하나님의 일을 통해 더 큰 그릇과 감으로 준비하는 것만으로 굉장히 정신없는 상황임에도 남을 보느라 바빴다. 자신보다 남이 더 잘 나가면 너나 할 것 없이 잘하고, 잘 나가는 사람을 깎아내리기에 포커스 맞춰지고, 비판하기에 바빴다. 남이 정말 잘 되면 축하보다 자신들이 배 아팠다.

비단 이런 일이 교회뿐만이 아니었다. 우리 사회 전반부 곳곳에서도, 우리 일상에서도 어렵지 않게, 빈번하게 볼 수 있다. 남이 자기 자신보다 더 잘 되고 더 잘 나가면 배 아파하는 말이 있다. 그것뿐만이 아니었다.

특정한 사람이 자신과 같은 팀의 일원이 된다면, '그 사람과 서로 안 맞는다'면서 차라리 다른 부서로 가서 일하겠다, 혹은 사직서 쓰고 타 회사에 입사해서 일하겠다, 심한 말은 잘못한 것은 없는데 '그 사람이 우리 회사와 잘 안 맞으니 차라리 잘라라'는 등 기존의 안 좋은 생각으로, 이미 깊게 뿌리 박혀 있는, 좋지 않은 사회적인 관습과 고정관념에 물들어있는 사람들이 잘 나가는 사람들을 비판하고 깎아내리느라 서로 바쁘다.

한가지 예를 들면, 일국의 대통령이 되기 전에 삼성그룹과 현대그룹, 신세계처럼 대기업을 끌고 가는 사장이었던 사람이 대통령 되고 나서 모든 국민들을 세밀하게 살피지 않고 명품 가방을 들고 다닌다는 것에 비판하고 문제로 삼는 것이다. 적어도 대기업 사장이라면 돈을 재벌로, 가장 잘 버는 부류에 속하는데 자신이 직접 번 돈으로 명품 가방을 사서 들고 다니는 것이 문제가 되고 온 사람들로부터 비판을 받아야 하는 일인가?

자신의 분야에서 잘하는 사람들, 자신에게 부족한 부분들을 보완하기 위해 열심히 노력하는 사람을 비판하고 깎아내릴 시간에 1분이라도 기도 더 하고, 부족한 부분들을 보완하기 위해 더 많이 노력하고, 본인들이나 더 잘하지.

 지연이는 누군가가 계속 자신을 향해 좋지 않은 소리를 들은 일도 아예 없지 않아 수차례 있었다. 그것을 다른 사람들을 통해 들은 당사자도 그렇게 좋지는 않았다. 자신에 대해 안 좋은 소리를 들으면 누가 좋아하겠는가? 그래도 지연이는 주어진 상황에서 묵묵히 자신에게 맡겨진 일을 수행했다. 매일 기도했다. 그냥 그것뿐이었다. 특별한 것은 전혀 없었다.

 지극히 평범했다. 자신이 충분히 할 수 있는 것으로, 최선을 다했다. 그런 다음 오직 주님의 뜻을 기도를 통해 구했다. 매일 이렇게 하는 지연이조차 때로는 '과연 내가 잘하고 있는건가?'는 의문점이 들 때도, 때로는 개인적인 일들이 한꺼번에 겹쳐서 모두 한꺼번에 해결해야 하는 상황이 있었다.

 또한, 남들에게 자신의 힘든 점을 알아달라고 말을 계속해봤자 소용이 없었다. 남들이 지연이가 혼자 힘들어하는 것을 말로써 위로만 해줄지언정 자신을 대신해서 제대로 하는 것은 지연이도 기대하지 않았다. 자신처럼 지금 이곳에, 지금 이 순간까지 파란만장하게 걸어온 사람이 주변에 정말 별로 없었다. 찾는다면 사막에서 바늘 찾기였다.

 자신이 하는 일에는 소홀한 부분과 부족한 모습이 있더라도, 교회에 와서 청소하는 것과 예배를 위해, 주일 학교에 선생님으로 봉사하는 것, 성경 말씀 봉독 이후 비로 이어지는 성가대의 성가곡 반주와 예배에 하는 찬양 등 모든 연습과 주일 학교 등 하나님의 일이면 하나라도 틀리지 않도록 정말 철저하게 연습하고 준비했다. 가장 완벽하고, 자신에게 있는 것 중 가장 좋은 것만을 드리고자 오랜 시간이 지난 지금도 초심을 유지하기 위해 가장 먼저 어디든지 교회 오면 무릎 꿇고 기도를 한다.

 주일이었다. 예배시간이었다. 그것도 주일 낮에 사람들이 가장 많이 모이는 메인 예배였다. 지연이는 오늘 주일에 예배를 드리러 온 학생들을 데리고 함께 본당에서 예배를 드리고 있는 상황이다. 모든 사람들이 모여있는 상황이었다. 오직 한 사람의 말에 모두가 집중하고 있었다. 말하고 있는 단 한 사람은 지연이의 스승님이었다.

"윤지연은 내 오른팔 수제자다. 내 자녀가 아니면 후계자로 생각하고 있다. 앞으로 지연이가 교회에서 부흥 등 교회와 관련된 일에서, 지연이의 모든 일에 상관없이 이러쿵 저러쿵 토를 다는 사람이 있다면 앞으로 내가 용납을 하지 못한다."

지연이의 스승님이 오늘 주일 예배 중 설교 시간에 모든 사람들 앞에서 이렇게 말했다. 그동안 지연이에 대해, 중고등부를 전체를 이끌고 가는 것과 너무 잘하는 것에 대해서 안 좋은 이야기 하는 것을 이미 수차례 들었다. 이미 모든 것을 전부 다 알고 있었던 것이었다. 다만, 스승님은 겉으로 티를 안 내고 있었을 뿐이었다.

지연이가 이렇게 최고의 순간까지 도달할 수 있는 상황도 결코 쉽게 간 것이 아니었다. 처음은 자신의 혈육인 오빠의 전도로 지금의 교회로 나오게 되었다. 처음은 다른 사람들의 눈치 보느라 바빴다. 이렇게 사람이 많은 곳에는 굉장히 어색했다. 처음은 다른 사람들과 얼굴을 마주 보고 제대로 말하는 것이 어색하고, 부끄러웠다. 남들에게 말을 할 때나 누군가 지연이에게 물어봐서 대답을 할 때도 어눌하게 말했다. 지연이를 내면까지 깊이 있게 알고 있는 사람이 아니라면 전혀 몰랐다.

혹은 지연이가 상대방에게 무슨 말을 하는지 알아듣기 어려울 정도로 아주 빠르게 말했다. 처음부터 그러는 것이 전혀 아니었다. 모든 것에는 까닭 없는 저주와 원인 없는 결과는 하나도 없다. 지연이의 내면 깊숙한 곳에, 남아 있었던 사람과 사람 사이에 있었던 큰 상처와 트라우마들이 약 15년이 지난 2021년 여름에도, 이후 지금까지도 아주 미세하게 남아 있었다. 당시 깊은 상처가 완전히, 완벽하게 아물어지지도, 회복되지 않은 것이었다. 그런 깊은 상처에서 완전히 치유되고, 회복되기 위해서는 아직은 누군가의 사랑이 필요한 상황이었다. 단지 그것뿐이었다.

처음은 다들 자신을 쳐다보는 줄 알았다. 지연이는 자신을 향한 관심을 자기고 다가오려는 것과 따뜻한 시선이 부담되었다. 이렇게 많고 다양한 사람들이 자신을 향한 따뜻한 관심과 사랑을 지금까지 제대로 받아본 적이 전혀 없었다. 이곳에 와서 처음이었다. 당시 지연이는 자신이 이렇게 아무 일도 하지 않았는데 다른 사람들의 관심과 사랑을 받아도 되는 자격인지 의심될 정도였다.

평소 다른 사람들과 함께 지낼 때 전혀 어색함이 없지만, 지연이에게 오히려 이런 상황이 부담스러울 정도였다. 여기까지 오기 위해 좋은 기억보다 고생만 많이 했던 기억밖에 없었다. 처음은 이런 생각이 들었지만, 나중에 자신에게 기회가 온다면, 꼭 자신이 겪었던 일들과 저렇게 초라한 사람도 하나님을 잘 믿었더니 이렇게 큰 복을 받고 화려하게 성공할 수 있다는 것과 지금 어렵고 힘들어하는 사람들도 할 수 있다는 것을 간증해야겠다는 생각이 들었다. 지연이가 현재의 교회에 처음 온 뒤로 약 한 달이 지난 시점이었다. 주일 낮 예배 모두 끝난 뒤에 지연이의 스승님이 직접 지연이를 불러서 함께 점심을 함께 식사했다.

이 이후로 지연이는 교회에 처음 온 지 불과 3개월만에 귀한 성령을 받고 청년부 핵심이 되어 훈련을 받기 시작한 이후, 약 3년 동안 주일에 점심시간이나 저녁 예배 시작 전, 저녁밥을 먹는 시간대에도 스승님과 함께 식사한 적이 단 한 번도 없었다.

언제 들어갈 수 있는지 혼자 궁금하기도 했다. 사소한 것 가지고 마음껏 물어볼 수 없었다. 오히려 지연이는 개인적으로 함께 식사하기 위해 부름을 받고 들어가는 사람들이 오히려 너무 부러웠다. 오죽하면 최소 한 번쯤 같이 식사를 해보는 것이 지연이가 응답받고 싶은 기도 중 하나였다. 자신을 어떻게 생각하실지 무척 궁금하기도 했다.

평소 지연이는 자신의 깊은 내면에 있는 고민이나 사소한 것들과 힘든 점을 말하는 것을 다른 사람들에게 잘 하지 않았다. 아직 모두 해결되지 않은 상황에서 어설프게 말하는 것보다 확실하게 매듭을 지어놓고 말하는 것이 훨씬 수월했다.

믿을만한 사람인 줄로 알고 그나마 편하게 그 사람에게 터놓고 예기했었을 뿐인데 다른 사람들에게로 소문이 나거나 본의 아니게 손해를 본 적이 많았기 때문이었다. 마약을 해서 경찰에 걸려서 조사를 받는 연예인이 된 기분이 들었다.

그렇다고 속상해하거나 너무 서글프게 울지 않았다. 울어서 해결될 일이라면 진작에 펑펑 울어서 해결책을 구했다. 지연이는 그 방법이 아니라 직접 행동해서 결과나 해결할 수 있는 것들임을 이미 알고 있었다.

단지 남들에게는 말을 잘 하지 않았다. 지난 19년동안 받은 연단이 위나 많다 보니 이제는 어려운 일들이 와도 힘들어하는 내색을 잘하지 않았다. 그렇다고 힘들어하는 티를 내지 않았다. 기도하면서 하늘의 뜻을 구하려하고, 주어진 상황에서 해결하기 위해 노력하는 것이었다. 그러나 스승님께 자신의 깊은 내적으로 잘 간직하고 있는 진로 고민으로, 상담을 받아본 적도 단 한 번도 없었다.

하지만 지연이는 자신만의 큰 꿈과 비전을 얻을 수 있던 것도 특별하게 한 일은 하나도 없다. 단순했다. 남들은 놀거나 모두 다 집에 가고 늦은 밤에 교회에 남아서 혼자 기도한 것밖에 없었다. 직장에서 대구, 부산 등 멀리 지방으로 운전해서 출장 가는 날이면 보통 아침 11시에 업무를 시작하거나 늦으면 정오에 시작하여 오후 6시에 현장에서 모든 일과를 마친다. 다만 쉬는 것은 융통성 있게 쉬어가면서 해야 했었다.

물론 중간에 식사하는 시간과 쉬는 시간은 있다. 고속도로에 막히는 시간을 고려하여 차라리 저녁을 먹고 출발하는 경우가 많다. 올라오는 시간이 새벽 2시이거나 늦으면 새벽 3시에 가까운 시간이어도 만약 당일에 해야 하는 기도를 다 못 했으면 무조건 교회에 들러서 꼭 기도하고 갔다.

대구 이남 지역은 고속도로 타고 휴게소를 단 한 번도 안 들른 상황에서 최대한 빨리 올라와도 대부분 4시간 이상 소요되는 장거리 운전으로 굉장히 피곤할 법하지만, 지연이는 그냥 집에 가는 것이 아니었다. 독감에 걸려서 정말 아프면 30분이라도 기도하고 갔다.

기도를 오랫동안 하다 보면 중간에 아프기 마련이다. 지연이는 계속해서 쉰 목소리가 계속 지속 되었다. 처음은 아무렇지도 않았다. 그냥 그러려니 했다. 기도하는 사람이라면 누구나 한 번쯤 겪어보게 되는 일이라고 생각했다. 보통 한 번 쉬면 보통 보름이면 원래대로 돌아오기 때문이다. 처음은 자신도 그럴 것이라는 생각하고 있었다.

하지만 지연이의 쉰 목소리는 2주가 넘어도 돌아올 기미가 오이지 않았다. 이상하게 생각했다. 3주가 넘어가도 동일한 증상이 계속되었다. 이제는 일상생활에서 말하는 것에 굉장히 불편했다. '혹시 무슨 문제가 있는 것이 아닐까?'하는 의심이 들었다. 혹시나 하는 생각으로 먼저 근무하는 회사에서 가장 가까운 작은 이비인후과로 갔다. 초진 접수부터 하고 자신의 차례를 기다렸다. 처음은 서서 기다리다 다리가 아파서 의자에 앉아서 기다렸다.

점심시간이 불과 한 시간뿐이었다. 제시간 안에 회사로 들어가야 하는 만큼 지연이는 조마조마하는 마음으로 기다렸다. 시간이 흘렀다. 어느덧 지연이 차례가 되었다. 지연이는 진료실로 들어갔다. 입고 있던 외투는 벗어서 그의 손에 들려있었다.

"안녕하세요."

지연이가 인사했다.

"안녕하세요. 어떤 증상으로 오셨어요?"

의사가 물어봤다.

"아, 저 3주간 목소리가 쉬었는데 이게 정상으로 돌아오지 않고 계속 증상이 지속 되어서요. 말할 때마다 되게 칼칼해요."

지연이는 자신의 증세를 있는 그대로 전부 말했다.

의사는 지연이의 말을 듣고 기구를 들었다. 후두를 볼 수 있는 검사 도구였다.

"그러면 후두가 어떠한지 상태를 보고 정확하게 말 할 수 있어요. 혹시 입 한 번 크게 벌려보시겠어요?"

지연이는 그 말을 듣고 입을 벌렸다. 의사의 손에 들려있는 기구는 빛을 내고 있었다. 후두를 볼 수 있는 기구였다. 사람의 눈으로는 목 안에 있는 성대와 후두를 전혀 볼 수 없기 때문에 들어가서 볼 수 있는 기구가 필요했다. 지연이는 조금 더 크게 입을 벌려 달라는 요청을 했다. 지연이는 입을 더 크게 벌렸다. 처음은 작게 했기 때문이다.

그 기구가 쉽게 들어갈 수 있는 공간을 확보한 뒤, 그것을 지연이의 입속으로 집어넣었다. 재부를 쉽게 볼 수 있는 모니터가 있었다. 그것을 통해 지연이의 성대 상황을 쉽게 볼 수 있었다. 지금 지연이의 목 상황은 정상이 아니었다. 생각보다 조금 심한 상황이었다. 의사는 무덤덤했다. 이미 이런 상황을 병원에서 많은 사람들의 목소리 관련 질환을 진료 보면서 많이 보아왔기 때문이다.

"지금 환자분 성대에 염증이 있어요. 성대가 정상이면 하얀색인데 지금 염증 때문에 빨강색 피가 온 성대를 뒤덮었어요. 필요한 말씀만 하시고, 최대한 목소리를 아끼세요. 그래야 호전될 수 있어요. 또한, 약 3일분을 같이 처방해드릴 테니 드시고 그때 다시 오셔서 상황을 지켜봅시다."

의사는 정상 성대와 지연이의 현재 성대 상태가 어떠한지 그림을 손으로 집으면서 설명했다. 전산에 지연이에게 처방되는 약품명과 병명을 적으면서 말했다.

지연이는 인사하고 진료실을 퇴장했다. 다시 홀로 나왔다. 외투를 입고서 진료비를 계산하고, 처방전을 받은 뒤, 근처 약국으로 갔다. 그곳에서 약을 탔다. 약을 받은 뒤 다시 그녀의 회사로 복귀하면서 이런저런 생각이 들었다. 많은 생각이 들었다. 회사에서 일할 때 어떻게 일을 할지, 이보다 더 심해지면 어떻게 되는 것인지, 궁금하기도 했다. 지연이는 자신이 궁금한 것이 있으면 정말 끝이 없다. 그녀의 기준에서 만족할 때까지 관련 자료들을 샅샅이 찾았다.

'지금 내가 회사에서 하는 일이 계속 떠들어야 하는 일인데 떠들지 말라고 하면 나는 어떻게 하라는 것이지? 일을 아예 하지 말라는 것인가? 어떻게 해야 하지? 에라 모르겠다.'

지연이는 회사에서 자신이 맡은 일을 하고 돈을 벌기 위해서는 어쩔 수 없었다. 그렇게 해서 일주일이 더 지나갔다. 병원에 다시 갔다. 똑같이 지연이는 앞에서 진료 접수를 하고, 자신의 차례를 기다리고 있었다. 오늘따라 진료받기 위해 대기하는 사람들이 많았다. 지연이 차례였다.

지연이는 똑같이 의사의 요청사항대로 성대를 볼 수 있도록 협조를 했다. 처음 지연이는 모니터에 있는 자신의 현재 상황이 어떠한지 제대로 이해하는 것에 어려웠다. 처음은 비슷한 줄 알았다. 그러나 그것이 아니었다. 의사의 상황은 그렇게 좋지만은 않았다. 지연이가 자신의 안 좋은 상황의 성대를 처음 봤을 때보다 지금이 더 심각했다. 의사는 그 모니터를 보고서 입을 열었다.

"지금 전보다 상황이 더 안 좋아요."

"네?"

지연이는 덜컥 겁이 났다.

"처음에 봤던 것보다 지금이 더 안 좋아요. 염증이 더 심해졌을 뿐만 아니라, 지금이 더 안 좋아지고 오히려 성대에 백색 각화증이 의심돼요. 양성이면 그나마 나은데 이거 악성으로 변하면 암으로 갈 수 있어요. 일단 약은 동일하게 처방 나가되, 진료의뢰서를 같이 써 드릴테니 큰 병원에 가서 더 심층 있고 정밀한 진단과 진료를 받아야 할 것 같아요."

지연이는 이 말을 듣고 조금 충격이었다. 의사가 진료의뢰서를 써서 준다는 것은 이제 더이상 1차 병원인 의원이나 보건소에서는 치료가 어려우니 3차 병원인 상급종합병원, 즉 서울의 빅5 병원 등 큰 병원에 가서 진료를 받으라는 뜻이었다. 지연이는 진료의뢰서가 나오는데 다소 시간이 소요되니 먼저 약을 받고 다시 오라는 외래직원의 안내를 듣고 먼저 약을 타러 병원 바로 앞에 있는 약국으로 갔다.

지연이는 걱정이 들기보다는 오히려 다른 생각들이 먼저 들었다. 겁도 났다. 큰 병원에 가야 한다는 말을 들은 이후로. 지연이는 고민이 많이 들었다. 먼저 직장에 관한 고민도 들었다. 먼저 지연이는 큰 병원 사이트에 먼저 들어갔다. 현재 지연이가 앓고 있는 관련 질환을 전문으로 보는 의료진들의 일정을 보았다.

가장 빠른 날짜에 초진 예약하기 위해서다. 대부분의 일정이 빨라야 2월 중순이었다. 지연이는 속이 타들어갔다. 검진받는 것을 늦게 미룰 수 없었다. 처음 찾아본 곳은 서울 동작구 흑석동에 있는 중앙대학교 병원 본원 사이트였다.

하지만, 비어있는 날짜 중 가장 가까운 시간을 모두 찾아보는 것이 정말 쉽지 않았다. 환자가 너무 많아서 대기하는 시간이 너무 오래 걸렸다. 가장 빠른 날짜가 2월 중반부 무렵이었다. 지연이는 이곳에서는 만족하지 못한 모양이었다. 다른 곳을 알아보기 시작했다.

다음으로 본 곳이 서울 서대문구에 있는 신촌 세브란스 병원이었다. 지연이는 사이트에 직접 들어가서 보았다. 다행이었다. 그동안 자신이 보아 왔던 수많은 일정 중에서 가장 빠른 일자에 비어있었다. 지연이는 이것을 그냥 놓칠 리 없었다. 서둘러 예약하여 확정시켰다. 지연이는 감사했다. 때를 기다렸다. 시간은 무심코 흘러갔다. 지연이를 비롯하여 그 누구도 기다리지 않았다. 자비 없었다.

어느새 2월 초순이 되었다. 지연이가 예약한 날짜가 되었다. 당일이었다. 이날이 토요일이었다. 아침 일찍 기상했다. 아침 시간에 검진이 있었다. 대부분 병원들이 토요일에는 보통 오전 진료만 하기 때문이었다. 지연이는 시간에 맞춰서 병원으로 갔다.

만일을 대비하여 일찍 도착했다. 아직은 코로나 팬더믹 시대였다. 일상에서는 마스크 벗을 수 있지만, 아직 완전히 해지되지 않았다. 병원 등 감염 취약 시설에서는 누구나 마스크 쓰는 것이 의무였다. 지연이는 마스크를 미처 챙기지 못했다. 근처 편의점에 가서 겨우 구할 수 있었다.

포장을 뜯어서 마스크 쓰고 안으로 들어갔다. 규모가 크니, 그만큼 병원 안에는 진료받으러 온 사람이 정말 많았다. 암병원으로 갔다. 그곳에서 지연이는 3층으로 갔다. 초진접수였다. 가지고 온 진료의뢰서를 제출하고 접수 완료했다. 빈자리에서 기다렸다. 만약 진료의뢰서를 지참하지 않았으면 100% 본인의 돈으로 부담을 해야한다. 그것이 현실이다.

대기하는 시간이 일반 병원에서 기다렸던 것보다 더 오래 걸렸다. 기다리면서 지연이는 정말 다양한 유형을 가진 환자들을 볼 수 있었다. 그 상황을 지켜보는 지연이는 연민이 들기도 했다. 자신도 아픈 상태에서 왔는데 자신보다 더 아픈 사람이 있다는 것에 놀라기도 했다.

마침내 지연이 차례가 되었다. 지정된 진료실로 들어갔다.

"안녕하세요."

"안녕하세요. 초진이군요?"

"네, 맞아요."

"어떻게 오셨어요?"

"지금 한 달째 쉰 목소리가 지속 되어서 동네 병원에서 진료받다가 큰 병원으로 가보라고 해서 왔어요. 문제가 있다고 하면서요."

"그러면 일단 한번 상태가 어떤지 봅시다. 지금 쓰고 있는 마스크 조금만 내려보시겠어요?"

지연이는 그 말을 듣고 코만 보일 정도로 마스크를 조금 내렸다. 의사 선생님이 근처에 있는 후두 내시경을 들고 왔다. 바로 지연이의 콧구멍 속으로 후두 내시경이 들어갔다. 입을 벌려서 성대를 확인하는 것보다 지금 이것이 훨씬 더 나았다. 더 정확한 판정이 나올 수 있다는 것에 안도감을 느꼈다. 내시경이 들어가는데도 지연이는 멀쩡했다.

다만 코를 통해 목구멍 안으로 들어간 내시경이 몸 밖으로 완전히 빠져나간 뒤 제치기 두어 번만 했을 뿐이다. 결과는 처음에 직접 봤을 때보다 더 심각했다. 지연이도 상황을 보고서 조금은 충격이었다. 이미 안 좋은 것은 알고 있었지만, 이렇게 안 좋은 줄은 생각도 하지 못한 것이다.

"지금 생각보다 상태가 좀 심각한데요?"

"진짜요?"

"네, 이거는 일단 수술을 해야 할 것 같아요. 지금 상황이 너무 안 좋아요. 일단 약 처방하고, 최대한 목소리 사용을 자제하세요. 바로 가시지 말고 조금 대기했다가 수술 예약 담당자와 상담을 해야 합니다."

"네"

지연이는 수술이라는 단어를 들은 뒤, 밖에 서서 기다리는 동안 혼자 긴장이 되었다. 일단 밖에 나가서 하염없이 기다렸다. 조금 뒤 자신의 이름을 부르는 소리가 들렸다. 상담실에서 담당자가 나와서 지연이를 불렀다. 지연이는 그곳으로 들어갔다.

자신이 받게 될 수술명과 확정 날짜와 당일 소요 되는 시간 등 관련 안내 사항들과 수술 전 피 검사와 심전도 검사, X-ray 등 검사받을 내용까지 모두 꼼꼼하게 알려주었다. 생각보다 검사받을 항목이 꽤 많았다. 수술 전, 검사받을 항목이 많은 것은 환자가 수술받아도 좋은 상태인지, 수술할 때 전신마취해도 되는 상황인지 환자의 건강상태를 검사를 통해 확인하기 위해서다.

지연이는 알려주는 내용들을 모두 담담하게 받아들였다. 입원해서 수술까지 처음 받는 일이지만 다른 사람들과는 다르게 정말 태연했다. 지연이는 마법에 걸려있는 상황이라 바로 하지 못했지만 10일 뒤 토요일 아침에 와서 모든 검사를 마쳤다. 초진을 받으러 갔을 때는 여자로서 1달에 한 번씩 하는 것 때문에 수술 전 검사에 영향이 가기 때문이었다. 그렇게 시간을 보냈다. 그녀의 일상을. 매일 빠트리지 않고 기도했다.

3월이었다. 입원하는 당일이 되었다. 지연이는 아침 제시간에 회사로 출근했다. 하지만 오늘 일찍 퇴근했다. 이미 일주일 병가 써서 가능했다. 오후 3시가 되었다. 지연이는 서둘렀다. 서울 종로에서 서둘러 병원에 도착했다. 퇴근이 늦어서 도착하는데 조금 늦었지만 그래도 끝나기 전에 골인할 수 있었다. 가면서 지연이의 폰에는 문자가 계속 왔다. 입원 관련 안내 문자였다. 먼저 암병원 내부 두경부암센터에서 예약된 외래를 보았다.

그런 다음 본관으로 이동했다. 처음은 19층이었으나 다시 지연이에게 연락 온 것은 최종 확정이 16층이라는 내용이었다. 그곳에 도착한 지연이와 부모님은 담당자를 만나서 수속절차를 밟았다. 생각보다 오래 걸리지 않았다. 대기하고 있는 사람이 없었다.

보건소에서 사전에 받은 둘 다 PCR 검사에서 코로나음성이라는 증명서와 문자를 보여주었다. 그런 다음 예약한 것과 본인임을 증명하는 신분증 확인한 뒤, 병실 배정을 받았다. 그곳이 지연이가 퇴원할 때까지 지낼 공간이다. 지연이는 커튼을 치고 옷을 환자복으로 갈아입었다. 입고 온 옷은 지연이가 가지고 온 소지품과 함께 옆에 있는 옷장에 한꺼번에 보관했다.

그러다 보니 어느덧 해는 완전히 지고 어둑어둑한 밤이 되었다. 창밖 너

머로 보이는 서울 도심부는 분주하게 돌아갔다. 지연이는 자신의 현재 건강 상태가 어떠한지 확인받고 수술 동의서에 자신의 자필로 서명하는 것과 관련 안내를 모두 받았다. 그런 다음 지연이는 1층으로 내려갔다. 저녁을 먹었다. 지연이는 자신이 먹고 싶어 했던 메뉴로 식사했다. 이것이 수술 전 제대로 된 마지막 식사였다.

내일 언제 자신이 언제 수술방으로 들어갈지 전혀 모르기 때문이다. 수술 당일로 넘어가는 자정부터 금식이 들어갔다. 물을 포함해서 일체 음식을 먹지 못하는 금식이었다. 주변에서 지연이를 보면 '금식하는 것이 안 힘드냐?'고 물어보는 사람들이 꽤 많은데 지연이는 오히려 금식하는 것은 굉장히 수월했다. 오래전부터 일주일에 한 번씩 24시간 금식하는 것을 했었기 때문이었다.

보통 이곳의 수술실은 상당히 컸다. 수술방은 50개가 되었으며 수술은 이른 아침부터 늦은 밤까지 하루에 전체 150건 이상 진행한다. 보통 나이가 가장 많은 사람 순서대로 진행되기 때문에 지연이는 자신이 전체에서 몇 번째로 하게 되는지 정확한 차례를 알 수 없었다. 다만 자신이 오늘 4번째 순서로 들어간다는 것만 알고 있었을 뿐이었다. 앞 차례가 언제 끝날지, 어떤 수술을 받느냐에 따라 소요 시간이 천차만별이기 때문이다.

지연이는 자신의 순서를 기다리면서, 음식은 아무것도 먹지 못하지만 할 수 있는 것이 유일한 것은 그것뿐이었다. 그래서 자신의 차례가 될 때까지 계속 기도만 했다. 시간이 한참 지났다. 얼마나 지났는지 정확히 모르겠다. 지연이는 가만히 병상에 누워있었다. 그저 모든 것이 잘되기를 빌었을 뿐이었다. 이윽고 누군가가 지연이의 앞으로 다가왔다. 직원이었다.

"윤지연님?"

"네, 전데요?"

지연이가 손을 들면서 말했다.

"이제 수술방으로 가야 할 시간입니다."

지연이는 이 말을 듣고 스스로 직원이 가지고 온 수술용 침상에 옮겨서 다시 누웠다. 지연이의 왼팔 깊숙하게 꼽아 있는 바늘을 통해 들어가는 링거액은 걸어둘 수 있는 봉에 잘 걸어두었다. 마침내 출발이었다. 보호자 되는 부모님은 지연이가 있던 병실에 그대로 머무르게 되고 지연이 혼자서 갔다. 이유는 다른 환자에게 바이러스가 감염될 수 있어서 여럿이 갈 수 없었다. 이유는 충분히 이해할 수 있도록 설명했다. 다만, 수술 진행

상황이 실시간으로 보호자에게 연락 갔다.

수술실은 본관 5층에 있었다. 지연이가 있는 곳은 16층이었다. 환자용 엘리베이터가 있어서 쉽게 이동할 수 있었다. 이동하는 동안 지연이는 천장을 쳐다보았다. 눈을 감았다. 이동하는 동안 한기가 느껴졌는데 이미 지연이의 몸은 이불로 덮여있어서 제대로 느끼지 못했다.

지연이는 평소 자신이 쓰고 있었던 안경을 벗으니 흐릿하게 보였다. 멀쩡한 두 발로 걸어서 가는 것 말고 누워서 가는 것과는 엄청난 차이가 있음을 느낄 수 있었다. 이제 실감 났다. 두려웠다. 긴장되었다. 수술이라는 두 단어 앞에서 지연이 혼자 괜스레 연약해지기도 했었다.

지연이가 누워있는 침상이 환자용 엘리베이터에서 내린 다음 가장 먼저 들어간 곳은 수술실이다. 그곳으로 들어가는 메인 문이 열렸다. 그곳으로 들어갔다. 지연이의 긴 머리카락이 환부에 들어가지 않도록 정리하여 위생모를 씌워주었다. 수많은 수술방 앞 대기하는 공간이었다.

그곳에는 수많은 고가의 장비들과 현재의 전체 상황을 알려주는 상황판이 벽에 걸려있었다. 대기 공간에는 수술을 기다리는 다른 환자들도 있었다. 다들 조용히 자신의 차례를 묵묵하게 기다리고 있었다. 지연이는 그곳에서 자신의 차례를 기다렸다.

의료진들이 지연이에게 다가와서 자신의 이름과 어떤 수술을 받게 될 것인지 알고 있는지, 앞으로 어떻게 진행되는지 세심하게 알려주었다. 기다리는 동안 지연이는 천장을 뚫어지게 쳐다보았다. 안경을 쓰지 않으니, 천장에 새긴 글씨가 흐릿하게 보였기 때문이다. 글귀를 모두 읽기까지 한참이 걸렸다. 대기실 천장에는 이런 글이 새겨져 있었다.

두려워하지 말라, 내가 너와 함께 함이라 (이사야 41:10)
Do not fear, for i am with you (Isaiah 41:10)

지연이는 이 글을 한참 동안 보았다. 지연이에게 있었던 연약함은 온데간데없이 모두 사라졌다. 그것이 모두 담대함으로 바뀌었다. 이제 지연이가 누워있는 침상이 수술방 안으로 들어갔다. 지연이의 수술을 집도하는 의사 선생님이 수술방 입구 앞으로 다가왔다. 손을 씻는 곳에서 3분동안 자신의 손을 깨끗하게 씻고 소독하는 동안 간호사 선생님들이 준비했다. 지연이의 상체에는 심전도 장비가 붙었다. 마취과 선생님이 직접 마취약이 들어있는 주사로 직접 전신마취를 했다.

"마취약 들어갑니다. 하나, 둘, 셋"

지연이는 마취과 선생님이 '셋' 할 때 눈이 스르륵 감겼다. 마취되었다. 아무런 느낌이 없었다. 전혀. 어떠한 아픔도 없었다. 조금도 없었다. 전혀 느끼지 못했다. 그 시간은 기억이 끊겼다. 기억을 전혀 하지 못했다. 그때의 지연이는 주사를 통해 마취약이 들어간 이후, 깊은 잠에 빠져들었다. 너무 편안했다. 지연이는 너무 편안한 상태였다. 마취된 사이에 본격적으로 수술이 시작했다. 지연이가 받는 수술명은 후두종양 적출술이었다.

마취가 정상적으로 되면, 쇠로 된 딱딱한 후두경을 지연이의 입속에 넣는다. 그것을 입속으로 넣는 과정에서 치아가 손상될 수 있기 때문에 사전에 치아의 흔들림이 있거나 약한 등 이상이 있는지, 없는지 미리 확인한다. 후두경이 삽입되었다.

이 후두경으로 지연이의 성대를 8~20배로 확대하여 현미경으로 세밀하게 관찰한다. 평범한 사람의 두 눈으로 사람의 몸 안에 있는 성대를 관찰할 수 없기 때문이다. 현미경으로 세밀히 관찰하면서 병변 부위를 메스로 모두 제거하는 미세수술이었다. 성대와 사람마다 모두 다른, 한 사람의 고유 목소리를 최대한 보존하면서 병변이 있는 부분만 제거하는 방법이다. 이론상으로 아주 간단한 방법이지만 아주 정교하게 이루어지는 만큼, 숙련된 의료진들이 직접 집도한다.

병변 있는 부분들이 모두 깨끗하게 제거되었다. 제거된 것들은 모두 지연이의 몸 밖으로 나왔다. 지연이의 몸 밖으로 나온 병변조직은 다음 외래 진료와 정확한 병명과 병명 코드 진단과 병변 진행 경과를 정확히 관찰하기 위한 조직검사 용도로 사용한다. 또한, 기록으로 모두 남겨두어 추후 임상 연구자료로, 또 다른 사례로 소중하게 사용될 것이다. 목소리가 완전한 정상으로 돌아오는 정확한 판단은 일주일 뒤, 외래 진료와 내시경 검사를 통해 이루어질 것이다.

약 1시간하고 조금 더 지났다. 지연이는 처음 있었던 수술 대기 공간에서 마취가 완전히 깨었다. 눈을 떴다. 두 눈을 깜빡거렸다. 마취에서 완전히 풀려서 비로소 정신이 들었다. 지연이는 말을 하려 해도 아예 하지 못하도록 간호사들이 제지했다. 지금 떠들면 목소리가 아예 변형되기 때문이다. 자신의 친구가 그렇게 했다가 목소리가 아예 변형되었다는 실제 사례를 말했다.

마침내 마취에서 완전히 회복된 지연이는 다시 원래 병실로 올라갔다. 저녁 시간이었다. 해는 저물어있었다. 지연이가 원래 병상으로 옮겼다. 그 직후, 지연이의 수술을 집도한 그녀의 주치의가 병실로 들어왔다. 지연이의 이번 수술 경과를 보호자에게 쉽게 이해할 수 있도록 설명하기 위해서다. 비록 지연이는 당분간 말은 전혀 못 하지만, 그래도 혼자서 감사했다.

다시 올라온 이후 30분 뒤, 지연이는 이날 처음으로 밥을 하얀색 죽으로 먹었다. 지연이는 평소 못 먹는 음식 전혀 없이 잘 먹는 것 덕분에 빠른 회복에 큰 도움이 되었다. 다만, 수술 경과를 보는 외래 검진까지 일주일 동안 말을 전혀 하지 못하니 엄청 답답했다. 지연이는 평소 자신을 알고 있는 사람들에게 카톡으로 연락해서 미리 양해를 구했다.

다음날 정오쯤이었다. 드디어 지연이는 퇴원했다. 3월 초순 금요일이었다. 아마 지연이에게 기쁜 금요일이 될 것이다. 새벽기도는 지연이가 병원에서 퇴원하기 전이라 가지 못했다. 할 수 없이 집으로 바로 돌아갔었다. 지연이는 집에서 쉬다가 초저녁에 집을 나섰다. 저녁 식사는 미리 먹었다. 먹는 것도 당분간 주의해서 먹어야 했다. 너무 뜨거운 음식과 맵거나 짠 음식 등 자극적인 것은 못 먹었다.

완전히 회복되지 않은 몸을 이끌고 간 곳은 다름 아닌 교회였다. 일주일 동안 마음껏 떠들지 못하고 침묵해야지만, 지연이는 계속 기도하는 것과 정식 예배를 사수하기 위해서였다. 기도와 예배의 중요성을 잘 알고 있었기에 행동으로 옮긴 것이다. 오직 그것밖에 없었다. 주일과 함께 매주 주중에 있는 정식 예배인 만큼, 지연이는 퇴원 이후 드리는 첫 예배였다.

지연이는 정말 짧은 시간동안 스승님께 배운 것을 그대로 실천으로 옮기는 것뿐이었다. 다른 특별한 방법은 없었다. 오로지 그것뿐이었다. 선배들이 병원에서 퇴원하면 곧바로 어떻게 했었는지 보고 배운 것 그대로 행동으로 옮겼을 뿐이었다. 이렇게 새벽 기도와 3월 특별 새벽 집회까지 전부 사수했다. 어느덧 첫 검진 일자 당일이었다. 토요일이었다. 지연이는 토요일 집회가 모두 끝난 뒤, 집에서 곧바로 수술 경과를 확인하기 위해 진료 받으러 병원에 다녀왔다.

결과는 놀라웠다. 제거된 부위에 벌써 새로운 살이 돋고 있었다. 적어도 수술 이후 최소 2주 이상 3주 정도 되는 시기에 해당되는 결과였다. 빠른 회복이었다. 지연이는 이 결과를 받아들고 감사했다. 진료가 모두 끝나고 인근에서 점심까지 먹고 돌아가는 길에 지연이는 너무도 감사한 나머지 돌아가는 차 안에서 울 뻔했다. 지연이는 매주 토요일 오후 4시에 스승님 주관 리더들의 전체 모임이 있기 전, 가장 먼저 스승님에게 이 좋은 소식을 직접 알렸다.

또한, 부족한 자신을 위해 전체 국민의 95%가 불교를 믿는 불교의 나라, 태국에서 하나님의 복음을 전하는 큰 집회를 놀라운 성령의 역사가 일어나고, 전하는 과정에서 많은 어려움이 있었으나 은혜로 모두 무사히 마치고 귀국하자마자 보이지 않는 곳에서, 개인적으로 기도해주신 것을 뒤늦게 느낄 수 있었다. 누군가의 기도 덕분에 이런 결과가 있었다. 평소에 기도를 많이 하는 사람이라면 중보기도가 얼마나 큰 힘이 되는지, 얼마나 중요한지 느끼고, 자신을 위해 중보기도 하는 것을 뒤늦게라도 느낀다.
인천국제공항 귀국현장에 직접 마중하러 가거나, 또는 교회에서 스승님을 직접 뵙는 것이 제자가 된 마땅한 도리이나 불가피한 상황으로 그러지 못한 지연이는 한쪽 구석에는 늘 죄송한 마음을 상당히 오랜 시간이 지난 현재까지 가지고 있었다.

지연이는 이렇게 부득이하게 수술이 확정되어 며칠 병원에 입원해서 출근을 못 하거나 아예 교회로 못 오는 것이 아닌 이상 현재까지도 매일 그렇게 했다. 주기적으로 기간을 정해서 작정 기도도 시행했다. 남들은 대부분 쉴 때 지연이는 혼자서 기도 음악을 틀어놓고 기도하였다. 처음은 어떻게 트는지 잘 몰라서 잘 알고 있는 사람들한테 가서 방법을 알아내어 직접 틀어서 했다. 지연이는 그동안 지독하게 매달려서 기도한 끝에 얻은 귀하고 소중한 것들이었다. 그 어떠한 것도.
세상에 공짜는 단 하나도 없다. 반드시 치러야 할 크고 작은 값어치가 꼭 있기 마련이다. 어떠한 크고 작은 어려움이 지연이를 기다리고 있는지 지연이 본인조차 모른다. 오직 하나님 한 분만을 제외한 타인도, 그 누구도 모른다. 당장 한 시간 뒤에 있을 일도 예측을 전혀 할 수 없는 것이 사람의 일이다.

...

한참이 흘렀다. 지연이는 일산으로 집을 이사했다. 새로운 보금자리를 얻었다. 그곳이 앞으로 지연이가 살아갈 새로운 보금자리였다. 앞으로 그곳에서 얼마나 오래 살아갈지는 지연이조차 정말 모른다. 이미 다니던 교회도 마침 일산 내에서도 가장 중심지인 라페스타 앞에 있었다. 지연이의 스승님이 이곳으로 개척을 나온 지 이미 몇 해가 흘렀다. 처음은 벧엘교회 옆에서 하고 싶어 하셨으나 그렇게 되지 않았다.

오랜 시간이 지났다. 이제는 사람이 너무 많아서 평소에도, 특히 주일이 되면 성전 내부에는 사람들로 북적북적했다. 발 디딜 틈이 없었다. 더 큰 장소로 이전하는 것이 너무 절실했다. 어려운 상황이 있었다. 부흥되고, 도저히 사람의 힘으로는 어려운 목표치들을 모두 하나님의 역사로 뛰어넘는 장면을 이곳에 있는 많은 사람들이 자신의 두 눈으로 목격했다.

처음은 이곳에서 시작한다는 소식을 듣고 아무도, 그 누구도 믿지 않았다. 아무도 오는 것을 원하지 않았다. 차라리 다른 곳으로 가서 하기를 원했다. 일산신도시가 들어선 지 16년이 지난 상황이었다. 연구소에서 누군가가 '노방 전도는 다 끝났다.'는 연구결과를 발표한 지 오래된 상황이었다. 절망스러운 상황이었다. 하지만 일부는 그런 연구결과에 전혀 아랑곳하지 않았다. '하면 된다, 할 수 있다'는 신념이 있었다.

게다가 일산으로 와야 하는데 올 수 있는 곳이 이곳이 유일했었다. '할 수 있다.'는 긍정적인 생각, 포기하지 않는 것, 기도와 강한 의지뿐이었다. 그것이 다였다. 지연이는 많이 늦게 온 부류에 속하지만 이러한 것을 선배들로부터 배울 수 있었다. 어렴풋이 머릿속에 있었다. 어떠한 환경과 그곳에 어떤 사람들이 있는지에 따라 영향을 받기 마련이다.

처음은 20살 청년 이상 어른 식구 정식으로 등록하여 출석하는 사람이 500명 이상 4억 이상 결산 보는 것이다. 95%가 불신자인 만큼 금액을 고려한 것이다. 두 번째는 8억 이상 결산을 보는 것이다. 사람의 힘으로서는 도저히 못 이룰 것 같은 수치다. 특히 상가 교회는. 그렇게 목표를 세우고, 만약 이루지 못했다면 사표를 내겠다는 약조를 걸었다. 결과는 모두 초과 달성이다. 이제 이 모든 것을 사람의 힘으로 달성한 것이 아니라는 것을 두 눈으로 보고 몸으로 직접 체험했다면, 이제 승부수를 띄워야 하는 상황이었다. 다음 목표를 정하면 바보였다.

마침내 승부수를 띄웠다. 파주에 새로운 종교부지 2000평 이상을 얻고 그 자리에 새로운 큰 성전을 짓기로. 지연이를 비롯하여 많은 청년들과 함께 다니던 권사님 한사람이 성전 건축을 위한 자금 130억을 내기로 했는데 스승님이 다른 교회로 부흥성회에 부흥강사로 다녀오는 사이에 마음이 바뀌고 시험에 들어서 10원짜리 한 푼도 내지 않고 교회를 떠나갔다.

이유는 이러했다. 다른 교회는 안 그러는데 왜 우리 교회만 매일 일정한 시간에 모두 모여서 기도하고, 교회에 처음 나온 사람이 우리 교회에 잘 정착할 수 있도록 심방 다니고, 전도 나가는지 모든 것에 불만을 표출한 것이다. 스승님은 집회현장에서 말씀과 간증과 설교를 준비하시면서 금식 기도를 했다. 오랫동안. 하나님께서 주시는 진짜 뜻 구하기 위해서다.

사람보다 하나님의 뜻을 선택했다. 승부수를 띄웠다. 절대 물러설 수 없었다. 당장 눈앞에 보이는 많은 물질과 사람을 따르지 않았다. 오직 주님이었다. 흑백논리와 천국에 대한 상급과 면류관이 또렷했다. 분명했다. 확고했다. 어떠한 위기가 와도 흔들리지 않았다. 누군가가 스승님에게 어떠한 위협을 가해도 담대했다. 그 사람에게 기분 상하지 않도록 잘 예기하여 모든 상황을 종료했다. 그 사람은 이 이후로 우리와 함께하지 않았다.

그때 시작했던 다양한 커피와 라면, 떡볶이 등 다양한 음식들을 재료를 구해와서 지연이 또래의 청년들이 직접 만들어 파는 전통이 지금까지 이어지고 있다. 당시 그 음식을 만들어 신촌, 홍대, 광화문, 각종 행사로 사람들이 많이 모이는 곳 어디든지 달려가서 판매했다. 모두 드리고도 부족해서 철야에 할 수 있는 일용직 아르바이트를 해서 받은 돈을 드리기도 했었다. 밤을 꼬박 세고 쪽잠을 잔 뒤, 바로 각자의 직장으로 출근했다. 그것이 일상이었다. 방학을 맞이한 대학생들은 음식을 만들어서 함께 사람들이 많이 모이는 곳에 나가서 판매했다.

늦은 새벽 시간까지 그렇게 하고 쪽잠을 잔 뒤, 각자의 직장으로 출근하고, 각자의 대학교로 가서 수업을 들었다. 그것을 불과 한 달, 두 달 한 것이 아니라 몇 년을 했다. 그렇게 해서 벌어들인 돈은 한 푼이 아니었다. 절대 적은 금액이 아니었다. 그렇게 해서 번 돈은 총 10억이었다. 그 금액은 모두 교회 명의로 된 은행의 이자를 갚는 것에 감당했다.

혹은 늦은 새벽 시간에 남자 2~3명이 함께 신촌에 가서 중고차를 판매하고 받은 돈 모두 헌금으로 드렸다. 많이 어려운 상황에 보탬이 되었다. 처음 지연이는 이 사실들을 모두 머리로만 알고 있었다. 당시 일원으로서 함께해본 적이 없었기 때문이었다. 이 일에 함께 참여할 수 있는 기회가 거의 없었기도 했다.

하지만, 오랜 시간이 지나며 문제점이 있다는 것을 알게 되고, 이 일은 청년들도 이 일은 어른 교구와 한 팀이 되어서 함께 했으면 좋겠다는 말에 지연이도, 뒤늦게 합류한 모든 핵심이 된 청년들도 지금 교회 오면 7주에 한 번씩 돌아오는 자신이 속한 팀이 할 차례마다 이 일에 함께 동참하고 있다.

카페에서 판매하는 아메리카노와 카페라떼, 바닐라 라떼 등 다양한 종류의 커피를 직접 만드는 것부터 어른 권사님들이 직접 음식을 만들어 판매할 수 있도록 필요로 하는 일에는 협조를 했다. 지연이도 처음에는 커피를 만들 줄 전혀 몰랐지만, 자신의 것과 커피 주문이 들어오는 등 필요에 따라 직접 만들어주기까지 가능한 것도 이 일을 통해 다 배워서 하는 일들이다. 직접 뛰어서 할 수 있게 된 일들이었다.

또한, 지연이는 교회에 온 지 얼마 되지 않은 상당히 이른 시기에 청년부 핵심이 되어 처음 밑바닥부터 배우기 시작했다. 또한, 총동원 예배와 다양한 행사 등 다양한 일을 목격하고 겪으며, 세세한 것까지 빈틈없이 꼼꼼하게 하는 것 하나하나씩 배웠다. 자신이 배울 수 있는 것들은 모두 빠짐없이 세심하게 배웠다.

이론으로 먼저 머릿속에 집어넣은 뒤, 몸으로서 익혔다. 오랜 기도를 통해 마침내 얻게 된 지연이의 주되고 큰 꿈인 전 세계를 선도하고 이끌고 가는 세계적인 CEO가 되기 위한 기본기와 기초부터 배우는 것이다. 매일 기도했다. 평소에 꾸준히 했다. 아파도 했다. 와서 30분이라도 하거나 아니면 평소에 하는 기도의 분량에 30분 더 기도했다. 맡은 일은 제대로 못 하더라도 그렇게 했다. 보는 이는 오직 단 한 사람, 하나님이었다.

'하나님께서 나를 지켜 보신다.'는 초심을 가지고 행동하려 노력했다. 하나님의 마음을 감동시키며 나아가려는 것뿐이다. 자신에게 어떠한 어려움이 언제, 어떻게 올지 본인도 모르고, 다른 사람도, 아무도 모르는 상황이다. 어떻게 올지도 모르기 때문이다.

최대한 기도를 많이 쌓아둬야 그나마 덜 어렵게 넘길 수 있기 때문이다. 그렇지 않으면 어려운 사건이 자신에게 닥쳐올 때 제대로 무너져서 다시 원래의 모습대로 돌아오기 매우 어렵다. 돌아오려면 남들보다 더 많이, 피나는 노력을, 정말 눈물겹도록 노력해야 가능하다.

축구 경기하던 도중, 한 축구 선수가 골절을 당하는 부상을 입고, 병원에 실려 가서 해당 부위에 철심 박고 재건하는 수술을 받은 뒤, 다시 자신이 있었던 위치로 돌아와서 치료와 반복되는 재활 훈련이 있었고, 자유자재로 움직일 수 있는 다른 신체 부위는 계속 움직였다. 그곳으로 계속 공차는 연습했다. 다친 부위로는 제대로 공 찰 수 없지만 빨리 회복할 수 있도록 움직였다. 깁스 빼고, 철심도 뺐으면 예전 모습으로 돌아오기 위해 안 보이는 곳에서 노력한 것이었다. 부상에서 일찍 돌아오는 선수들의 대표적인 예시다.

부정선거

때는 2022년 초순이었다. 2월이었다. 3월로 넘어가고 있는 시기였다. 아직은 추운 겨울이었다. 그러나 봄으로 넘어가고 있는 변화무쌍한 날씨였다. 한겨울처럼 아주 추웠다. 나뭇가지 끝이 시리도록 추웠다. 바람이 매서웠다. 분명 그랬다가 다시 따뜻해졌다가, 때로는 눈이 내리고, 비가 내리는 등 날씨의 변화가 심했다. 최근에는 2월에도 눈이 많이 내려서 봄이 오는 것이 맞는지 자신의 두 눈을 의심하는 경우도 꽤 있다. 사람으로 치면 감정이 수시로 바뀌었다.

그때나 지금도 대한민국은 난파선과 같다. 너무 혼란스러운 세상이다. 겉보기에는 아주 멀쩡하지만. 내부는 말이 아니었다. 특히 정치는. 지연이는 어떠한 정치적인 성향은 없었다. 중립을 지켰다. 다만 누가 봐도 명백하게 잘못한 것은 잘못했다고 비판할 줄 알았다. 누가 자신에게 뭐라고 하는 그것에 관심을 가지지는 않았다. 리더가 되면 한 사람의 입장만을 듣고 치우칠 수 없었다. 양 측의 입장을 충분히 듣고 정확한 판단을 할 수 없었다. 자신의 이미지 관리하는 것도 어느 정도는 충분히 했다. 그것보다 하나님께 더욱 진실되고, 더 인정받는 사람이 되고 싶었다. 지연이에게는 오직 그것 하나뿐이었다.

국회의원은 숫자만 많을 뿐이었다. 국민들을 위해 제대로 하는 일들이 없다고 느끼는 사람들이 많았다. 하는 일이 제대로 없고 자신의 이익만 챙기기에 바쁘다며 욕하는 사람들이 많았다. 이미 국내에는 북한 김정은의 지령을 받고 우리 사회로 몰래 내려와서 간첩으로 활동하고 있는 사람이 너무 많았다. 현재 그 인원만 10만명이 훌쩍 넘는다. 최근에 자유를 위해 북한에서 목숨 걸고 국내로 들어온 탈북자의 관련 증언도 있다.

그것뿐만이 아니었다. 똑같이 한국인인데 주사파도 많았다. 최근의 일이다. 그것도 학교 수업시간에 벌어진 일이다. 유관순 열사를 그릴 때 손에 들고 있는 태극기를 북한 인공기로 그리도록 학교 수업시간에 교육을 시켰다가 간첩으로 들통나서 단체로 국가보안법 관련하여 엄한 처벌을 받은 사례도 있다.

그뿐만이 아니었다. 19대 문재인 대통령 때 화가 나는 일이 있다. 분명 북한이 한 일이다. 임기 말기인 2022년 연평도에서 벌어진 서해 공무원 피살사건이다. 우리나라 공무원이 연평도 인근 해역에서 실종되어 실종된 지점에서 38KM 떨어진 NLL(북방한계선)넘어서 북한 황해남도 강령군 등산곶 해안에서 북한 조선인민군의 총격으로 죽은 뒤, 북한군 배에서 시신이 불태운 사건이다.

당시 문재인 정부는 그 사람이 직접 자진으로 월북했다고 말하고 끝까지 피했다. 사실을 묵살하고 왜곡한 것이다. 38km면 수영선수도 절대 불가능한 일이다. 서해는 평소 조수간만의 차가 세계적으로 손꼽힐 만큼 심할 뿐만 아니라, 험한 바닷길로 소문나서 전문가에게도 절대 쉬운 바다가 아니다. 걸고 쉬운 바다가 아니었다.

그러나 현재 윤석열 정부에서 해경과 국방부는 월북 시도를 입증할만한 증거가 없다고 처음에는 번복했지만 2023년 12월 7일, 감사원은 당시 문재인 정부가 조직적으로 해당 사건을 은폐 및 조작한 혐의가 사실이라고 밝혔다. 더 자세한 내용과 밝혀지지 않은 진실을 밝혀내기 위해 관련 기관에서 수사 중이다.

만약 간첩이나 주사파가 아니라면 일국의 국민이 북한에 의해 죽게 된 피격사건을 당사자인 자신이 자진해서 월북했다고 조작할 수 있겠는가? 평범한 사람이라면 과연 그럴 수 있을까? 개념이 있다면 과연 그것을 쉽게, 아무렇지 않게 이야기를 할 수 있을까? 간첩이라는 단어를 빼놓고 어떻게 이 일을 제대로 남녀노소 모든 사람들이 쉽게 이해할 수 있도록 설명할 수 있을까?

그러나 더 쓰러질만한 일이 있다. 6.25 한국전쟁은 1950년 6월 25일 새벽 4시, 중국과 러시아 등 공산주의의 지원을 받은 북한이 38도선을 기준으로 우리나라로 쳐들어와서 전쟁이 벌어졌다는 사실은 누구나 다 알고 있는 사실이다.

처음은 대구와 경남 마산 등 낙동강 기준으로 최후방어선을, 부산을 임시수도로 하여 대치하던 중 1950년 9월 15일 자정, 맥아더 장군의 인천상륙작전 성공으로 우리에게 불리했던 전세를 아예 뒤집어서 9월 말에 수도 서울을 수복하고, 처음으로 38선을 돌파하여(이때가 1950년 10월 1일이었다. 따라서 정전 후 정부에서 해마다 국군의 날로 지정하여 기념하고 있음) 압록강 부근까지 북진하다가 38선을 (백마고지, 파주 문산 임진각 지구, 강원도 철원지구 등)걸쳐서 치열한 전투를 벌이다 1953년 7월 27일을 기해 정전되어 지금까지 오고 있다고 배웠을 것이다. 하지만, 지금 학교에서는 우리 남한이 북한을 먼저 공격을 했다고 가르치고 있다.

이 일 모두 시간이 지난 2024년 현재 초등교육과정과 중학교, 고등학교 모든 교육현장에서 벌어지고 있는 상황이다. 아무리 두 눈을 씻고 봐도 이것이 현실이다. 이미 민노총이 교육계를 꽉 잡아서 사실이 아니라, 왜곡된 역사를 교육 현장에서 학생들에게 가르치고 있는 상황이다. 잘못 배운 사실을 가지고 일상을 살아가고 있는 자들이 많다. 상상에 맡기고 싶었지만 그게 절대 아니다. 현실이다. 제발 우리부터 정신 차리자.

또한, 동성애는 합법적이라고 가르치고 있다. 기를 쓰고 새로 통과시키려는 법 사이에 말을 교묘하게 바꿔서 동성애를 합법화하기 위해 은밀히 말을 바꿔 끼워 넣어서다.

지금 국회 본회의를 통과하기 직전에 놓여있는 상황이다. 서울 여의도 국회의사당 정문 앞에서는 이 법만큼은 절대 통과되지 않도록 목숨 걸고 반대하는 사람들이 많다. 제발 이것만큼은 통과 안 되었으면 한다. 이번 4월 국회의원 선거가 상당히 중요하다. 나라의 운명이 걸린 선거다.

한쪽에서는 미군 철수와 동성애 관련 법안을 통과시키려는 자들, 거짓된 사실들을 가지고 방송사와 뉴스에 모두 도배를 하여 매장시킨 뒤, 진실이 뒤늦게 밝혀지면 '아니면 말고'하며 흐지부지하려는 자들로 이미 언론을 장악하고 권력을 쥐고 있는 상황이다. 언론은 공정하게 해야 하는데 그러지 못하고 있는, 좋지 않은 상황이다. 이게 현실이다.

지난 22년도 3월 대선 때와 마찬가지로 이번 선거에도 부정선거를 하기 위해 우리 국민을 대상으로 하는 여론조사를 벌써 조작하고 있다. 실제로는 국민의 힘으로 마음을 돌린 상태다.

그동안 불교가 우리나라는 지켰던 적이 있었는가? 천주교가 그동안 우리나라는 위해 했던 큰일이, 위기 속에서 나라는 지키고자 수많은 사람들이 직접 거리로 쏟아져 나와서, 수많은 사람들이 한가지 뜻을 가지고서 광화문광장으로 모두 집결하여 행동으로 옮겼던 한 일들이 과연 있는가?

부정선거를 막은 일도, 난파선과 같은 대한민국의 상황인 상태에서, 동성애 등을 국회에서 통과되지 못하도록 막고 있는 사람들 대부분이 기독교인들이다. 만약 이번 선거에서 민주당이 이기게 되면 그들의 계획다로 가는 것이다. 모든 것이 끝나는 것이다.

우리 조국을 위해 지키고 싶은 자, 부디 행동으로 옮겼면 좋겠다. 한가지 소원을 가지고 있다. 지연이도. 깨어있는 모든 사람들이 함께 바라는 것이고 소원이었다.

...

때는 2022년 3월 초였다. 대한민국에 새로운 국가원수를 뽑는 20대 대통령선거를 앞두고 있었다. 후보들은 전국 방방곡곡 돌아다니며, 보이는 모든 이들에게 자신에게 한 표를 더 투표해달라며 사람이 많은 곳에서 선거유세를 하고 있었다. 이제 선거철 막바지였다.

더 정확하게는 2월 27일이었다. 주일이었다. 지연이의 생일이었다. 자신의 생일을 원 없이 보내고 있었다. 주일 예배를 드리기 위해 이른 아침에 교회에 와서 보내고 있었다. 오후였다. 그때였다. 누군가가 지연이에게 말을 걸었다. 지연이에게 뜻밖의 제의가 들어왔다. 처음은 지연이 본인도 고민했다. 선뜻 자신이 하겠다고 자신 있게 말한 것이 아니었다. 결정할 시간이 필요했다. 처음은 대답하는데 머뭇머뭇했다.

"야, 지연아 너 혹시 28일부터 3월 9일까지 시간 있어?"

"네? 왜요?"

지연이가 말했다.

"이때 부정선거 방지대로 갈 사람 청년들 위주로 총 10명을 뽑고 있는데 갈 수 있는 사람들을 뽑고 있거든. 근데 여기 있는 사람들 빼고는 다 바쁘다고 해서 너한테도 이거 가능한지 물어보는거야. 혹시 가능해?"

NR이 지연이에게 종이에 가능한 사람들의 이름이 적혀있는 명단을 보여주며 말했다. 그 종이에는 9명이 적혀있었다. 지연이는 한참을 생각했다. 다시 대답했다. 순간 지연이는 돈을 벌 수 있다는 말에 솔깃했다.

"그럼, 저 여기 가겠습니다. 할 수 있을 거 같아요. 확실합니다."

지연이가 대답했다.

"좋았어. 감사해. 이거는 정확한 이름은 부정선거 방지대야. 이제 곧 대선이잖아. 또, 너도 알고 있지만 나라 분위기가 지금 부정선거 때문에 되게 어수선하잖아.

현장에 가서 관련 자료들 빠짐없이 모두 수집하고, 사전선거 때 전국에서 벌어지는 부정선거를 막을 시민감시단으로 뛸 사람들을 모으는 것과 모았으면 본 투표까지 원활하게 하도록 잘 관리하는 것, 그리고 본 투표 당일에 활동하는 것과 끝났으면 개표까지 모두 하는 일이라고 보면 돼."

세세한 설명을 했다. 지연이는 더 궁금해졌다.

"그럼 첫날에 OT는 있어요?"

"응."

"언제 해요?"

"2월 28일 오후 2시에 10명 모두 다같이 여의도에 있는 본 사무실에 가서 해. 너는 정오까지 교회에 집합하면 돼."

"교회에서 다같이 여의도로 출발하는건가요?"

"그렇지."

"혹시 제가 챙겨야 할 준비물은 있나요?"

"일단 개인 노트북은 필수야."

"네."

지연이가 말했다.

"이 명단은 오늘 주일 저녁 예배랑 임원 모임 다 끝나고 워드로 보기 좋게 다시 써서 따로 기도 받으러 스승님께 10명 모두 갈거야."

"네~"

지연이는 괜스레 기분이 좋아졌다.

주일 저녁 예배 끝나고 임원들만의 모임 시간이 되었다. 회의하고 모두 종례하기 위해 약 200명의 임원들이 다시 한자리에 모두 모였다. 한참이 지났다. 스승님이 다시 오셨다. 오늘 주일 하루 내내 있었던 일과 출석과 부흥 등 전반적인 일들에 대해서, 또한 중요한 내용들은 보고 받고, 모두가 알아야 하는 중요 사항들은 광고했다.

마지막으로 이름을 한 명씩 모두 호명했다. 총 10명이었다. 내일부터 3월 10일 새벽까지 부정선거 방지대로 갈 사람들이었다. 지연이도 자신의 이름이 호명되는 것을 듣고 일어섰다. 시작하는 시간에 맞춰서 NR이 읽기 좋게 잘 정리해서 정식으로 보고했었다. 그것을 보고 한 명씩 모두의 이름을 불렀다. 10명 모두가 일어섰다.

"자, 지금 서 있는 사람들은 내일부터 3월 10일 아침까지 10일동안 부정선거 방지대 청년 간사로 뽑혀서 황교안 전 국무총리가 총괄로 있는 부정선거 방지대로 가서 활동합니다. 부정선거를 막기 위해 큰일을 하는데 다같이 기도합시다. 서 있는 사람들은 손 머리하세요."

호명되어서 서 있는 사람들은 모두 손 머리했다. 지연이도 손 머리했다. 스승님이 모든 사람들이 있는 곳에서 10명의 이름을 모두 호명하고 이들이 맡은 큰 사명을 잘 감당할 수 있도록 기도했다. 지연이도 다같이 기도하자는 말에 두 손을 머리 위로 올렸다. 손 머리했다. 지연이는 지금 맡은 이 일이 큰일이라는 것을 뒤늦게 알았다. 처음은 잘 몰랐다. 감각도 없었다. 그냥 아무 생각 없이 그 일에 임했다.

다음날이 되었다. 지연이는 자신의 노트북을 가방에 챙겼다. 모이기로 약속된 시간에 맞춰서 모이기로 한 장소에 갔다. 피로는 덜 풀렸지만, 그래도 갔다. 지연이 보다 훨씬 더 먼저 온 사람들이 뒤늦게 오고 있는 사람들을 기다리고 있었다. 드디어 시작인 것이다. 지연이와 먼저 온 사람들이 기다렸다. 한참이 흘렀다. 출발하기로 한 모든 사람들이 비로소 다 모였다. 집합장소에 모두 모여있었다.

"다 왔어?"

"네"

지연이도 대답했다. 여럿이서 대답했다.

"출발하자. 우리 늦었어."

"근데 거기까지 어떻게 가요?"

"승합차로 가지."

"빨리 타. 우리 늦었어."

"오늘 늦으면 안 되는데……."

지연이를 비롯하여 모두 탑승했다. 특별히 승합차로 불편함 없이 편리하게 오고 갈 수 있도록 허가받았다. 교통편 때문에 아무런 불편함 없이 본부가 있는 서울 여의도와 그들이 있었던 파주 운정에 있는 교회로 오고 갈 수 있도록 편의를 주셨다. 지연이는 그나마 안심할 수 있었다. 감사했다. 새벽 시간에 그곳까지 한 번도 막히지 않으면 1시간 정도면 충분히 갔다. 지연이는 길에 차 안에서 잠을 청했다. 어제 쌓인 피로함을 그렇게 풀었다. 전날에 잠을 못 자면 그렇게라도 해서 부족한 잠을 채웠다.

평소에도 꾸준히 지연이는 새벽기도를 하기 위해 새벽 5시까지 교회로 도착한다. 완전히 끝나는 시간이 아침 7시 반이다. 그러면 이 이후로 약 1시간 여유시간이 있었다. 여유시간에 지연이는 3층으로 올라가서 잤다. 30분이라도 잤다. 집까지 갈 시간이 없었다. 지연이의 집은 자신의 두 발로 걸어서 갈 수 있는 가까운 거리가 아니었다.

새벽기도에 오면 잠을 많이 잘 수 없었다. 조금이라도 늦잠 자면 교회 셔틀버스를 놓쳐서 아예 못 오거나 택시를 타고 직접 오는 경우도 상당히 있었다. 기도까지 모두 마치고 일을 시작하기 전까지 교회에 숨어서 자는 경우가 많았다. 아침에 시작해서 저녁까지 일을 거뜬하게 하기 위해서다. 보통 하루에 일 시작이 아침 9시다.

이때는 서울 본부로 갈 때다. 아침 10시에 시작할 때는 교회에서 자신의 노트북을 지참해서 교역자실 옆에 있는 새신자용 부서공간에 모두가 모였다. 자리에 앉기 전에 먼저 콘센트를 찾았다. 노트북 사용하기 위해서다. 오랜 시간동안 사용을 하다 보니 콘센트가 필요했다. 찾아서 전원을 연결했다. 장시간 사용할 때는 그렇게 할 수밖에 없었다. 집중해서 각자 맡은 일을 할 때였다.

한참이 흘렀다. 차는 이미 목적지인 사무실 앞에 도착해있었다. 인근에 주차했다. 모두가 내렸다. 2층으로 올라갔다. 지연이는 안내에 따라 다른 사람들이 있는 큰 회의실로 들어갔다. 그곳에서 총괄로 있는 사람이 있었다. 그는 명함 한 장을 지연이에게 건네주었다. 지연이는 그 사람의 이름과 하는 일을 한 번에 파악할 수 있었다.

"환영해요. 저는 이번 부정선거 방지대 총괄로 있는 모S입니다. 총괄로 있는 황교안 전 국무총리를 보좌하고 있습니다. 줄여서 모 교수님이라고 불러도 됩니다. 반갑습니다."

인사와 함께 박수 소리가 들렸다.

"이제 각자 맡을 구역을 나눌 차례요. 혹시 맡고 싶은 곳이 있나요?"

모 교수님이 모두에게 물어봤다.

특정한 지역에 쏠리는 경향이 어디나 있었다. 그것을 감안하여 공평하게 정했다. 우리나라 전국 지도와 함께 그들이 오기 전에 어느 정도 작업 되어있는 DB까지 모두 스크린에 띄웠다. 그것으로 한참을 보냈다. 그것을 모두 정하는데. 오래 걸렸다. 마침내 모든 결과가 나왔다.

지연이는 세종시와 충청도 지역을 맡게 되었다. 전혀 모르는 사람과 함께하게 되었다. 보통 한 지역에 2명씩 맡았다. 다른 사람들도 수도권, 아예 작업이 전혀 안 되어있는 곳을 맡은 사람도 있었다. 거기는 그냥 새로 개척하는 것과 똑같았다. 이미 어느정도 한 지역들보다 시간이 더 오래 걸렸다. 지연이는 모든 것을 새로 해야 하는 한군데를 맡은 것보다 이미 절반 이상 완료한 곳과 또 다른 인근 지역을 함께 맡은 것에 감사했다.

지연이는 혼자서 생각해볼수록 이 일은 기도하는 것 없이 절대로 해낼 수 없는 일이었다. 지연이는 늘 새벽 기도에 와서 기도하는 것과 일하는 중간중간에 틈만 나면 기도했다. 이것 말고 자신이 할 수 있는 일은 기도하는 것뿐이었다. 지연이에게 허락된 것은 기도하는 것이었다.

그것밖에는 없었다. 자신이 무언가 커다란 일을 총괄로 맡아서 할 수 있는 위치가 아니었기 때문이었다. 하루는 지연이도, 지연이와 함께 일하는 사람들도 새벽기도 끝나고 잠시 쉰 뒤, 아침부터 교회에서 각자 일을 하고 있었다. 자신의 노트북으로 일하고 있었다. 점심을 먹고 다시 일을 시작한 지 얼마 되지 않은 상황이었다. 지연이는 쏟아지는 졸음을 커피로 이겨내면서 일을 하고 있었다. 갑자기 서울에서 일이 터졌다.

 비상이었다. 점심 먹은 지 얼마 지나지 않은 상황이었다. 지연이는 많이 먹은 바람에 졸면서 일하고 있었다. 비상이라는 말에 졸음은 온데간데 없이 모두 사라졌다. 지연이와 함께 교회에 모여 일하고 있는 모든 사람들은 모두 서울 여의도 사무실로 급하게 이동했다. 오후 2시가 넘은 시간이었다. 정말 급작스럽게 그들에게 연락이 왔다. 처음은 교회에서 일하고 있었단 상황이었다. 지연이와 함께 갔던 사람들 중 대장으로 세워진 사람이 급한 연락을 받고 황급하게 차에 탔다. 운전하여 그곳까지 이동했다. 이제 선거철도 정말 막바지였다.

 일정상 3·1절 다음날까지 공식적인 선거철이다. 3월 4일과 5일은 3월 9일 본 투표에 자신의 몫을 하지 못하는 사람들이 미리 하는 사전선거를 하는 날이다. 지연이는 이날부터 다음날까지 사전선거가 있기 며칠 전에 자신이 맡은 지역인 세종시에서 시민감시단으로 본 선거 당일까지 활동할 사람들 모집하는 일을 가장 먼저 마감시켰다.

 선거가 이루어지는 현장을 맡을 총괄은 그곳에 모인 사람들이 공평한 방법으로 선출했다. 지연이는 총괄 담당자로부터 시민감시단이 누구인지 어떻게 하는지 등등 관련된 일들에 대해 그 연락을 받고 바로 본부에 모두 보고했다. 받는 즉각 실시했다. 실시간으로 모두 보고했다.

 본 선거일인 3월 9일까지는 약 4일이라는 시간이 남아 있었다. 그때까지 오랜 시간이 걸리는 만큼, 시간별 2인 1조로 구성했다. 가장 주된 일은 경비였다. 1명이 하기에는 중간에 화장실 다녀오는 시간도 있는 만큼 수월하게 경비가 돌아가려면 2인 1조가 가장 좋았다. 2인 1조로 구성되어 하루에 약 4시간씩 맡아서 경비하는 것과 맡은 일을 수행하는 일을 했다.

 다른 사람으로 2인 1조로 구성하여 본 선거일까지 24시간 감독과 경비가 이루어졌다. 자신이 원하는 시간에 신청했다. 중복도 가능했다. 다음 순서가 도착하여 교대가 이루어질 때마다 인증샷과 함께 임무 교대 및 상황이 어떠했는지 모두 보고했다. 빠짐없이 이루어졌다. 지연이는 세종시 시민감시단이 있는 공식 체팅방에 초대되어 그들이 올려놓은 보고내용을 보기 쉽게 한꺼번에 정리해서 본부에 최종으로 보고했다.

 24시간 내내 선거 관리 위원들이 자필 서명을 하고 모두 봉인된 투표함 조작 금지와 누군가가 투표함을 보관한 장소에 문 따고 들어가지 않도록 하기 위한 여러 가지 일 등 보안을 끝까지 유지할 수 있도록 수많은 사람들을 모았다. 현장에서 부정선거 관련한 자료들은 빠짐없이 모두 수집했다. 작은 일이어도 모두. 한 개라도 절대 빠트리지 않았다.

그 사람들 전부 귀한 뜻이 있었다. 다들 교회 다니고 있는 사람들이었다. 믿음이 있었다. 적어도 이 정도 사실을 다 알고 나라를 지키겠다는 뜻이 있는 사람들이었다. 주변 곳곳에도 관찰 카메라를 설치했다. CCTV로 녹화까지 했다. 추후 특정한 사람이 부정선거를 했다는 법적인 문제가 있어서 법원에서 법적 싸움을 할 때, 명백한 증거자료로 이용하기 위해서다.

한 개의 빠짐도 없이 관련된 자료들은 모두, 모조리 수집했다. 여의도 사무실에 가면 주로 대회의실에 함께 모여서 같이 일했다. 각자의 자리에는 컴퓨터가 2대씩 놓여있었다. 다들 컴퓨터 타자 치는 속도가 빨랐다. 다들 해커처럼 일했다. 다른 곳에 쳐다볼 시간도 없이 오직 모니터에 집중했다. 잠시 화장실 다녀오는 것을 제외하면 거의 의자에 앉아 있었다. 다른 곳에 시간을 쓰는 것이 아까울 정도였다.

화장실에 다녀올 시간을 제외하면 갈 시간이, 여유를 부릴 수 있는 시간이 없었다. 그것뿐이었다. 지금은 각자 어떤 생각을 하는지 알 수 없었지만 나쁜 일들을 모두 막겠다는 뜻 하나로 모인 사람들이다. 이 한 가지 뜻으로 나라를 지키고자 모인 사람들이 전국적으로 약 5만명의 사람들이 모였다.

그들은 부정선거에 관하여 수많은 사건과 자료들을 모조리 수집했다. 그중 대표적인 것으로는 투표함을 봉인할 때 선거 관리 위원회에서 승인된 스티커로 투표함 입구를 봉인하고 그 위에 감독관들의 서명을 꼭 해야 하는데 전혀 안 되어있는 채로 보관장소에 있는 것을 발견했다. 월척이었다. 굵직한 사진들은 다른 사람들도 손쉽게 볼 수 있도록 다른 곳에도 공유했다. 최대한 많이 공유했다. 사태의 심각성을 알리기 위해서면 수단과 방법을 가리지 않았다.

한가지 예를 들자면, 한 동네에 거주하는 주민 등록 인구가 84명이라면 그곳에 들어간 투표함에는 84개의 표가 들어있어야 하는데 그 투표함에는 왜 140표가 나오는가? 왜 투표용지가 뭉쳐져 있는 채로, 배춧잎 형태로 투표함에서 나오는가?

투표함에서 왜 빳빳한 생태의 투표용지가 나오는 것인가? 부정선거를 빼놓고서 어떻게, 무엇으로 설명이 되는가? 명백한 부정선거인데 법원의 모든 재판관들은 미리 짜놓고 나와서 두 눈으로 부정선거라는 것을 현장에서 직접 두 눈으로 보고도 알 터인데 왜 '아무런 문제가 없는데요?'라고 하는가? '눈 가리고 아웅' 아닌가?

정당한 방법으로 정당히 승부를 봐서 당선된 것이라면, 과연 이런 말을 대중들 앞에서 떳떳하게 말을 할 수 있을까? 황교안 전 국무총리가 44대 국무총리가 되기 전, 검사로서 10년동안 부정선거에 대해 법원에서 법정 싸움을 해왔던 사람이다. 이 분야에서는 도사다.

며칠이 지났다. 선거가 다가오고 있었다. 본 선거일 하루 전날이었다. 지연이는 자신과 함께 간 사람들과 같이 새벽기도 끝난 이후 늦은 시간까지 사무실에서 일했다. 다만 어제처럼 늦은 새벽 시간에 들어가지 않았다. 집으로 일찍 들어갔다. 내일 본 선거를 위해서다. 다들 일찍 들어갔다. 지연이는 내일 본 선거를 앞두고 긴장되었다. 내일을 위해서다.

또한, 이 시간 동안 다 같이 기도하는 시간에는 인도하는 사람이 꼭 그들을 위해서, '그들은 그들의 그물에 걸릴지어다'라면서 기도하였다. 남들이 특정 인물에게 자신이 당한 것을 갚는 복수하는 차원으로 자신이 파놓은 함정에 걸리기를 정말로 원하면서 만든 함정에 오히려 자신이 걸리기 마련이었다.

집에 들어간 지연이는 씻고 바로 잠들었다. 다른 일을 할 수 있는 여력이 전혀 안 되었다. 그럴 수 없었다. 잠을 1분이라도 더 자기 위해서는 그럴 수밖에 없었다. 내일 결전의 날이었다. 이제 본 선거였다. 진짜였다.

드디어 날이 밝았다. 지연이는 새벽 3시 반에 기상했다. 분명 자정 남겨서 늦은 시간에 잠들었다. 4시 20분에 집에서 나섰다. 새벽 기도를 위해서다. 아직 지연이에게 자신의 명의로 된 차가 없어서 새벽마다 교회에서 운행하는 차량을 탑승하기 위해서 전날에 담당자와 연락해서 약속 시간에 맞춰서 해당 장소로 갔다.

평소에도, 항상 새벽 5시에 새벽기도가 시작한다. 보통 아침 6시면 말씀이 끝나고 바로 1시간 동안 기도하는 시간이다. 아침 7시 넘어야 새벽기도를 모두 마쳤다. 더하고 싶은 사람들은 남아서 늦게까지 마음껏 기도하고 돌라간다.

출발은 아침 8시 정각이었다. 여의도 사무실에는 적어도 아침 9시 30분까지 도착해야 했기 때문이다. 출근길은 차가 막히기 때문에 서둘렀다. 지연이는 집에 다녀올 시간이 없었다. 직접 운전해서 가면 금방 가지만, 버스로 이용해서 가면 너무 촉박하기 때문이다. 자칫하면 자신 때문에 추후의 일정에 차질이 있을 수 있는 상황이었다. 이후 모두가 투표할 수 있도록 각자 거주하고 있는 집 주소 관할 선거 장소에 다녀왔다.

지연이처럼 서울 사무실로 가는 사람들도 똑같이 주어졌다. 지연이는 선거를 위해 집에 다녀오기에는 출발하는 시간과의 간격이 굉장히 애매했다. 지연이는 집이 꽤 거리가 있었다. 교회에서 집까지 직접 운전해서 가면 15분 거리지만, 걸어가면 오래 걸리는 거리였다. 어쩌면 걸어서 가는 것이 거의 불가능에 가까웠다.

지연이는 집에 가는 것을 포기하고 성전에서 기다렸다. 출발하기 전, 조금이라도 쉴 수 있는 시간이 있었다. 이때는 특별했다. 스승님도 새벽기도 끝나자마자 바로 인근 투표 현장에 가서 투표하시는 모습을 같이 간 사람이 사진 찍어서 지연이도 들어가 있는 카톡방에 올렸다. 그것을 지연이는 서울 여의도 사무실로, 가는 길 차 안에서 보았다. 지연이는 그것을 보고서 괜스레 힘이 났다. 자신이 원하는 선거인에게 투표하는 것은 국민이라면 꼭 해야 하는 기본이었다.

도착했다. 서울 여의도 부정선거 총괄 사무실에. 차는 잘 주차했다. 주차하고 차에서 내린 시간이 아침 9시가 되지 않은 이른 시간이었다. 오늘 이곳에서 일하면 언제 집 갈지 아무도 모르기 때문이다. 지연이와 일행은 평소 자신들이 일했던 회의실로 들어갔다. 벽에 걸려있는 시계는 아침 9시를 가리키고 있었다. 커다란 책상에 자신들의 노트북을 꺼냈다. 전원을 연결하는 콘센트와 관련 파일들을 모두 저장해놓은 USB도 같이 꺼냈다.

책상에는 노트북 콘센트를 꼽을 수 있도록 멀티탭을 설치하고 선을 연결되어있었다. 그곳에 모두 꼽아놓고 전원을 켰다. 다들 준비에 바빴다. 함께 일하는 모든 사람들이 그러는 동안 회의실은 현수막이 걸렸다. 선거와 개표상황을 모두 지켜볼 수 있는 모니터가 설치되었다. 그냥 모니터가 아니었다. 멀리서도 중계상황을 쉽게 볼 수 있는 크기였다.

설치하고 관계자가 와서 모니터가 잘 되는지 점검했다. 일일이 확인했다. 점검이 다 끝난 뒤, 모니터는 선거가 본격적으로 시작된 뒤로 얼마 지나지 않아서 틀었다. 또한, 새로운 현수막도 걸었다. 현수막에 붙어있는 끈을 단단히 묶었다. 지연이 앞쪽 벽면에 걸어놓은 현수막은 이렇게 쓰여져 있었다.

❀ 부정선거 방지대 ❀
20대 대통령선거 개표 상황실

지연이는 이 현수막을 물끄러미 보았다. 그동안 자신이 이 곳에서 해 온 모든 일이 절대 헛된 일이 아니라는 것을, 누군가는 꼭 해야 할 임을, 이 일을 하기 위해서는 절대 혼자서 할 수 없는 일임을, 이 일을 하면서 누군가는 지연이를 포함한 이곳에 온 사람 총 10명을 위해 교회에서 다 같이 기도하고 있음을 느끼게 되었다.

혼자 외롭게 싸우는 일이 아니라 이 나라를 부정선거의 함정에서 구출하여 정의로운 사회를 재건하기 위한 큰일을 하고 있다는 것을 다시 일깨우게 되었다. 그런 순간이었다. 지연이도 오늘만큼은 시작하기에 앞서, 또한 지연이가 직접 해야하는 일을 처리하면서 기도를 했다. 그럴 수밖에 없었다. 개표가 모두 완료되는 순간까지 모든 일이 자신의 손에 달려있었다.

선거가 끝나는 시간이 오후 6시다. 끝나는 시간까지는 단단히 봉인되어 보관되어있는 사전 투표함 관리와 전국 각지에서 벌어지는 부정선거와 관련된 일을 철저히 감시하는 일들이었다. 현장에서 시민감시단이 보내오는 관련 자료들을 모두 수집하고, 전국의 선거 개표 현장을 관리하였다.

전국 현장에서 활동중인 시민 감시단에서 전해주는 활동 보고 내용과 이상 있는 것들까지 모두 지연이가 있는 본부로 모두 전송했다. 지연이는 그들이 보내주는 내용들을 조금도 빠트리지 않고 있는 그대로 모두가 볼 수 있도록 공유했다. 해당 지역을 맡고 있는 모든 사람들은 이 내용들을 확인할 수 있도록 그들만 있는 전용 대화방에 공유했다.

그중에서 누가 봐도 비약적인 일들은 교회의 모든 식구들이 보고 현재 상황이라는 것을 신속히 알릴 수 있도록 지연이의 스승님과 모든 교역자들이 먼저 보고 드린 다음, 교역자분들이 직접 모든 교구의 식구들이 볼 수 있도록 자료들을 보내주었다. 모두 실시간이었다.

점심 식사는 배달음식으로 해결했다. 그동안 배달음식을 시킬 때 먹고 싶은 메뉴들을 각자 말하거나 혹은 특정 음식점에서 식사를 시키려는데 해당 음식점의 메뉴 보고 정하라고 매뉴판을 주고 결정하는 경우도 있었다. 메뉴는 다양했다. 정말 잘 나왔다. 구성이 알찬 도시락부터 시작하여 우동, 카레, 햄이 많이 들어간 부대찌개, 평소에는 비싸서 잘 먹지 못하는 스시도 나왔다. 지연이가 평소에 먹고 싶어 했던 음식이었다. 하지만, 다른 사람과 함께 나눠 먹어야하는 상황인지라 다른 것과 함께 먹었다.

오늘은 사무실의 인근 음식점에서 주문하여 배달을 시키려는 모양이었다. 지연이와 함께 현장에서 일하는 모든 식구들에게 이 사실을 알리고 이 음식점에서 각자 먹고 싶은 음식을 주문하라고 말하면서 가지고 온 메뉴판을 그들에게 건넸다. 지연이는 오늘만큼은 열기가 있는 따뜻한 음식을 먹고 싶었다. 오늘 아침 일찍 올 때 아침을 제대로 먹지 못한 채 점심까지 쭉 일을 해왔다. 매우 허기진 상태다.

지연이는 이런 큰일을 할 때 음식을 잘못 먹으면 탈 나기 쉬워서 자극적이지 않고, 속을 보호할 수 있는 영양가 가득한 음식을 선택했다. 음식이 도착할 때까지 지연이와 모든 사람들은 계속 일했다. 배고픔을 참아가면서. 다른 교회에서 온 사람들도 이곳에 포함되어있었다. 소수였다. 다들 지연이와 비슷한 나이를 가진 청년들이었다.

이곳에서 같이 일하면서 또한, 점심과 저녁밥을 함께 먹으면서 짧지만, 함께 우정을 쌓아갈 수 있었다. 아침부터 늦은 밤까지 하루종일 사무실에 같은 사람들과 함께 있었으니 충분히 그럴 만도 했었다. 처음에는 어색했지만, 훨씬 가까워질 수 있었다.

잠시후였다. 시간이 얼마 지나지 않았다. 그들을 반기는 아주 좋은 일이 있었다. 드디어 배달기사가 도착한 것이다. 자신들이 주문한 음식을 가지고 정문을 통해 사무실 안으로 들어오는 순간, 음식 냄새가 지연이가 있는 대회의실 안까지 풍겼다. 입속에는 군침 돌았다. 식욕을 자극하는 기분 좋은 냄새였다. 다른 사람들도 마찬가지였다. 겉으로 티는 내지 않았지만 속으로 다들 밥을 먹고 싶어했다. 다른 특별한 것은 없었다.

...

저녁이었다. 오후 6시가 되었다. 드디어 본 선거가 모두 끝났다. 이제 출구조사 시간이었다. 모든 지상파 방송사들이 집계결과를 내놓는 시간이었다. 개표 상황실에 머물러 있는 지연이와 모든 사람들은 이제부터가 진짜였다. 본격적인 시작이었다. 모니터로 선거 개표 현장을 지켜보기 시작했다. 지상파의 출구조사를 기다리는 것은 비록 그들뿐만이 아니었다.

대선 후보로 출마한 각 정당에서도, 모든 국민들이 이 상황을 지켜보는 것이었다. 길거리에 대형 TV가 설치되어있는 곳이나 혹은 서울역 대합실 등 사람이 쉽게 모일 수 있는 곳에 많은 사람들이 선거결과를 보기 위해 구름같이 모여들었다. 출구조사를 보기 위해서다. 어떻게 나올지 긴장되었다. 초긴장 상태였다. 물론 후보가 소속된 각 정당에서도 당연했다. 시간이 얼마 지나지 않았다. 지상파 방송사들은 각자의 나름대로 예측결과를 내놓았다.

결과가 발표된 직후의 당시 여당, 민주당은 분위기가 아주 좋지만, 국민의 힘 야당은 좋지 않았다. 침울한 분위기였다. 서로 완전히 상반되었다. 선거 개표 방송은 모두 라이브로 진행되었다. 누군가의 작은 실수 하나로 성공 여부가 좌우되고, 자칫 대형 방송 사고로 이어지는 만큼, 방송계에서 숙련된 자들도 긴장하는 것이 라이브 방송이다.

선거 개표 상황실에는 지연이와 함께 이곳에 있는 인원이 약 15명 정도가 있었다. 그들도 모니터를 통해 출구조사를 보고서 국민의 힘, 야당이 0.73% 근소한 차이로 뒤져있다는 결과에 실망했다. 다들 좋지만은 않았다. 하지만 이내 초심을 가졌다. 그들은 전국 각지에 설치되어 개표 현장에서 부정선거를 이행하려는 악한 자들을 매의 눈으로 실시간으로 지켜보았다.

모니터로 개표상황을 지켜보면서다. 쉴 새가 없었다. 책상에는 커피와 핫식스, 몬스터였다. 음료에 탄산이 들어간 에너지 음료 등 많은 카페인이 들어있는 음료들이 놓여있었다. 쏟아지는 잠을 깨기 위해서다. 자신의 노트북 외에도 컴퓨터용 키보드나 또 다른 모니터가 놓여있었다. 실제 화이트 해커처럼 일했다.

중간 점심과 저녁 시간에 밥도 분명히 먹었는데 어떻게 먹었는지, 코로 들어갔는지 입으로 들어갔는지 모를 정도였다. 지연이는 실시간으로 들어오는 많은 소식들중 굵직한 일들은 자신이 다니는 교회의 핵심들도 모두 볼 수 있도록 공유되는 것을 전체 카톡방에서 보았다. 이 모습을 보고 새로운 힘이 났다. 나쁜 일을 막고자 하는 사명이 있었다.

밤이 깊었다. 자정 무렵이었다. 늦은 시간이었다. 그때였다. 장소는 인천 부평이었다. 상황이 급했다. 한곳에 사람이 몰려있었다. 시민감시단이 큰 일을 활약하고 있는 상황이 벌어지고 있었다. 욕과 함께 들어가지 못하도록 밖에서 수많은 사람들이 막고 있었다.

인천 부평에서 해당 지역의 모든 투표함을 개표하는 현장이었다. 그때 정체불명의 두 사람이 트럭에서 내렸다. 신원미상의 남자와 여자가 트럭에 실려있는 실제 투표함과 똑같은 투표함을 가지고 개표하고 있는 현장으로 들어가기 위해 뛰어가려 했다. 그들이 들고 있는 투표함은 가짜였다. 그 짧은 찰나였다. 그때 현장에 있었던 시민감시단 소수가 그곳에 붙었다.

"이거 무엇이에요?"

한 시민감시단이 그들을 발견하고 소리쳤다.

그들은 놀랐다. 그들은 현장에 있던 사람들이 물어보는 말에 대답을 제대로 하지 못했다. 한 명은 현장에서 도망갔다. 다른 한 명은 그 자리에 주저앉아서 펑펑 울었다. 그곳으로 감시단을 비롯하여 상당수가 달라붙었다. 불법 투표함이 개표하는 현장에 아예 들어가지 못하도록 막았다. 사람들이 그 주변에 서서 가로막았다. 계속 사람이 붙었다. 언론사 기자들도 붙었다. 대치상황까지 벌어졌다. 현장에 함께 있었던 많은 유튜버도 대거 그 모습을 실시간으로 찍어서 보내기 위해 가까이 다가왔다.

또한, 수많은 사람들이 이 현장의 모습을 쉽게 볼 수 있도록 링크도 삽시간에 퍼져나갔다. 이 상황은 현장에 있는 유튜버들의 생중계와 지연이를 비롯하여 현장에 있는 사람들이 계속해서 링크 공유와 함께 갔던 사람들 중 대장이 직접 교회로 연락하는 등 큰 활약으로 전국으로 퍼져나갔다. 대장이 직접 누군가에게 연락했다. 다급했다. 정말로.

"지금 부천에 불법 투표함이 들어갑니다. 잡혔어요! 근데 이따가 새벽기도 드리러 시간 맞춰서 교회로 다시 갈까요?"

"지금 나라를 지키는데 급하지 무슨 새벽기도냐? 오늘만큼은 새벽기도에 오지 못해도 화내지 않을 테니 지금 매우 시급한 부정선거 막는 일부터 해결해."

그가 받은 답변은 이렇게 되었다. 대화는 그렇게 마무리되었다. 대장은 통화가 종료된 후 지연이와 함께 서울 여의도 선거 개표까지 온 나머지 9명들에게 '내일 새벽기도는 못가도 괜찮으니까 끝까지 이 일을 해보자. 이 일을 제대로, 감동을 주며 확실하게 끝내는 것이 내일 새벽기도 가는 것보다 더 중요하다고 연락이 왔어. 우리 진짜 꼭 해내자.'며 사기를 돋았다. 지연이도 힘을 냈다. 늦은 시간에 잠시 잠깐 있는 틈을 이용해서 부족한 수면을 취하기도 했다. 격려의 말을 듣고서 지연이도 막바지 힘을 냈다. 이 사회의 정의를 실현하기 위해서는.

지연이가 있는 핵심 인원들만 있는 방에도 부정선거가 벌어지는 현장을 볼 수 있는 링크가 공유되었다. 늦은 시간이었지만 더 많은 인원들이 불편함 없이 이 모습을 볼 수 있었다. 이게 현실이었다. 지연이는 이 모습을 지켜보면서 현재 어느 정도 개표되었는지 상황을 확인하였다. 자정을 훨씬 넘겨 새벽 시간인 지금 개표는 절반이 진행되었다.

새벽 1시경이었다. 새로운 일들이, 이번 선거를 아예 바꾸게 되는 역사적인 장면이 연출되었다. 그건 바로 국민의 힘, 야당 소속 후보가 역전되는 순간이었다. 저녁 6시, 본 선거를 모두 마친 이후로 본격적으로 개표 시작된 지 장장 4시간 이상 진행된, 개표된 지 절반 이상이 지난 시점이었다.

지연이가 있는 서울 여의도 공식 사무실 내 선거 개표 상황실에서는 환희와 기쁨으로 가득했다. 상황실은 박수와 환호 소리로 시끄러웠다. 야당의 선거 개표실은 역전되는 조짐을 보일 때부터 집중되었다. 진짜로 역전되니 지연이가 있는 서울 여의도 사무실 내부에 설치된 선거 개표 상황실과 분위기는 똑같았다.

급한 업무를 처리해야 하는 일이 있어서 잠시 자신의 업무 공간에 있었던 황교안 전 국무총리도 개표 상황실이 매우 시끄러운 것을 소리로 듣고 서둘러 개표 상황실로 옮겼다. 함께 이 장면을 보았다. 새벽 시간이다 보니 그곳까지 소리가 상당히 크게 들린 것이다. 그곳까지 생생하게 들린 것이었다. 모두가 이 순간을 함께했다.

각 정당의 공식 선거 개표 상황실에서도 희비가 엇갈렸다. 처음은 분명 모두가 이번 선거는 분명 국민의 힘이 질 것이라고 생각을 했었다. 지연이조차 좋은 생각을 가지고 있지 않았다. 가장 먼저 투표함을 연 것은 사전선거에 나온 투표함들이었다. 그것을 열 때 민주당의 대선주자인 이재명이 앞서고 있었다. 10표 중 7~8표가 그에게 쏠리고 있었다. 분명 그렇게 전개되고 있었다.

처음에는 0.8%로 이번 대선에서 우리가 이기자 서로 계획을 짜고 조작을 대대적으로 작업했다. 너무 크게 해놓으면 일반 사람들도 단번에 부정선거임을 알아차릴 수 있으니. 처음은 그들도 '그들은 그들의 그물에 걸릴 것'이라는 말을 전혀 몰랐을 것이다.

하지만 본 선거는 그렇지 않았다. 처음은 사전선거에서 나온 투표함들부터 열어서 개표했다. 그래서 처음은 이재명이 앞섰다. 어두운 그림자가 드리워진 것이다. 하지만 그것은 오래가지 않았다. 늦은 밤, 자정 무렵부터는 그것들이 차츰차츰 사라졌다. 기대와 환희로 바뀌고 있었다. 전국 각지의 개표 현장에서 사전선거에서 나온 투표함을 모두 열고서 본 선거 투표함을 열기 시작한 것이다.

3월 9일 본 선거 투표함에는 현재의 대통령을 찍은 표들이 몰린 것이다. 엄청난 표가 몰린 것이다. 아무리 눈을 제대로 씻고 계속해서 이 장면을 제대로 보아도 믿을 수 없었다. 역전된 것이었다. 지연이도, 그와 함께 하는 이들도 그 외 모든 사람들도 이 장면을 현장에서 모든 장면을 실시간으로 지켜보았다. 소름 끼쳤다.

온몸에 닭살이 돋았다. 지연이는 이 모든 순간들이 파노라마처럼 차례대로 흘러갔다. 새벽 1시경에 한번 역전된 이후로 계속 그렇게 흘러갔다. 완전히 끝나는 순간까지였다. 완전히 끝나는 순간은 날이 완전히 밝아서 아침이 되어서 끝났다.

한편, 인천에서 부정선거를 하기 위해 선거관리위원회에서 사전에 승인되지 않은 선거함을 들고 들어가려다 현장에 있었던 시민감시단에 걸려서 현장으로 들어가지 못하도록 삼삼오오 모여 그 주변을 동그랗게 애워싸서 그들이 개표장으로 아예 들어가지 못하도록 몸으로 막은 것과 그곳에 함께 있었던 유튜버들에 의해, 서울에 있는 개표 상황실에서 모든 순간을 지켜보고 있던 지연이와 모든 일원들이 주변의 모든 사람들이 똑똑히 볼 수 있도록 조치를 하여 전국으로 생중계되었다. 지연이가 있는 개표 상황실에서도 이 장면을 보고 있었다. 개표상황과 함께. 이 급박한 상황에서는 개표 상황실에서는 정말 바쁘게 움직였다. 새벽 시간임에도.

또한, 이 지연이가 속해있는 교회의 핵심 인원들과 모든 교역자분들과 스승님까지 빠짐없이 모두 볼 수 있도록 들어갈 수 있는 링크를 모두 보냈다. 각자의 집에서 생중계를 유튜브로 지켜보는 수많은 사람들이 댓글로 현장에 있는 사람들을 응원하는 등 많은 댓글을 달았다. 부정선거를 막아달라는 댓글도 엄청났다.

새벽 4시였다. 어느새 선거 개표는 90% 이상 진행되었다. 하지만 지연이와 함께 온 일행들은 갈 채비였다. 그들이 있던 서울 여의도 사무실 내 선거 개표 상황실에서 출발했다. 그들의 교회로 돌아갔다. 새벽공기가 이날 따라 유독 깨끗했다. 차가웠다. 3월 특별 새벽 집회가 진행되고 있었다. 이날이 집회 3일째다. 새벽 5시에 시작이었다. 예배를 여는 준비찬양부터다. 지연이는 새벽 집회와 기도를 하기 위해 교회로 돌아가는 차 안에 올라탔다. 몸은 피곤하지만 그래도 지연이는 해낼 수 있어서 기쁘고 환희를 느낄 수 있었다.

지연이는 돌아가는 차 안에서 잠들었다. 교회로 돌아가면서 30분이라도 잘 수 있었다. 새벽기도를 하기 위해 모두가 잠에서 깨었다. 모두가 가장 먼저 본 것은 대선 결과였다. 모두가 결과가 어떻게 되었는지 알아보기 위해 궁금한 것은 똑같았다. 카톡방에는 그것으로 매우 시끄러웠다. '우리가 이겼다'며, '진짜 이것은 기적이다.'는 등 본 자들의 카톡이 엄청 많이 쌓였다.

새벽에는 10분이면 모든 찬양이 다 끝났다. 아침에는 직장에 출근하는 사람들이 있어서 오래 할 수는 없었다. 시작하고서 1시간이면 모든 것이 끝났다. 끝나면 바로 기도 시작이다. 기도하고 싶은 사람들이나 직장 출근 시간이 늦는 사람들, 대학생들은 말씀이 끝나고 기도가 시작되면 새벽 6시인데, 늦은 시간까지 하면 7시 30분까지 1시간 30분을 앉은자리에서 기도하고 가는 사람들이 많다.

7시까지 하는 사람들은 더 많이 남아서 기도한다. 그것이 지연이의 일상이었다. 지연이 말고도 지연이와 함께 하는 모든 사람들이 그렇게 지연이와 똑같이 행동으로 실천한다. 매일 기도하는 것이 중요한 것을 정말 잘 알고 있었던 것이다.

지연이는 주기적으로 40일씩, 혹은 100일을 작정해서 기도하면 새벽은 물론이요, 일과가 끝나고 저녁에 다시 돌아와서 1시간씩 기도한다. 공식 기도하는 시간까지 포함하면 하루에 최소 2시간, 많게는 3시간씩 기도하는 셈이다. 말이 40일, 80일, 100일이지, 실제로 그 기간동안 하나님께 약정한 시간을 기도하면서 보내는 것은 쉬운 일이 아니었다.

이날 새벽 집회 끝나고 대장으로 뽑힌 사람이 지연이와 함께 간 사람들 9명을 대표하여 재빠르게 내려갔다. 스승님을 뵙고자 한 것이다. 선거 개표 상황실에서 새벽 4시에 모두 끝나서 바로 사전에 허가받은 교회 승합차를 타서 새벽기도를 하기 위해 서둘러 돌아와야 했었다.

도착하니 이미 새벽 집회의 시작을 알리는, 예배의 시작을 여는, 각자의 일상으로 닫힌 마음을 여는 찬양이 시작되어 한창이었다. 지연이는 본당으로 들어갔다. 얼굴에는 피곤한 기색이 역력했다. 누가 봐도 피곤하다는 것을 단번에 알아차릴 수 있었다. 지연이가 본당에 들어서서 앞줄 라인에 앉을 자리를 찾고 있었다. 그때였다.

"고생했다."

예배 안내 위원을 맡은 사람들 중 평소 지연이와 가깝게 지내던 cs가 지연이를 발견하고 말했다. 지연이는 밤새고 바로 돌아와서 피곤했지만, 그래도 새벽 집회를 듣고 갈 수 있는 마지막 힘을 낼 수 있었다. 기도는 저녁에 다시 돌아와서 모두 완료할 수 있었다.

보고 드리는 시간이 너무 촉박했다. 끝나서 모든 상황과 결과에 대해 보고를 전혀 못 드리고 있었다가 이제야 제대로 보고를 하기 위해서 급하게 내려간 것이었다. 그가 스승님을 보고서 인사한 뒤, '그들은 그들의 그물에 걸렸다.'고 서문으로 말하며 그동안 했던 내용을 모두 보고했다. 빠짐없이 모두 했다. 그것으로 10일간의 대장정은 공식 종료되었다.

...

며칠이 지났다. 치열하고도 급박했던, 부정선거를 막고자 하는 뜻이 너무도 간절했던 일들이 모두 끝나고 모두 정리된 이후 황교안 전 총리가 직접 연락했다. 스승님에게 직접 연락한 것이다. 연락한 이유는 다름이 없었다. 자신의 사무실에 청년 10명이 와서 자신과 함께 부정선거를 위해, 이번 대선을 위해 일해준 것과 여러가지 많은 일들에 대해 감사 인사를 전하기 위해서였다. 이번에 왔던 지연이를 포함하여 청년 10명에 대해 그동안 여의도에 있는 자신의 사무실로 와서 일을 너무 잘 해주었다며 칭찬을 아낌없이 했었다.

그 사실을 지연이는 나중에 직접 말하게 되어 알게 되었다. 중요한 공지사항을 전달받기 위해 모두가 모여있는 상황에서였다. 한번 방문하여 식사를 통해 이번 전화로 전하지 못한 소식들을 모두 전하겠다고 말했다 하지만 스승님은 달랐다. 물론 그것도 좋지만, 와서 말씀도 같이 전해줬으면 좋겠다고 답변을 전했다. 그렇게 협의를 보았다.

이 소식을 전하며, 그것을 언제 할지도 날짜가 나와 있었다. 날짜는 3월 마지막 주 주일 저녁으로 정했다. 총동원 예배였다. 총동원은 자신의 지인이나 밖에서 자신이 직접 전도한 사람들과 함께 예배를 드리는 것이다. 지연이와 함께 갔던 10명이 잘했다고 칭찬을 받으며, 지신이 직접 오겠다고 하는 것이 정말 힘든 일이었다. 그들이 이번 기회를 통해 축제의 밥상을 딱 차린 것이다.

지연이가 속한 교구의 식구들은 지인 초청과 전도 등 부흥에 힘쓰기만 하면 되는 상황이었다. 주일 저녁을 총동원 예배로 드려지는 것이 최종 확정되면 그때부터 모든 리더들은 바로 총동원 예배를 드리기 위해 본격적으로 일 시작이었다. 발등에 불이 떨어진다. 선의의 경쟁이었다. 누가 더 많이 불신자를 전도하고, 자신의 지인 등을 초청하는 등 얼마나 가장 많이 부흥하는지 세세히 기준을 따져서 순위를 매겼다.

마침내 당일이었다. 저녁은 이미 이른 시간부터 로비에는 사람들이 북적였다. 저녁 7시가 되었다. 시작을 알리는 찬양과 함께 예배를 열어갔다. 30분이면 충분했다. 초반부는 잔잔한 찬양곡과 잘 어우러져 인도하더니 막판에는 화끈했다. 어느 교회에서 흉내를 낼 수 없는, 아니 흉내를 나기 힘든 성령의 불이 이곳에 가득 찬 상태로 힘있게 나아갔다. 끝날 무렵에 스승님과 황교안 전 총리와 함께 본당으로 들어와서 맨 앞에 함께 앉았다. 기도로 시작했다. 시작이다.

설교 시작한 지 5분밖에 지나지 않았다. 검사 출신이라 말을 상당히 잘했다. 검사가 되려는 과정이 흥미진진했다. 법대를 졸업하고 사법시험을 통과하여 검사가 되기 위해 사법연수원을 다니면서 신학교를 야간으로 다녀서 하나님과의 약속을 지키고, 다니던 교회에 강도사로 사역을 맡아 감당했던 일들을 간증하는 귀한 시간이 있었다.

우리의 주된 일은 하나님 예수님이 죽은 지 3일만에 부활하고, 하늘로 승천하면서 12제자에게 했던 명령이자 지상 마지막 명령이 불신자들이 예수 믿게 하고 잘 믿어서 천국 가는 것이다.

이 일은 아직 예수 믿지 않은 사람들이 전도되어 그 사람들이 예수 잘 믿고 기도도 많이 쌓아서 나중에 천국 가서, 큰 상급과 천국의 면류관을 받고, 축복받고, 처음에는 볼품이 없었고, 초라했지만 그 사람이 정말 잘 되고자 하는 순수한 목적이 있을 뿐이다. 그 어떠한 세상에서 부를 축적하기 위한 목적과 탐욕스러운 욕심은 전혀 없다. 오직 하나님의 복음과 천국의 면류관을 전하려는 것뿐이다. 지금 이 순간도 그렇다. 오직 그것 하나 뿐이다.

만일 이 모든 것들이 거짓으로 진행된다면 주인공 지연이도, 이 책을 쓴 저자도, 지연이와 함께하는 모든 이들도 이 일을 하지 않고, 불의로 얻는 모든 것을 포기할 것이다.

이 글을 보고 있는 세상의 모든 독자들은 부디 사람을 오직 겉모습과 행동으로만 보고서, 특히 교회와 교회 다니는 사람들을 함부로 판단하지 말고 그 사람이 현재 처해있는 처지와 모든 상황이 어떠한지, 그 집 식구들의 밥그릇 개수와 현재 상황까지 제대로 파악하고, 그 교회의 내부의 모든 상황들을 확인하고 제대로 이해하고서 그 사람을 위해 진실로 진실로, 행동하며 피해를 주는 것보다 배려로 그 사람이 잘되기를 바란다는 것을 알고서 제대로 개념 있게 행동했으면 좋겠다.

또한, 교회에서 코로나를 만들었다고 하는 사람들은 정상인 사람이 아니다. 정상인이라면, 교회를 전혀 안 다니는 사람이라도, 코로나는 중국 우한지구에서 발생하였으며, 처음은 중국 내부에서 아주 많은 사람들이 전염되다가 사람으로 인해 국내와 전 세계로 퍼져서 수많은 사람들이 이 질환에 감염되어 한때 수고했다는 것이 명백한 사실인데 양심이 있으면 과연 교회에서 코로나를 만들었다는 말을 할 수 있겠는가?

작은 것에 감사하는 법

오후였다. 한적한 오후 시간이었다. 가을이었다. 한창 새 학기가 진행되고 있었다. 교실에서는 선생님의 열정적인 수업이 한창이었다. 지연이는 아직 초라한 상황이었다. 평범하게 살고 싶은 것이 지연이의 간절한 소원이었다. 게다가 지연이의 성격은 매우 소심했다.

사람을 피해 다닐 정도였다. 이성 2명이나 3명이 지나가거나 그 앞에서는 말도 제대로 하지 못했다. 발음이 덧나가서 말을 제대로 하지 못했다. 피해서 가기 위해 자전거가 멀쩡한 정상인데 갓길에 간 다음, 일부러 내려서 고장 난 척하면서 체인을 감았다.

학교에서 깡패들이 반 전체 학생들에게 특정한 목적을 가지고 위협을 가할 때 맞기 싫어서 가장 먼저 자리에서 일어나는 학생이 지연이었다. 또한, 말을 제대로 하지 못했다. 말이 어눌한 것은 전혀 아니었다. 단지 말수가 없었을 뿐이었다.

지연이의 초라한 초등시절은 처음에는 입 밖으로 꺼내서 말하는 것이 매우 어려웠다. 있는 사실을 그대로 말하기에는 과연 자신이 말해도 되는지 의문이 들었다. 두려웠다. 사실대로 말하면 자신이 당했던 것 그대로 당할 것 같은 두려움이 있었다. 겁이 났다.

사람과 사람 사이에서 받은 상처가 너무 심했다. 너무 깊은 상처였다. 같은 또래들로부터 해오는 가스라이팅도 심했다. 당시 같은 반 동급생들이 지연이에게 '네가 계속 이 사실을 선생님에게 말하면 전국 왕따로 만들겠다'는 협박은 기본이었다. 인신공격은 당연했다. 너무도 당연했다. 사람다운 대접은 없었다. 짐승만도 못한 대접이었다. 처참했다.

인권은 처참하게 유린당했다. 지연이의 소지품은 빼앗기는 경우가 다반사였다. 가방은 일부러 빼앗아서 쓰레기통에 넣으려는 경우도 지연이가 직접 목격한 경우도 많았다. 지연이가 그들에게 아무 잘못을 한 것이 없는데 다가와서 지연이를 때렸다. 차마 입에 담을 수 없는 쌍욕은 기본이었다. 아주 기본이었다. 당연한 것 마냥.

한번은 누군가가 교과서를 지연이에게 던졌다. 던진 교과서의 모서리에 지연이의 옆머리에 맞아서 다쳤다. 큰 부상은 아니었지만, 맞은 부위에는 피가 났다. 위치는 왼쪽 귀 앞이었다. 따가웠다. 아팠다. 모서리를 맞았으니 아픈 것은 당연했다. 지연이는 학교에서 행해지는 모든 것이 조심하게 행동했다.

여자라고 예외는 없었다. 일부는 지연이를 힘들게 하는 것과 괴롭히는 남자애들의 부류에 함께했다. 그들이 하니 여자애들도 그곳에 합류한 것이다. 화장실 가는 것도 때로는 절제를 했었다. 조금만 행동을 하게 되면 소문이 삽시간에 지연이와 같은 학년 동기들에게 퍼졌다.

지연이가 지나갈 때면 다가와서 '야, 너 이거 이렇게 했다며?'라고 시작하며 놀리기 시작했다. 마치 유명한 연예인인 것처럼 지연이에게 사생활은 전혀 없었다. 사생활은 전혀 보장되지 않았다. 자비는 없었다. 사생활은 사치였다. 부자들만 누리는 사치였다. '처음은 왜 나만 받는 것인가?'는 생각도 들었다. 이 상황이 6개월 이상 지속 되었다. 가혹한 상황이.

지연이는 견딜 수 있을 때까지 견뎠다. 최대한 견뎠다. 힘겨워도 티를 나지 않았다. 지연이는 자신의 것은 남에게 의존하지 않고 스스로 모든 것을 해결해야 했다.

이 시간 동안은 학교 수업이 모두 끝나고 집으로 돌아갈 때 바로 집에 가지는 않았다. 남들과 같이 집으로 갈 때 같이 간다면 학교 안에서 당했던 것 그대로 거나, 그 이상이었다. 상상을 초월했다. 신발을 없애서 한쪽은 신발, 한쪽은 실내화인 생태로 집에 돌아간 적도 있었다. 그런 적이 많았다. 이것을 보다 못한 지연이는 아침에 학교에 등교 했으면 신발 주머니를 교실로 가지고 들어갔다. 이런 일을 사전에 차단하기 위해서다.

또한, 최대한 가만히 있었다. 조금이라도 다른 일을 했으면, 소문이 삽시간에 퍼지기 때문이었다. 이때 할 수 있는 유일한 것은 책을 읽는 것과 그저 빈 노트에 그림을 그리거나, 자유롭게 글을 썼다. 지연이 혼자 생각한 것 그대로. 그 즉시. 우울증이 너무 심했다. 중증 우울증이었다. 게다가 슬럼프도 심했다. 지연이가 직접, 마땅히 해야 하는 일인데 하기가 싫었다. 모든 것이 하기가 싫었다. 비관적으로 변했다. 왜 자신이 비참한 인생을 살아가야 하는지 의문이 들 정도였다. 모든 것이 무기력했다.

늦은 가을이다. 초겨울로 넘어가는 상황이었다. 날씨도 제법 서늘했다. 11월 말이 되어서 지연이는 학교에 가지 못했다. 지연이가 겪고 있는 현재 상황이 얼마나 심각한지, 사태의 심각성을 모두가 안 것이었다. 학교의 모든 선생님들과 교장 선생님까지. 선생님들이 수시로 지연이가 있는 반으로 왔었다.

모든 상황을 파악한 선생님들이 지연이를 모질게 굴었던 당사자들에게 지연이를 왜 이 지경까지 만들어왔었는지 책임을 물었다. 그들에게 호되게 책임을 물었고, 혼냈다. 어떤 이유로 그래왔었는지 이유를 알아야 합당한 조치를 할 수 있기 때문이다. 모든 선생님들이 현재 지연이가 어떠한지 사태의 심각성을 말했다. 그 친구들은 이 상황이 되어서야 알게 된 모양이었다. 그동안 자신이 무슨 일을, 무슨 잘못을 해왔었는지를.

학교에 안 나가는 동안 지연이는 급기야 극한의 상황까지 갔다. 누구도 지연이를 말릴 수 없었다. 약을 구입하여 오직 지연이 혼자만 알고 있는 장소에 차곡차곡 모아둘 것인지, 일반 가정집 주방에서 사용하는 커다란 식칼을 꺼내서 손목을 그을 것인지, 목을 매달 것인지, 아니면 아파트 옥상에 올라가서 뛰어내릴 것인지 등등 온갖 방법들을 알아보기 시작했다. 자살하기 위해 방법을 알아보고 있었다. 인터넷에서 방법을 알아보는 것을 서슴치 않았다. 겁 없이 담대하게 알아보았다.

마침내 지연이는 결정했다. 어떻게 해서 세상과 영원히 이별할지를. 일반 가정집 주방에서 사용하는 커다란 식칼을 가지고 손목을 긋기로 했다. 그것이 아예 안된다면 자해를 통해 과다출혈로 인한 쇼크사로 영원한 이별을 준비했다. 이제 더이상 자신은 이 세상에서 영원히 쓸모가 없고 가치가 아예 없는 사람으로 생각하고 있었기 때문이었다. 그것이었다. 지금 지연이에게는 그것뿐이었다. 오직. 앞으로 있을 찬란한 미래를 보고 살고자 하는 의지와 희망은 전혀 찾아볼 수 없었다. 전혀.

지연이는 커다란 식칼이 어디 있는지 위치를 모두 파악하고 어떻게 할지 미리 연습을 몇 번에 걸쳐서 계속했다. 죽기 딱 좋은 날짜를 보고 있었다. 가장 좋은 최적의 날짜를. 매우 급박했다. 지체할 시간이 없었다. 위급한 상황이다. 전문가라면 이 증세만으로도 지금의 지연이가 매우 위험한 상황임을 금방 눈치챘을 것이다.

너무 위급하고 위험한 순간에서 구원한 것은 어느 누구도 아니었다. 위급한 상황 속에서 지연이가 칼을 들고 세상과 영원히 이별하려 했던 찰나에 지연의 손을 내리고 제어한 것은 지연이 스스로의 의지도 아니었다. 하늘에서 역사하심이었다. 어렵고 힘든 상황에서 절대로 포기하지 말라는 마음이 겨자씨 한 알만큼 들어왔다.

너무도 작았지만, 그것이 너무도 위험했던 지연이를 되살린 것이다. '그래도 희망을 갖자, 지푸라기라도 갖고 다시 일해보자, 다시 뛰어보자. 여기서 끝나는 것은 아니지 않나?, 모든 것을 포기하기에는 일러도 너무 이르지 않나?'는 다소 긍정적인 생각이 들기 시작했다.

지연이는 서투른 발걸음을 옮기기 시작했다. 행동으로 옮긴 것이다. 모든 것이 처음부터 다시 시작해야 하는 상황이 된 것이다. 지연이는 어떻게 다시 시작해야 할지 아무것도 모르는 상황이었다. 정말이었다.

일단 가장 시급한 중증 우울증과 무기력증을 치료하는 것이 급했다. 더이상 그것을 내버려 둘 수 없었다. 더 내버려 둔다면 그것이 송곳이 되어 지연이를 괴롭힐 것이다. 그것부터 없애는 것이 관건이었다. 얼마나 빨리 없애는지. 그것을 없애기 위해서는 전문가의 도움이 필요했다. 정신건강의학과에 갈 수밖에 없었다. 빠른 회복을 위해서는.

당분간 집에서 가장 가까운 정신건강의학과 병원을 통원하여 치료를 받기로 결정되었다. 그것이 근 1년간 이루어졌다. 중증이어도 너무 중증이었다. 만약 전문가의 도움이 없었다면 모두 완벽하게 회복하기 위해 훨씬 더 오래 걸렸을 것이다. 소요되는 시간을 더 단축시켰다. 지연이는 짧은 시간에 모든 것을 해결했다.

지연이는 모두 회복한 직후, 처음 몇 년 동안은 이 사실을 감추고 있었다. 아무에게도 말하지 않았다. 정말 가까운 사람이 아니면 말을 하지 않았다. 전과 같은 상황이 자신에게 똑같이 모두 돌아오는 것이, 그것이 매우 두려웠던 것이었다. 트라우마도 꽤 깊이 남아 있었다. 그때 받았던 깊은 상처가 아직 완전히 다 아물지 않았다. 후유증이 아직 다 가시지 않은 상황이었다.

그때의 지연이와 지금의 지연이는 완전히 달라졌다. 완전히 다른 사람으로 탈바꿈했다. 15년 넘게 지나서야 그때 당시의 트라우마도 많이 사라졌다. 이제 꽤 많이 회복되었다. 이제는 지연이가 직접 과거 자신의 슬프고도 아픈 일들을 모두 말하지 않는 이상 아무도 모른다. 하지만 극히 일부만이 지연이의 기억 속에 남아 있었다. 오랜 시간이 지나서야 비로소 지연이는 이제야 깨닫게 된 것이다. 그때의 고생이 없었더라면 지금의 자신이 없었다는 것을 알게 되었다.

당시 막 벗어났을 때는 그때 그 시절의 상황과 기억을 떠올리기 싫었고, 오히려 그 자리를 피하고 싶었다. 당시는 자신을 만나는 새로운 사람들은 그저 자신을 사람답게 존중해주었으면 좋겠다는 생각하고 있었다. 그 생각 또한, 틀렸다는 것과 그때의 고생이 감사함으로 받아들여졌다.

지연이는 그때 자신을 힘들게 굴었던 수백명에 달하는 모든 친구들을 아무런 값을 치르는 것 없이 모두 용서하게 되었다. 그들에게 그때 그 잘못을 뉘우치고 사과를 받기를 처음에는 원했으나 그럴 바에 지연이가 먼저 그들을 용서하고, 미련을 가지는 것보다 자신이 훨씬 더 나은 모습을, 성공한 자가 되어 떳떳하고, 당당하고, 멋있게 살아가는 것이 진정한 성공이라는 것을 깨닫게 되었다.

이미 저지른 잘못은 미워할지언정 사람을 미워하지 말라는 것과 그 외 성경에 나온 하나님의 말씀에 어긋나는 것은 정말 하기 싫었다. 기도하면서 오직 하나님의 말씀대로, 하나님의 마음에 합한 자로, 하나님께 영광을 드리며 살아가고 싶었다. 비로소 용서하기까지 정말 오랜 시간이 걸렸다. 이렇게 할 수 있기까지 최소 15년 이상 걸렸다. 지연이는 이렇게 할 수 있는 것도 자신이 스스로 할 수 없는 것이라는 것을 절실하게 알았다.

현실에는 지연이처럼 할 수 있는 사람이 거의 없었다. 그들이 자신처럼 똑같이 당했으면 좋겠다는 생각을 가지고 똑같이 당사자를 복수하거나, 평생 그 상처를 자신의 내면속에 가지고 인생을 비참하게 살아가는 사람들이 있다. 그런 사람이면 발전하기가 쉽지 않다.

지연이는 '하나님께서 나를 지켜보신다.'는 강력한 신념 아래에 하나님께서 싫어하시는 일은 어떻게 하면 하지 않고 하나님께서 기뻐하시는 일을 한가지라도 더 하기 위해 계속 노력하고 또 노력했다. 하나님의 일이라면, 복음을 전하는 일이라면 사명을 가지고 몸을 사리지 않고 어디든, 전국 방방곡곡 다녔다. 건강을 사리지 않았다. 각 성전에서 죽어가는 기도의 불씨와 강력한 성령의 역사가 그 현장에 있기 위서라면 불씨를 살리기 위해서 노력하고 혼신을 다 했다. 진을 다 뺐다.

그것이 우선이었으니. 지연이는 자신에게 주어진 일과 일상 이외에는 오직 그것 하나뿐이었다. 그것 하나만으로 행복한 사람이었다. 오직 하나님 한 분 뿐이었다. 하나님 사랑한다며 고백을 하고 열정을 가지도 계속 기도했었다. 오직 그것뿐이었다. 다른 특별한 방법은 없다. 전혀. 부정행위 또한 전혀 없다.

새벽기도와 일과 끝나고 저녁에 교회에 들렀다. 매일 최소 1시간 이상 교회 와서 기도하는 것을 목숨 걸고 했다. 예배가 있는 날이면 일찍 퇴근하고 예배를 사수하기 위해 정식으로 예배가 시작하는 시간 맞춰서 도착했다. 또한, 주일 성수는 기본 중의 기본이었다.

모든 사람의 기본사항이었다. 당연히 출근은 하지 않았다. 주일을 준비하는 시간인 토요일은 보통 오후 2시, 늦으면 3시경에 교회에 나와서 주일을 준비하고 모여서 기도하고 함께 전도지 들고 노랑 전도띠를 매고서 모두가 노방 전도를 나갔다.

매주 토요일에 직장으로 출근을 하더라도 아침 시간만 일하는 직장이면 큰 터치는 없었다. 그러나 아침부터 저녁까지 하루종일 일하는 곳이라면 사람을 뽑는다는 공고문을 볼 때 처음부터 거르거나 쓰지 않아서 제대로 확인을 하지 못하고 직접 면접 봐서 합격하더라도, 그 사실을 뒤늦게 알았다면 출근하는 것을 과감히 포기했다. 직장 다녀서 돈을 버는 것도 중요하지만 그것보다 더 중요한 것은 주일 정식 예배와 주중에 있는 예배들 모두 사수하는 것이자, 매일 최소 2시간 이상 기도하는 것을 사수하는 것이 더 우선이었다. 지연이에게는 오직 하나님, 오직 예수였다.

처음은 '왜 안 되지?', '왜 나만 이러지?'라는 의문점은 들 수 있어도, 힘이 들어도, 앞이 보이지 않아서 방황은 할 수 있어도 자신의 주어진 일상에서 감사하면서 노력을 하면 된다. 반드시 자신의 때가 열리면 수직으로, 선두로 올라가면 밑으로 절대 떨어지지 않을 것이다. 모든 일은 사람이 하는 일이 아니라 하나님의 손에 달려있다.

...

정말 쓸데없는 자존심은 내려놓는 것이 중요하다. 그것이 무엇이라고 새로 하는 일에는 당연히 처음에는 못하고 부족할지라도, 노력하면 충분히 발전할 수 있는데 그것 때문에 나 자신의 한계를 치고, 우물 안 개구리가 되고, 나 자신을 먹여 살리는 것으로 착각하게 되는데 절대 아니다. 그것을 철저하게 버려야 한다. 그래야 살 수 있다. 자신보다 나이 어린 사람이 자신보다 잘하는 모습을 보인다면 보고 배우는 것이, 상대방의 장점 중 자신이 보고 배워야 할 점이면 보고 배우는 것이 더 낫다.

오랜 기도를 통해 마침내 지연이는 쓸데없는 자존심이 지연이 자신의 성장을 방해하고 있었으며, 자신의 한계를 치고 있었으며, 발전이 전혀 안 된다는 것을 뼈저리게 깨닫게 되었다. 나 자신을 내려놓게 되었다. 또한, 자신보다 나이 어린 사람이 더 잘하는 점이 있거나 배워야 할 점이 있으면 배우는 것이 맞지만, 이 쓸데없는 자존심을 내려놓지 못하면 그러지 못한다. 오히려 발견하지 못하는 경우가 많다.

그것을 떠나서 자신의 생각과 교만함에, 세상 속 속된 말로는 '꼰대'가 되기 쉽다. 교만해질수록 자신의 손해다. 교만해져서 그것이 하늘을 찌르면 깨달으라고 오히려 주변 환경을 통해 당사자를 치거나 사람을 통해 당사자를 치기도 한다. 모든 것을, 나 자신을 내려놓았다. 자신의 고집과 아집을 한 번에 내려놓은 것은 어려운 일이다.

하지만 기도로서 내려놓게 되고 실제로 그렇게 가능하다. 자신보다 어린 사람이어도 배울 점이 있다면, 자신의 행동이 틀렸고 그 사람이 옳은 일을 하고 있다면, 자신보다 잘하는 점이 있다면 배우려고 노력하고, 자신의 것으로 만들기 위해 노력하고 또 노력했다.

무심코 지나갈 수 있는 정말 사소한 것에도 감사했다.

매일 식사를 할 수 있는 것과 3번과 모든 순간마다 일용할 양식이 있다는 것에 감사, 먹을 음식이 없어서 하루종일 김치 없이 오직 컵라면이나 끓여서 먹는 라면으로 생활해야 하는 상황에서도 감사, 심지어 그마저 부족해서 하면 한 개로 하루를 버텨야만 하는 극단적인 상황에서도 감사했다. 도저히 감사가 나오지 않는 어려운 상황에서도 지연이는 포기하고 싶지 않았다. 감사가 나오지 않는 불가능한 상황에서도 계속 감사했다. 실제로 그렇게 하기 위해서 지연이는 엄청난 기도를 했었다. 계속했다. 남들은 다 가고 혼자 교회에 들러서 기도하고, 정해진 자신의 기도 분량을 모두 채우고, 혹은 그 이상으로 했었다. 지연이는 기도하는 것만큼은 몸을 사리지 않았다.

그러기 위해 작은 부분에서까지 노력, 또 노력했다. 때로는 그것이 사투였다. 어떻게 하면 자신의 주어진 일상과 모든 상황 속에서 하나님의 마음에 합한 자가 될 것인지, 그렇게 되기 위해서. 1년에 일주일동안 하는 금식을 두 번씩 10년동안 하다 보면 하루 금식은 정말 쉬웠다. 많은 금식으로 이제는 순교하러 가는 상황임에도 오히려 환하게 웃으며 갈 수 있는 경지로, 칼이 자신의 몸 속을 찌를 때도 전혀 두렵지 않았다. 어떠한 상황이 와도 지연이는 두렵지 않았다. 떨리지 않았다. 이제는 감사함 속에서 담대함이 생겼다. 일상을 살아가면서도 계속 감사를 했다.

전국 일주와 세계 속으로

1월이었다. 차가운 바람이 불어와 손끝이 시려운 추운 겨울이었다. 아직 방학이었다. 개학까지 많은 시간이 남았다. 지연이는 커다란 가방에 겨울철 옷 몇 벌과 수건과 세면도구, 기초 화장품과 보조 배터리, 접을 수 있는 가방, 등 모두 챙겼다. 이른 새벽에 집을 나섰다. 경의선을 탔다.

용산역으로 가기 위해서다. 용산으로 가는 길에 지연이는 친구를 만났다. 친구와 함께 전국 일주 여행을 떠나기로 한 당일이다. 내일로 기차여행이다. 기차로 5일 동안 전국을 일주하는 여행이다. 자주 모여서 여행계획과 해당 지역에 가서 무엇을 할지, 자는 것은 어디서 잘지 등을 의논했다. 의견을 최대한 반영해서 계획을 완성했다. 이번 여행을 통해 그동안 그들이 가보지 못한 여행지역도 함께 갈 수 있어서 좋아했다. 다른 생각은 일절 없었다. 순수한 마음이었다.

여행비용은 5일동안 여행하는데 기차표값이랑 식비, 각종 명소 등 입장표 살 비용, 숙박비 등 모두 합해서 1인당 약 35만원이 들었다. 5일 여행 비용치고는 비싸지 않은 가격이었다. 오히려 가성비가 너무 좋았다. 경제적인 여유가 많지 않은 대학생의 입장에서는 일주일 동안 기차로 전국을 돌 수 있는 절호의 기회였다. 가방을 모두 챙긴 다음 출발한다는 생각에 지연이는 잠이 오지 않았다. 너무 설레고 들떴다.

첫날이었다. 지연이는 가는 길에 지하철 같은 칸에서 친구 J를 만난 다음 함께 용산으로 갔다. 원래는 S도 같이 가기로 했으나 문제가 생겨서 당일 밤에 첫날 여행지인 전주에서 합류하기로 했다. 지금은 세상이 아주 좋아져서 지금은 서울에서 고속 열차 타면 부산까지 2시간 40분이면 갈 수 있는 하루권 시대가 되었다. 지연이와 친구들은 서울 용산역에서 기차를 탔다. 일반 기차로 서울에서 전주까지 3시간이 소요되었다.

일반 열차를 타고 갔다. 일반 열차에서 느낄 수 있는 것들이 생각보다 많았다. 속도는 느리지만, 그 안에서 단팥빵과 우유 등 간식을 구입해서 포장을 뜯어 먹으며 옹기종기 모여 그동안 하지 못했던 이야기들을 나눌 수 있는 시간이 있었다. 어디 지나고 있는지 실시간으로 구글 지도를 통해 확인할 수 있었다.

어느새 충청도를 지나고 있었다. 눈이 조금씩 오고 있었다. 처음은 조금씩 휘날렸다. 그러나 이것은 밑으로 내려갈수록 더 내려갈수록 동심에 젖는 눈으로 변경되었다. 펑펑 내렸다. 지연이와 친구는 이 모습을 보고서 덩달아 신이 났다. 마치 영화 겨울왕국을 보는 것인 마냥 그렇게 느껴졌다. 3시간이 금방 지나갔다. 길면 긴 시간이었다. 짧으면 짧은 시간이었다. 열차에서 안내방송이 흘러나왔다.

"열차가 곧 전주역에 도착하오니 내릴 승객들은 준비하기 바랍니다."
지연이와 친구 J는 가방을 챙겼다. 객실 문을 열고 출입구로 나왔다. 하차 준비를 했다. 열차는 승강장 안으로 들어왔다. 이윽고 멈췄다. 전주역에서 내릴 사람들은 모두 나와서 문이 열리기를 기다리고 있었다. 문이 열렸다. 순수를 지키며 열차에서 내렸다. 지연이와 친구 J도 전주역에 내렸다. 드디어 전주 땅을 밟았다. 그들의 두 발로. 역 밖으로 나갔다. 겨울철 전주가 펼쳐졌다. 역은 한옥으로 되어있었다. 그들은 전주역을 지나는 버스를 타고 시내로, 한옥마을로 들어갔다. 그들에게 전주는 처음이었다.

전주 한옥마을에서 내린 이들은 입구에 있는 전동성당을 탐방으로 일정을 본격적으로 시작했다. 이곳은 역사가 오래된 만큼 사람들이 많이 오는 장소이기도 하다. 내부를 보려는 사람들이 있다. 그러나 미사를 보는 시간이라면 이곳에 등록된 신자들을 제외한 나머지 사람들은 내부로 입장이 통제되는 만큼, 시간을 잘 보고 그곳에 가야한다.

이런 일들이 너무 빈번하게 벌어지다보니 성당으로 들어가는 정문에는 전담해서 관리하는 경비 요원들이 배치되어 이 상황을 관리하고, 미사보는 시간에 내부로 들어가려는 사람들을 못 들어가도록 제기시켰다. 주일에 성당을 탐방하러 오는 것을 추천하지 않는다. 주일은 하루종일 미사를 보기 때문이다.

교회 다니는 사람이라면 쉽게 이해할 수 있다. 내부를 보는 것이 굉장히 힘든 만큼, 지연이와 J는 주변을 충분히 돌아보고서 한옥마을을 돌아보기 시작했다. 생각보다 규모가 컸다. 규모는 전국에서도 손꼽히는 곳인 만큼 그 안에서 볼거리도 충분했다. 판매하는 상품과 기념품, 먹을거리도 풍부했다. 사진도 많이 찍었다. 그들이 간 곳은 오목대였다. 전망 하나는 끝나주는 곳이다. 그곳에서 한옥마을 전경을 찍었다. 지연이는 이곳에서 작품 사진 뺨치는 사진들을 찍었다. 많은 사진을 찍었다. 나중에 찍은 사진이 너무 많아졌다. 100장이 넘어갔다. 용량이 커져서 여행을 마친 이후 컴퓨터에 따로 백업을 해두었다.

...

늦은 오후가 되었다. 한겨울이라 해는 평소보다 빨리 저물어갔다. 4시가 넘었다. 해는 뉘엿뉘엿 저물어가고 있었다. 눈은 점심 무렵부터 내리기 시작하더니 하루종일 내리고 있었다. 근처 스타벅스로 들어왔다. 지치고 추위에 떨려있는 몸을 녹이기 위해서다. 휴식을 취하러 들어왔다. 마침 지연이에게 이곳에서 음료 한잔을 무료로 먹을 수 있는 무료 음료 쿠폰이 있어서 J와 의논한 끝에 같이 먹을 음료를 시켰다.

사이즈도 큰 것으로 바꾸었다. 기본으로 레시피 위에 커스텀도 추가했다. 그들의 취향이 반영된 것이다. 그러다 보니 지연이가 내야 할 돈 약 7천원을 아낀 셈이다. 경비를 한 푼이라도 아껴야 하는 상황에서 이런 것은 감사할 일이었다. 피곤한 터라 앉아서 잠시 졸기도 했다.

저녁은 인근에서 간단하게 했다. 분식이든 비빔밥이든 각자 원하는 음식을 시켜서 먹었다. 그러니 어느새 9시가 되었다. 다시 전주역으로 갔다. 그러나 이미 많이 내린 눈으로 지연이와 J가 타기로 한 열차가 예정 시각보다 30분 지연되었다. 눈이 많이 오면 어쩔 수 없었다. 급하게 가는 것보다 안전이 우선이니까. 전주역 대합실에서 한참을 기다렸다. 추위와 눈을 피해 실내에서 기다린 것이다.

그나마 다행인 것은 있었다. 바로 오늘 밤에 합류하기로 한 S의 근황이었다. 어린이집 교사 실습 이후 잠시 문제가 생겼던 것을 모두 해결하고 바로 합류했다. 그런데 30분 지연되어서 지연이와 J가 타려는 열차에 타고 있다는 소식을 들은 것이다. 지연이가 걱정스러워서 S에게 전화해서 물어본 것이었다.

"여보세요"

지연이가 전화했다.

"어~"

지연이의 폰으로 S의 목소리가 들렸다.

"어디야?"

"나 지금 지에 전주역 가고 있어"

"우리 지금 전주역에서 기다리고 있어. 우리 지금 네가 타고 있는 같은 열차 탈 것 같아"

"아 진짜?"

"응"

"열차가 30분 지연되어서 전주역에서 계속 기다리고 있었거든. 옆에 J도 같이 있어."

"그래? J는?"

"어! S야! 나야!"

지연이가 전화 중인 자신의 폰을 J에게 바꾸어주었다.

"밥은?"

"우리 근처에서 지연이랑 같이 저녁 먹었어!"

"우리 만나고 싶다!"

"그러게! 근데 어린이집 실습 관련해서 문제 생긴 거 잘 해결됐어?"

"응. 잘 해결되었어! 이제 걱정 안 해도 돼!"

"다행이다!"

"그러니까. 정말 다행이야!"

"지금 너 어디에 앉아 있어? 우리 이제 곧 타!"

"진짜? 나 지금 자유석 칸에 앉아 있어!"

"그래? 우리 올라왔어! 근데 자유석이면 어디더라??"

"뒤쪽으로 오면 돼!"

그들은 서로를 만나기 위해 한참을 통화했다. 전화는 끊지 않았다. 지연이와 J는 한참을 찾았다. 한참이 지났다. 자유석으로 들어왔다. 마침내 S를 찾았다. 오랜만에 S를 만난 터라 매우 반가웠다.

또한, 여행 출발하기 직전에 문제 생겼던 것도 모두 깔끔하게 해결되어서 지연이와 J는 자기 일인 것처럼 너무 기뻐해 주었다. 전주에서 다음 여행지인 순천까지는 1시간이 걸렸다. 멀지 않은 거리였다. 순천은 남해 바다로 갈수록 시골이었다.

일부는 수도권 못지않은 도시였으나 전국에서 알아주는 명소가 많기에 어쩔 수 없었다. 그들은 늦은 밤인 자정 무렵에 순천에 도착했다. 바로 일정을 소화할 수 없는 시간이었다. 버스도 끊겨 있었기 때문이다. 역 근처에 있는 24시 찜질방으로 바로 들어갔다. 자러 가기 위해서다.

밤 10시 이후부터 이른 아침 7시경까지 미성년자는 출입 금지 시간이었다. 오직 성인만 출입할 수 있기 때문에 신분증 검사가 철저하게 이루어졌다. 지연이와 친구 J와 S도 직원의 안내와 신분증 확인하는 요구에 따라 그들의 신분증을 직원에게 보여주어서 성인임을 증명했다. 이후 여행 지역인 여수, 경주, 부산에서도 똑같았다. 전국 어디서나 똑같이 그렇게 했다. 정부 지침이기 때문에 어쩔 수 없었다.

순천은 낙안읍성과 순천만 국가정원 탐방과 함께 순천만 습지에서 언덕 정상에 있는 전망대에 올라 썰물 장면과 해가 저물어서 노을지는 장면을 보는 것만큼은 꼭 보는 것이 중요하다. 이 장면을 보기 위해 전국구에서 여행객과 수많은 사진 작가들이 심지어 언론사의 기자들이 자신의 카메라에 담기 위해 찾아온다.

...

5일 동안 기차로 전국 일주 여행의 중반부를 넘어섰다. 어느덧 4일차로 넘어가고 있는 시점이었다. 3일 차 밤이었다. 여수에서 모든 일정을 마무리하고 초저녁에 다른 지역으로 가는 시외버스 터미널로 갔다.

날이 저물고 거의 저녁 되어서 마침내 경주로 가는 버스를 탔다. 지연이와 친구들은 우등고속버스 안이었다. 여수에서 경주로 가는 버스였다. 여수까지는 기차로 충분히 갈 수 있지만, 여수에서 경주로 갈 때는 기차 편이 하나도 없었다. 직통이나 환승 편도 없었다.

이곳에서 생활 터전을 이루고 살아가고 있는 사람들도 경주로 갈 때는 기차가 없어서 버스로 간다는 말을 들었기 때문이었다. 특히 경주로 가는 막차 시간이 상당히 일렀다. 최대한 맞춰서 경주로 넘어갔다.

저녁 먹는 것은 경주에 가서 먹기로 했다. 경주까지는 상당한 시간이 걸렸기 때문이었다. 이동하는 동안 버스 안에서 모두가 잠들었다. 지연이는 홀로 잠에서 깨어서 창문을 통해 밤하늘을 쳐다보았다. 경주로 가는 유독 겨울 밤하늘은 아름다웠다. 경주도 마찬가지였다.

신라 천년의 세계는 어떠했을지 지연이 홀로 상상했다. 초등학교 6학년 10월 늦가을, 2박 3일 동안 수학여행으로 경주에 왔던 이후 처음으로 오는 곳이기도 했다. 너무 오랜만에, 약 9년 만에 다시 경주에 오는 것이라 기대도 되었지만, 한편으로는 다른 기억들도 떠올랐다. 당시 자신의 너무도 아프고 아팠던, 그 겨울, 찬 바람이 불어와 얼굴이 시려웠던, 빙하기와 같았던, 10대 초반, 사람 사이에서 깊은 상처 받고 힘들고 어둠의 시간이 너무 생생하게 떠올랐다.

그 당시 자신이 극단적인 선택을 했더라면, 지금 이 순간의 자유를 만끽할 수도 없었으며, 자신에게 왔던 최고의 순간도 겪어보지 못했을 것이며, 지금 이 시간을 소중한 친구와 함께 행복한 시간을 보내며 지금 이렇게 함께 여행을 갈 수 없다는 것에 너무 소스라치게 놀랐다.

심한 우울증과 슬럼프와 정말 아무것도 하기 싫은 무기력증이 지연이 자신을 집요하게 괴롭혀 왔었다. 지연이의 일상은 견딜 수 없을 정도였다. '사람으로서 이 상황을 과연 버틸 수 있을까?' 하는 의문점이 들기도 했던 학교 폭력 피해자로서의 극단적인 삶을 살아왔다. 자신의 의사를 제대로 말하기 어려웠던 너무도 소심한 성격과 실패자인 줄로 낙인이 찍힌 채 살아왔었다.

그것을 참아내고, 견디며 지금은 이렇지만 성공한 모습을 그들에게 보여주리라는 다짐을 하면서 뼈를 갈며 중학교와 고등학교, 대학교 학부생과정을 모두 마쳤다. 시간이 지나고서, 지연이는 하나님을 제대로 만난 이후 그때 자신을 힘들게 해왔던 모든 이들을 용서했다. 모든 것을 내려놓았다. 이제 더이상 지연이는 그들이 현재 어떻게 살아가고 있는지 그것에는 전혀 상관하지 않았다.

이제 더이상 그것과 과거에 얽매여서 살아갈 필요도 없었다. 이유도 없었다. 그들이 지연이의 인생을 더이상 대신해서 살아주는 것도 아니었기 때문이었다. 그들은 그들의 인생을 살아갈 뿐이다.

경주는 버스 정거장 한 곳에서 내린 뒤로 볼거리가 정말 많았다. 지붕 없는 박물관 같았다. 경주는 조금만 땅을 파도 역사 유적지나 신라 시대에 만들어진 수많은 유물들이 밖으로 출토된다는 말이 괜히 나온 것이 아니였다. 만들어진 지 1,000년이 훨씬 지난 지금까지도 견고하게 유지되고 있는 첨성대만 봐도 그렇다.

어떻게 지금까지 변형된 것 없이 유지해왔는지 신기해했다. 첨성대를 보았다면 인근에 위치한 월정대와 동궁과 월지(안압지)도 보았다. 이곳은 야간이 더 아름답기로 장평이 나 있는 곳이다. 하지만, 지연이와 일행은 마지막 일정을 위해 다음에 보기로 하고, 저녁에 경주역으로 갔다.

마지막 여정은 부산이었다. 경주역에서 기차를 탑승했다. 역에 도착한 시간에서 가장 가까운 출발하는 시간에 맞춰서 탑승했다. 바로 가지는 않았다. 직통 열차가 없었다. 동대구에서 한차례 환승하여 부산으로 내려갔다. 환승하는데 시간이 남아 있어서 그곳에서 나무 꼬챙이에 꽂혀 있는 잘 익은 오뎅 1인당 2개와 오뎅 국물을 먹었다. 매우 출출했었다.

부산은 대도시답게, 국내 제2의 도시답게 사람도 볼거리도 많았다. 하루로는 모든 곳을 탐방하기에는 너무도 역부족이었다. 최소한 2일 이상은 현지에 있어야 중요한 지역을 다 볼 수 있을 정도다. 마침내 밤에 도착했다. 그들이 가장 먼저 간 곳은 광안리 앞바다였다. 광안대교가 펼쳐졌다. 야경이 너무도 아름다웠다. 경주에서 보았던 야경과는 다른 느낌이었다.

차이를 느꼈다. 경주에서는 옛 신라 시대로 돌아가서 당시 시대를 살아가는 현지인이 되어 밤길을 산책하는 기분이 들었다면, 이곳 부산에서는 다이나믹한 밤이었다. 변화무쌍했다.

　광안리 앞바다의 해변 앞에는 카페들과 횟집들이 많아서 늦은 시간까지 불이 켜져 있었다. 해변에서는 늦은 시간까지 자신의 악기로 버스킹하는 사람들이 있었다. 자신의 갈고 닦은 노래 실력을 뽐내는 사람들도 있었다. 물론 근처 편의점 등 매장에서 폭죽을 사 들고 와서 이곳에서 폭죽을 터트리기도 했다. 폭죽 터트리는 소리가 들려왔다.
　지연이와 친구들은 출출한 배를 달래기 위해 인근 치킨을 먹으러 음식점으로 들어갔다. 저녁 먹을 시간이 훌쩍 지났지만 늦게나마 먹기 위해서 간 것이다. 주문하자마자 바로 조리되어 나온 음식인 만큼 너무도 맛있었다. 식어있는 상태에서 먹는 것과는 전혀 비교도 안 되었다. 시킨 지 얼마 되지 않아서 치킨은 순식간에 사라졌다.
　광안대교와 바다가 보이는 찜질방으로 들어갔다. 사물함에 각자의 짐을 넣어두고 옷을 갈아입은 뒤, 그들은 입장할 수 있었다. 그곳은 그동안 자신들이 갔던 곳보다 가장 전망이 좋고, 시설도 훌륭했다. 그동안 묵었던 것을 샤워를 통해 모두 씻었다. 이런 곳에서는 밤 세우기 딱 좋은 시간이었다. 먹거리가 있었다. 사람들 손에는 다양한 종류의 먹을거리가 한가득 들여있었다.
　매점에서 다양한 먹을거리를 판매하고 있었다. 그곳에서 지연이와 J와 S는 식혜와 맥반석 계란, 그리고 과자 2봉지를 사 들고 옹기종기 모여 앉았다. 그동안 학교에서 있었던 이야기들, 하지 못한 이야기들과 좋아하는 연예인 등 수많은 이야기가 오고 갔다. 새벽 시간이 되었다. 새벽 3시가 넘은 시각이었다. 서울에서는 조금 뒤면 첫차가 운행될 시간이었다. 늦게까지 실컷 이야기하고 4시쯤 되어서야 잠들었다.
　실내지만, 보일러를 꺼버려서 추운 기운에 지연이는 잠에서 먼저 깼다. 3명 중에서 가장 먼저 깬 사람은 지연이었다. 지연이는 잠자리가 바뀌면 잠을 잘 자지 못하는, 조금이라도 불편하면 깊게 잠들지 못하고 밤잠 설치는 성격이었다. 아직 다들 자고 있었다. 지연이는 심심해서 일출 장면을 찍었다. 그것을 우연히 발견한 것이다.

아침 10시가 되어서야 밖으로 나왔다. 그들은 마지막 여정을 시작했다. 부산에서의 마지막 여정이었다. 전국 일주의 마지막이었다. 이제 마지막이라는 것에 모두 아쉬워했다. 그래도 마지막을 즐겼다. 태종대에서의 낮시간을, 점심을 했다. 그곳에서 동해와 남해가 만나는 장면을 자연이 만든 것을 구경했다. 추억을 남기기 위해 엽기적인 행동을 마다하지 않았다. 서로 간의 아름다운 추억을 남기기 위해 사진도 정말 많이 찍었다.

다음은 국제시장과 깡통시장이었다. 그곳에서 판매하는 수많은 물건들을 구경하며, 영화 국제시장의 녹화장소인 '꽃분이네'매장을 직접 볼 수 있었다. 그곳에서 여러 간식거리를 먹을 수 있었다. 길거리 포장마차에서 먹는 떡볶이는 꿀맛이었다. 오후 6시 반에 그들은 올라갔다. 고속 열차를 타면 비용을 더 내야하기 때문에 돈으로 부담이 되기 싫어서 할 수 없이 일반 열차를 타게 되었다. 좌석지정으로 약 2번정도는 추가비용을 내지 않아도 되는 상황이었기 때문이었다.

서울역까지 꼬박 6시간이 소요되었다. 부산역에서 오후 6시 25분에 출발했다. 자정이 다되어 서울역에 도착했다. 지연이와 그들은 늦은 밤에, 혹은 다음 날 아침이 되어서야 각자의 집으로 들어갈 수 있었다. 모든 일정은 끝이 났다. 지연이는 며칠 후 총 소요 되었던 여행경비를 정산한 결과, 4박 5일동안 차비와 식비, 숙박비와 각 지역 주요 명소 입장료, 경주빵 등 다양한 기념품 살 돈까지 총 30만원으로 잘 다녀올 수 있던 것에 정말 감사했다.

...

추후 지연이는 다시 지연이 혼자 부산으로 3일을 여행 갔었다. 직장에 인턴을 들어가서 1달 동안 계약하고 그 기간동안 일을 하고 받은 돈으로 모든 여행경비를 마련하여 떠났다. 그때 당시 주로 일반 열차를 타고 갔다면 이번은 고속 열차로 갔다. 친구들과 같이 가는 여행은 나름대로 장점이 있지만, 단점도 분명 있다. 다만, 혼자서 가는 여행도 매력이 있다. 여자 혼자서 가는 여행은 조심해야 하는 것들이 어떤 상황보다도 많다.

가장 먼저 숙박이다. 친구와 함께 여럿이서 같이 가는 것이라면, 찜질방에서 자는 것이 가능하지만, 혼자서 가는 것이라면 안전을 위해 돈을 더 내고서 괜찮은 호텔의 객실을 잡고 그곳에서 머무는 것이 훨씬 더 나았다. 현지에서 일정을 소화 중 자신의 페이스를 잘 조절하여 쉬어야 할 때 쉴 수 있다. 돈은 언제든 충분히 벌 수 있지만, 돈을 아끼려고 아무 곳에 가서 함부로 잠자리를 잡다가 자칫 돌이킬 수 없는 상황으로 가는 것은 정말 아니다. 여자 혼자서 여행 가는 것은 처음 시도하는 것이 정말 어려울 뿐, 처음을 잘 해내면 이후는 쉽다.

...

회사 생활을 오래 하면서 한달에 한번 꼴로 부산은 밥 먹듯이 가고, 제주도는 2~3달에 한번 꼴로 자주 갔던 지연이는 이제 국내는 지겨웠다. 이제 그녀의 시선은 더이상 국내에 맞춰져 있지 않았다. 며칠 출장이거나 혹은 당일로 하여 틈틈이 전국을 다녔다. 전국 방방곡곡 다니며 직접 보고 배운 것들은 상당했다.

지연이에게 전국을 다니는 것이 이제는 식은 죽 먹기였다. 이제는 해외에 나가고 싶었다. 하지만 현실이 그러지 못한 것에 속상했다. 사회생활을 일찍 시작한 지연이는 회사 다니는 것과 돈을 버는 것, 그런 바쁜 일상에 치우쳐서 외국에 나갈 시간이 거의 없었던 것이었다.

자신의 지인들이 SNS에 해외에 가서 찍은 사진들을 올리는 모습을 모면 지연이는 오히려 그 모습을 부러워하기도 했다. 조금 더 이른 나이에 외국을 나가면 시야가 더 넓어지는 것인데, 그만큼 보고 배우는 것과 직접 보는 것이 많아지는 만큼, 견문이 더 넓어지는데, 다양한 외국인 친구를 사귈 수 있는 기회가 더 많아지는 것 등 많은 부분에서 아쉬워했었다.

지연이는 자신이 우물 안 개구리가 되기는 싫었다. 유교적인 환경이 장점도 있지만, 단점도 많다. 성인이 되면 이제 본격적으로 자신의 인생은 자신이 스스로 주인이 되어 살아가는 것인데 온실 안 화초로 자란 사람들이, 지나친 부모님의 통제와 간섭으로 스스로 할 수 있는 것이 많이 없어서 남에게 의존적인 사람들이 주변에 꽤 볼 수 있다.

자신에게 어떠한 커다란 일이 있을지는 지연이 본인조차 전혀 모르고 있었다. 오늘을 살아가면 지연이도 어떤 일이 있었는지 자신도 잘 알게 되고, 자신의 것으로 되고, 수많은 시간이 차곡차곡 쌓여 삶의 지혜로 변한다. 당장 1시간 뒤에 벌어질 일도, 내일 새벽이 되면 어떤 일이 벌어질지 자신의 인생을 살아가는 당사자인 지연이도 그 누구도 잘 알고 있는 사람은 단 한 명도 없다.

지연이는 지금 초라한 자신을 전혀 한탄하지 않았다. 오히려 이 시기가 많은 시간이 지나서 다시 회상해 보았을 때 행복하고, 가장 찬란했던 시간이라고 회상하는 시간일 것이다.

그때는 다시 돌아올 수 없는 시간이기 때문이다. 지치더라도, 경험 부족과 자신의 작은 그릇 때문에 과부하에 걸려서 성장이 더딜지라도 절대 후퇴나 포기는 절대 없다. 처음은 누구나 자신의 부족함이 있을 수 있다. 처음은 그럴 수 있다. 자신에게 풍부한 경험이 있다면 처음부터 이런 현상들이 있겠나.

본격적으로 지연이는 자신만의 사업을 준비하기 위해 간절하게 기도를 시작하며 알아보기 시작했다. 자신이 하려는 분야와 관련된 정보들을 샅샅이 찾아 모두 수집했다. 어떤 분야로 시작하는지, 어떻게 하는지 방법을 물색하였다. 관련 분야의 전문가를 찾아가 자문을 모두 구하러 다니기도 했다. 회사에서 번 돈으로 필요한 자금을 모으기 시작했다.

해외 진출을 위해서면 기초 베이스를 제대로 준비하여 탄탄한 기본기를 준비하기 시작했다. 실천으로 옮겼다. 그녀의 오랜 꿈을 실천하려면 처음은 부족하더라도 행동으로 옮기는 것이 가장 중요했다. 그렇게 해야만, 동분서주해야만, 분주하면서도 침착하게, 때로는 가장 치열한 삶을 살아가는 것이 가능했다.

주중은 그렇게 보내면서도 주중 새벽은 출근하기 전에 새벽 기도하러 일찍 교회로 간다. 저녁에 예배가 있는 날은 업무를 일찍 종료하고 퇴근했다. 예배와 기도를 사수하기 위해서나. 여기에 주말은 회사에서 아예 자신의 일을 하지 않았다.

토요일을 온전히 주일 준비와 최상의 모습으로 주일을 지키기 위해, 지연이 자신의 믿음을 지키기 위해서 직장 다닌 시절부터, 아니, 한창 연단 받고 있었던 초라했던 시절부터 오랫동안 지켜온 신조였다. 새벽에는 늘 1시간 이상 기도를 했다. 단 하루라도 기도하지 않으면 지연이의 일상에서 벌어지는 모든 일, 회사 일과 교회에서 감당하는 모든 일들을 감당하기 어렵다.

주님,
부디 성령만큼은 저에게서 떠나가지 마옵소서. 저를 받아주옵소서.
아버지. 저를 주님의 자녀로 받아주시옵소서. 늘 성령에 충만한
자가 되고 싶습니다. 항상 주님을 모시고 일상을 살아가는 자가, 늘
주님과 동행하는 사람이 되게 하옵소서.
성령이 동행하는 사람이 되게 하여 주시옵소서.

큰 산아, 네가 무엇이냐? 스룹바벨 앞에서 평지가 되리라.
주님 앞에서 평지가 되리라. 제 앞에 직면해 있는 사업 관련 문제,
물질 문제 등 이 모든 큰 문제, 큰 산이 모두 주님의 힘으로,
주님의 이름으로 평지가 될지어다. 평지가 되리라. 저에게 큰
믿음을 주옵소서. 반석 같은 큰 믿음을 허락해주소서.

지금 더럽고 추한 모습으로 두 손 들고 하나님 앞에 나와
자복하면서 기도합니다. 하나님, 그동안 제가 알고 지은 죄와
모르고 지은 모든 죄를 용서하여주시옵소서. 하나님, 예수의 보혈로
저의 큰 문제를, 저의 모든 죄를 깨끗이 씻어주심에, 용서해주심에,
고쳐주시고, 회복시켜주심에 감사합니다.

전 세계를 끌고 가는 세계적인 CEO가 되게 하여 주시옵소서.
유능하고, 제일가는 영어 통역사가 되겠습니다. 이전에 없었던
새로운 역사를 써 내려가는 유능한 큰 리더가 꼭 되겠습니다.
하나님, 부디 허락하여주세요. 역사하여주세요.

전 세계를 돌며 하나님의 복음 전하는 자가 되겠습니다. 하나님의
영광을 위해 사명을 가지고 더 열정을 다해 뛰는 자가 되겠습니다.
아버지 하나님, 하나님의 은혜를 비춰주시고, 하나님의 얼굴을
비춰주시옵소서. 진정한 하나님의 사람이 되게 하여 주시옵소서.

지금은 여유가 없어서 하나님께 물질을 많이 드리지 못하는
초라한 상황이지만, 저 여기서 끝나고 싶지 않아요. 재벌이 되어,

물질의 청지기가 되어 그 어떠한 사람보다도, 하나님께 가장 많은 물질을 심는 자가 되고 싶어요.

비행기 비즈니스석을 시내버스 타듯이 전 세계를 돌 때, 서울에 다녀오는 차비 수준으로, 하나님의 나라를 위해서, 복음을 세계만방에 전하기 위해서 마음껏 감당할 수 있는 축복을, 큰 영권과 인권과 건강의 복을 허락하여주세요.

국내의 수많은 집회와 전 세계를 다니시며 복음 전하는 귀한 사자, 스승님의 건강 상하지 않도록, 성대를 철통처럼, 불꽃 같은 눈동자처럼 주님의 보혈로 지켜주시옵소서. 또 저의 성대가 상하지 않도록 지켜주세요.

북한에 200교회 이상 성전 건축과 봉헌까지 거뜬히 해낼 수 있는 자가, 제가 뽑은 함경남도 5개 지구에 가장 훌륭하고, 가장 아름답게 건설하고 봉헌한 성전과 북한 전역에 하나님의 복음이 들어가고, 복음으로 통일되고, 그곳의 예수 안 믿는 자가 모두 예수 믿어 천국 백성 되게 하여 주시고, 예배를 드리고, 주님을 찬송하고, 그곳에서 여리고 40일 기도회를 하고, 우리에게 보여주셨던 모든 기적과 행했던 모든 역사를 그곳에서도 동일한 역사를 나타나게 하여 주시옵소서.

그럼에도 불구하고, 그리 아니하실지라도 오직 주님 한 분만 있으면 됩니다. 언제 어디서나 주님과 동행하심에 늘 저는 행복합니다.

지연이는 기도를 계속해나갔다. 시간이 가는 줄 전혀 몰랐다. 5분이 지난 줄 알고 시계를 보면 30분이 훌쩍 지나있었다. 혹은 15분 지난줄 알고 보면 40분, 1시간씩 지나있었다. 그래도 전혀 지치지 않았다. 40일동안 이어지는 여리고 기간에는 더욱 기도하는 것을 즐기는 사람이 된다. 몸에는 땀이 흠뻑 젖어있었지만, 오히려 더 하고 싶었다. 그것이 사실이었다. 거짓말이 아니었다.

...

며칠이 지났다. 겨울은 가고 봄기운이 만연한 4월이었다. 정신 차리고 보니 시간이 그렇게 지나가 있었다. 지연이는 인천국제공항 2터미널에 있었다. 세련된 옷차림이었다. 그녀의 한 손에는 커다란 케리어가 있었다. 지연이의 허리쯤에 오는 26인치 큰 사이즈였다.

그 위에는 케리어에 걸어둘 수 있는 보조 가방이 놓여있었다. 그 안에는 응급 약품 상자가 들어있었다. 현지에서 만일에 있을 부상을 대비하기 위해서다. 지연이의 등에는 가방을 메고 있었다. 가방 안에는 자신의 스케줄과 메모를 할 수 있는 몰스킨에서 나온 올해 연도 수첩과 간단한 필기도구, 보조 배터리, 노트북이 들어있었다.

지연이는 자신이 서 있는 곳에서 가장 가까운 곳에 있는 자신의 캐리어를 싣는 수레를 찾아와서 그곳에 한 번에 실었다. 자신이 오늘 탑승할 항공사 카운터에서 수하물로 짐을 부치기 전까지 그렇게 실어두고 다녔다. 그것이 더 편리했다. 무거운 짐을 손에 들고서 필요 없는 힘을 들일 필요 없었다. 지연이는 오랫동안 품고 있었던 자신의 꿈이 이제 막 시작되는 순간에 너무 설레어서 전날 밤을 제대로 자지 못했다.

다른 사람들은 대학교에서 교환학생으로, 학기 중에는 아르바이트해서 번 돈을 모아서 방학에 유럽 배낭여행이나 미국으로, 혹은 대학원을 해외 학교로 합격해서 유학하기 위해 이른 시기에 해외를 나가서 두 눈으로 해외 각 나라의 문화를 직접 보고, 배우는 등 많은 것을 경험하지만, 지연이는 늦은 시기에 처음으로 외국에 출국하는 것이기 때문이다.

대학교를 2년만에 모두 마치자마자 취업 준비생 시기를 거쳐 바로 직장에 취업하여 돈을 벌어야 하는 상황에 있어서 외국에 다녀오는 것은 전혀 생각할 수 없었다. 게다가 지연이의 집안 환경이 다른 사람들처럼 부유하지 않았다. 게다가 부모님도 일찍 세상을 떠나서 먹고 살기 위해, 지연이 자신의 생활비를 마련하기 위해, 급급했다. 돈이 없어서 때로는 신문사에 들어가서 신문 배달하는 신문 배달원으로, 독서실 총무로 처음 2년은 독서실 내부에 있는 쪽방에서 지내며 무보수로 살았을 시절도 있었다.

그 시절은 먼 훗날 다시 돌아봐도 전혀 후회하지 않을 정도로 치열하게 살았다. 그런 만큼 해외여행을 할 수 있는 시간이 전혀 나지 않았다. 지연이는 그런 자신이 늦었다고 생각하고 있었다. 남들에게는 티를 내지 않지만, 지연이 나름대로 자신의 내면에 걱정도 있었다. 그에게 감정도 복합으로 들어왔다.

지연이와 함께하는 일행은 자신의 짐을 수하물로 맡긴 후, 시간을 보고서 보안 검색하러 격리 공간으로 들어갔다. 그곳에서 보안 직원들이 가장 먼저 각자의 항공편 탑승권과 여권을 확인했다. 여권에 있는 자신의 한글 이름과 영문 이름이 탑승권에도 모두 일치하는지, 유효기간이 6개월 이상 충분히 남아 있는지 확인하는 것이다.

만일 6개월 미만으로 남아 있다면 상황에 따라 불허될 수 있는 등 불이익이 있기 때문이다. 이후 기내에 가지고 탑승하는 짐의 X-ray 검사 등 출국하기 위해 필수적인 절차를 밟았다. 국내선 탑승 절차보다 훨씬 길고 복잡했다. 족히 2배는 걸렸다. 출국 대기 공간에서 비행기 타는 시간을 기다렸다. 탑승 시간을 기다리면서 지연이는 긴장이 되었다. 긴장보다는 오히려 들뜨고 매우 설레었다.

그들의 최종 목적지는 미국 뉴욕이다. 인천국제공항에서 미국 뉴욕 JFK 국제공항까지 비행시간은 14시간 30분이다. 장거리 비행이다. 마침내 항공기에 탑승 시간이 되었다. 그들은 표를 다시 지상직 직원에게 보여주고 통로를 따라서 안으로 들어갔다. 뉴욕으로 가고 다시 돌아올 때 이용할 왕복 항공편은 대한항공이다. 지연이는 자신이 미리 사전에 예약해놓은 좌석을 찾아서 앉았다.

한참이 지났을까. 지연이가 타고 있는 비행기는 활주로로 갔다. 관제탑에서 출발 사인을 기다리고 있었다. 출발했다. 엄청난 속도를 내며 활주로를 따라가며 기장은 기수를 들어 올렸다. 이륙이다. 고도는 높아졌다. 계속해서. 국제선 장거리 비행 시 보통 성층권이 있는 상공 10km 전후로 안정적인 상공에서 비행한다. 지연이는 정상궤도에 올랐다는 안내방송을 들은 이후 창문을 통해 하늘을 보았다. 파란 하늘이 지연이의 설레고도 들떠있는 마음을, 굉장히 긴장되어있는 마음을, 한 켠으로 두렵고 떨리는 마음을 추스르는데 한몫했다.

 세계로 시선을 돌려 더 넓은 세상을 보고 배우며, 더 큰 인물이 되겠다는, 세계적인 인물이 되겠다는 소망을, 하나님의 나라를 위한, 하늘에 소망이 있는, 복음을 전하는 것에 자신도 이바지하겠다는 진정한 하나님의 사람이 세계적인 CEO가 되겠다는 큰 꿈을 실천하기 위한 첫걸음이 이제 막 시작했다. 지연이는 생각나는 자신의 수많은 생각을 자신만이 잘 볼 수 있는 종이에 썼다. 자신의 다짐도 그 안에 포함되어있었다.

하나님, 보고 계시나요?

지금 저는 미국 뉴욕으로 출국 길입니다. 이제 제가 타고 있는 비행기는 인천공항을 떠나 대한민국 영공을, 일본 영공을 완전히 벗어나 지금은 태평양 상공을 지나고 있어요.

오랜 시간 동안 간직해왔던 저의 꿈을 위해 첫걸음을 시작하는 첫 여정, 첫 해외 여정입니다. 현지에 도착하는 순간부터 10일 동안 미국 뉴욕에서 지내게 됩니다. 길면 길고, 짧으면 짧은 시간입니다.

그곳에서도 저는 하나님의 영광을 위해서 계속 뛰려 합니다. 이름만 들으면 누구나 다 아는 큰 기업을 이끌어가는, 세계인들도 알고 있는 회사를 끌고 가는 세계적인 CEO가 되기 위해서라면 더 탄탄한 기본기부터, 더 심화 된 것을, 제가 꼭 배워야 할 내용들을 모두 배우기 위해 미국 뉴욕으로 가는 것이지만, 막상 현지에 도착하게 되면 어떤 것부터 시작해야 할지 모르겠어요. 미국에 머무는 동안 아무런 문제 없이 잘 해낼 수 있을지 두려워요.

당사자인 저도 막막합니다. 두렵기도 합니다. 영어는 충분히 곧 잘할 수 있지만, 막상 미국 현지 문화는 처음이라 잘 모르는데 과연 제가 잘 적응할 수 있을지 긴장됩니다. 기내에서 하나님께 기도합니다. 저에게 주시는 하나님의 뜻을 구하고자 합니다. 아직 너무도 부족한 저에게 담대함을 허락하여주세요. 잘 해낼 수 있는 용기를 주세요.

'내게 능력 주시는 자 안에서 모든 것을 할 수 있다'고 하셨잖아요.
미국에서도, 미국에서 모든 일정을 마치고 다시 한국으로 돌아가는 순간까지 주님, 저와 함께 동행해주세요.

미국 뉴욕으로 가는 비행기 안에서.
주님의 소중한 딸,
지연 드림.

모든 것이 처음이었다. 당사자인 지연이도 떨렸다. 비행기는 계속해서 미국으로 가기 위해 밤에도 계속 비행 중이었다. 비행기에서 보는 밤하늘은 정말 아름다웠다. 지연이가 타고 있는 비행기는 넓은 태평양을 횡단하고 있었다. 지연이는 창문을 내다보았다. 바닥은 광활한 태평양 바다와 구름이 아름답게 수 놓여 있었다.

비행기보다 더 높은 상공은 어두운 밤하늘이었다. 어느새 한국을 떠난지 오랜 시간이, 적어도 12시간 이상 지났다. 지연이가 탑승한 항공기는 어느새 미국 영공으로 들어왔다. 그때였다. 기장의 기내방송이 들려왔다. 국어가 먼저 나가고, 영어와 함께 들려왔다.

"Ladies and Gentlemen, we will soon approaching John F. Kenndy International airport. Please put your carry-on items in the Overhead bins or under the seat in front you and open your window shades.

If you're still using your headphones, you may continue to do. We'll collect to application for duty-free items at magazine. Please leave your headphones in your pocket before you leave the aircraft. Thank you"

미국으로 가는 출국길, 기내에서 면세점 쇼핑을 한 사람도 있는 모양이다. 기내에 있는 잡지를 보고 물건 구매를 원하는 사람들은 신청서를 써서 승무원들에게 전해달라는 안내하는 것으로 보아하니. 지연이는 착륙하기 위해 준비하는 승무원의 협조 사항에 응하여 편하게 있던 자세를 바로 앉았다. 현지인 뉴욕은 한국과 14시간 시차가 있다.

까다롭기로 소문난 미국의 입국 심사를 잘 끝낸 지연이는 사전에 맡긴 수하물을 찾아 국제선 도착장 대합실로 나갔다. 세계 많은 나라에서 온 사람들로 북적였다. 물론 그곳에 현지인들도 섞여 있었다. 현지는 저녁 시간이었다. 그들이 머물게 될 숙소에 곧바로 갔다. 접근성은 아주 좋았다. 대중교통으로 바로 갈 수 있는 거리였다. 또한, 4성급 이상 호텔로 이곳에서 지내는 동안 문제없이 지낼 수 있는 곳이었다. 오랜 비행으로 쉬고 싶은 생각이 있었다. 그 생각이 더 많았다.

지연이와 일행들은 출국하기 전, 미리 자신들이 미국 뉴욕에서 지내는 동안 뉴욕 도심 내 사전에 예약해 둔 숙소로 갔다. 지하철과 택시를 이용하여 이동했다. 그나마 다행인 것은 지연이를 포함하여 일부 사람들이 영어가 가능하다는 점이다. 그렇지 못했다면 더 어려움이 있었을 것이다.

한참이 흘렀다. 어느새 어두운 밤이었다. 지연이와 일부는 밤마실을 하러 밖으로 나갔다. 그들이 향한 곳은 맨허튼 5번가 중심부인 타임스퀘어로 갔다. 머무를 숙소에서 도보로 이동할 수 있을 만큼 매우 가까웠다. 어두운 밤이었음에도 그곳은 화려했다.

전광판과 고층빌딩에서 새어 나오는 조명으로 가득했다. 사람들도 많았다. 전광판에 흘러나오는 각 나라에서 알아주는 많은 기업들의 광고들을 볼 수 있었는데 그중 국내에서 알아주는 삼성과 LG 등 대기업들의 광고도 미국판으로, 영어로 광고가 흘러나오고 있었다. 지연이와 일행들은 그 모습을 보고 해외에서 자국 기업의 로고를 보고서 뿌듯함이 있었다.

그곳에서 직접 녹화도 했다. 원고는 없었다. 전혀. 있어도 거의 안 보고 진행했다. 녹화되는 모든 것들은 추후 편집하여 공식 지상파 방송에 보낼 내용이었다. 카메라 녹화를 할 수 있는 사람들이 간단한 장비들과 자신의 핸드폰으로 필요한 장면들을 모두 녹화했다. 녹화한 것은 실수로 잃어버리지 않도록 미리 다른 저장장치에 백업을 해두었다.

어느새 새벽 시간이었다. 다시 돌아와서 시간을 보니. 차례대로 씻었다. 호텔에서 샤워하는 것을 최대한 즐기면서 했다. 지연이는 그동안 쌓였던 피로가 모두 해소되었다. 침대에 누웠다. 창가를 통해 보이는 밤하늘을 보았다. 어두운 밤하늘을 수놓고 있는 수많은 별들을 보았다. 하늘에 떠있는 많은 별들을 하나씩 모두 헤아리기 시작했다. 그곳에 자신의 그동안의 순간순간을 모두 회상하기 시작했다.

힘들었던 기억이나 행복했던 기억들 가리지 않고 모두 꺼냈다. 미국에서 맞이하는 첫날 밤이었다. 첫 일과였다. 지연이는 침대에 누워 혼자 기도하면서 잠들었다. 새벽과 낮에 있게 될 모든 일정들을 위해. 아무 사고 없이 잘 끝내게 해달라는 것과 언제 어디 가던지 하나님이 항상 자신과 동행해주길 바라는 기도였다.

뉴욕에 있는 한인들이 가장 많이 모이는 곳이자 현지인들도 많이 오는 세미나를 위해서. 자신과 함께 여기까지 온 일행들 모두를 하늘에 최고의 영광을 드리기 위한 도구로 사용해달라는 것, 언제 어디든 항상 성령에 충만하고, 모든 이들에게 성령만큼은 떠나가지 말라는 것 등 수많은 것을 기도할 수 있었다.

...

당일이었다. 날이 밝았다. 지연이와 모든 일행은 정장이나 세미 정장 차림으로 입었다. 모든 일정을 고려하면 그 차림이 가장 최상의 선택이었다. 깔끔했다. 차로 이동했다. 운전 가능한 사람들, 그중에서도 숙련된 운전자들이 직접 운전을 했다. 미국에서 운전하기 위해서는 출국 전, 미리 경찰서에 가서 국제 운전 면허증을 발급 받아야한다. 그들은 약속된 시간에 맞춰서 도착할 수 있었다. 숙소에서 일찍 출발했다. 각종 변수를 고려해서. 차에서 속히 내렸다. 차들은 미리 비어있는 주차공간에 주차했다.

모두가 내려서 다 같이 정문을 통해 실내로 들어갔다. 세미나가 열리는 장소에서, 주최 측에서는 그들이 온다는 소식을 듣고 미리 준비를 많이 했었는지 정문 앞에서 그들을 환영했다. 지연이를 포함하여 한 사람, 한 사람을 모두 귀하게 맞이했다. 지연이는 이렇게 외국에서 VIP급 대우를 제대로 받아보는 것은 처음이었다.

이렇게 좋은 대우를 받는 것은 지연이도 기분은 좋았다. 그러나 지연이가 이곳에서 진심으로 대하는, 전담하여 맡은 사람은 따로 있었다. 지연이는 그를 전담하여 수행하는 전문 영어 통역사로 함께 온 것이다. 지연이는 수행원으로 온 것이 해외는 처음이며, 미국 뉴욕에 온 것이 처음이었다. 정말 두렵고 떨렸다. 설레기도 했다.

지연이의 모든 일행을 위한 영-한 통역을 위해서는 지연이 말고도 할 수 있는 다른 사람 2명이 더 붙었다. 지연이와 함께 온 일행 중 가장 중요한 사람의 통역은 지연이가 직접 하기로 했다. 통역은 순차 통역으로 진행된다. 현지 장소에 동시통역할 수 있는 시스템과 장비가 없었기 때문이다. 마련된 공간에 각자의 가방을 두고서 한가운데로 모두 모였다. 가장 먼저 모여서 기도로 시작했다. 함께할 수 있는 사람들이 있어서 지연이는 더 감사했다.

시작할 시간이 임박했다. 지연이는 함께한 이들 중, 한사람과 함께 무대 뒤에서 대기했다. 사회자의 재치있는 멘트로 시작을 알렸다. 긴장을 풀기

위해 서로 재치있는 이야기 함으로 관중들의 웃음이 들렸다. 그들은 무대
뒤 대기 공간에서 기다린 지 5분이 지났다. 강연자를 먼저 소개하고 짤막
하게 자신을 소개하는 말이 기다리고 있는 지연이의 귀에 들렸다.

사회자가 자신을 소개하는 말을 모두 듣고 지연이는 바로 입장했다. 가
운데로 갔다. 그곳에는 이미 많은 사람들이 지연이와 함께한 사람을 박수
로 따뜻하게 환영했다. 지금이 본격적인 시작이다. 서두에 지연이가 먼저
짧고 굵게 이야기함으로 시작을 알렸다.

Welcome.

Today along with you this fire conference, god bless you.

*I'll upload it all glory to god. Today participate many people to this
conference, thank you very march.*

*This conference will be especially experience to capable of god. This
time, and tonight, will be your future designed. This moment is best
of ours lives on earth, give to god. I shed so much tears alone for a
lot of days. That time is 19years. I thought various hardships, just
crying and crying, just praying and praying in chruch or anywhere.
It's alone. I just knelt before god. My just wish is to accompanying
with god.*

*First time, i knowed thought my life is disappeared. But, god makes
the impossible change to possible. That is what god is capable of. A
long suffering, the miracle is happens in the blink of an eye. I don't
know, that was gave the platform of god.*

*Shed so much tears and so much praying knelt before god, do so I
did surgery to remove a laryngeal, the throat at neck operation left*

voiceless. Sometimes catch the flu etc, I was very sick. I was doing praying and praying, sick at my neck. I went to big hospital in South Korea. Severance hospital, Seoul.

Be diagnosed by a doctor to my sick is A Leukokeratosis of vocal cords and esophagitis-free gastoresophageal reflux disease. Need to Surgery. It't was dangerous situation. The Surgery named to Laryngeal tumor extraction. It's was successful. Thanks to god.

Nevertheless I did pray. Just pray. That made me to stunning a man of prayer. Become a man of witness, got to biggest blessed. Become CEO to lead whole the world. A person of god.

Today I want request to all for you, we have many moment of hardship but, hold on only god, praying and praying will be god bless you, and realize a dream. You can do it. Please never give up. If you have a biggest dream yourself and long for praying and praying.

Thank you.

소개를 받고 지연이는 강단에 올랐다. 먼저 참석한 수많은 사람들을 향해 고개 숙여서 인사했다. 감사 인사와 함께 자신에 대해 짧은 소개와 어려운 상황에 있는 많은 사람들이 현재 상황에서 절대 포기하지 않고 하나님 붙들고 기도하면서 다시 도전할 수 있는 격려의 말이 있었다.

지연이는 이미 오랜 시간동안 절망이 많은 상황에 있었고, 그것을 수없이 이겨냈으며, 하나님을 만나서 이렇게 눈부시도록, 완전히 다른 사람으로 변해있음을 모두 말했다. 짧고 굵게 말했다. 절망의 순간에 있는 사람들의 입장을 누구보다도 잘 알고 있는 사람이었다. 그것을 겪었기에, 되는 것보다 잘 안되고, 실패를 먼저 공부해보았기에, 그 속에서, 어떠한 어려움 속에도 희망을 잃지 않는 법을 배웠기에 지금 절망 속에 있는 모든 이들을 포용할 수 있는 것이었다.

오직 복음 밖에, 오직 하나님 밖에, 가진 것도, 가진 백도, 아무것도 없는 한없이 약하고 부족했던 사람이, 저 밑바닥에 있던 사람이 오로지 하나님 한 분을 붙들었더니, 그렇게 오직 간절하게 기도하면서 주어진 상황에서 계속 노력을 했을 뿐인데 지금은 놀랍도록 완전히 다른 사람으로, 높은 위치에 있는 사람이, 큰 인물로 변해있었다는 것을 말했다. 거짓이 하나도 없는 순수한 사실이었다.

...

Conference가 모두 끝났다. 초반부에 자신의 짧은 소개와 계속 안 되어도, 자신이 실패자인 줄 알고, 울면서 혼자 기도 음악 틀어놓고 기도하거나 모두가 다 함께 기도하는 기도회 시간에 같이 기도하는 등, 기도하는 것에 목숨처럼 절실하게 기도했다. 목이 찢어지도록 기도하고 또 기도했다. 실패해도 기도했다. 어려움이 와도 포기하지 않는 것이 중요하다는 것도 함께 전했다.

자신이 한 것은 오직 그것밖에 없다고 있는 사실만을 모두 말했다. 그랬더니 이렇게 지금의 모습이 되었다고 말했다. 수많은 사람들에게 희망을 심어주고, 주어진 상황 속에서 감사하며, 꾸준히 기도하면서 자신도 할 수 있다는 것을 전해주었다. 지연이가 사용한 시간은 불과 5분밖에 되지 않았다. 나머지 시간은 주 강사가 말씀 전하고, 기도할 수 있도록 모든 것을 인도했다.

지연이는 멘허튼 지구와 브루클린, 자유의 여신상, UN 본부 등 뉴욕 중심부와 필수 지역들을 모두 둘러보았다. 그 외 그녀의 사업 분야인 제빵과 디저트 분야에서 미국 내 최고의 매장으로 소문이 나 있는 곳, 현지인들과 미국 주요 언론에서 맛집으로 인정받고 관련 최고의 상 받은 곳을 모두 찾아서 일일이 찾아갔다.

지연이에게 없는, 이곳만의 특색있는 것이나 특별한 음식 등 그녀가 직접 배울만한 것은 모조리 수집했다. 빠짐없이 모두. 저작권과 특허받은 것 등 지적 재산권을 침해하지 않는 선에서 그녀의 것으로 만들기 위해 연구, 또 연구했다. 매장을 운영하면 누구나 하는 메뉴들은 기본으로 하되 오직 지연이 자신만이 할 수 있는 신메뉴 개발에 힘썼다. 연구도 했다. 많은 준비를 했다. 기도로서 철저하게. 지연이는 그동안 자신이 배운 것 그대로 매장을 운영할 방침이다.

자신과 함께 일할 직원을 뽑을 때 사람을 차별해서는 안 되지만, 같이 하나님의 사람이라면 더할 나위 없이 좋았다. 매일 아침 일찍 문을 열고 일을 시작할 때 마음 편하게 예배와 기도를 할 수 있었다. 예배가 있다면 가게 문을 일찍 닫고 예배와 기도를 사수하는데 우선을 둘 것이다.

세상적으로 성공의 방법에 두지 않을 것이다. 기도를 통해 하나님의 뜻을 구하며, 그것대로 실천에 옮기고, 사업현장에 그대로 반영할 것이다. 지연이는 기도하는 것과 예배 등 하나님의 것과 관련된 모든 것들은 세상과 어떠한 타협이 없었다.

세상 적인 것에 우선으로 하는 것보다 하늘에 소망을 둘 것이다. 세상의 온갖 명품은 인생을 살아가는데 쓸 수 있지만, 죽은 뒤 하늘로 갈 때 과연 그것들 모두 가지고 저승으로 갈 수 있을까? 하나님의 복음보다 더 중한 것은 있을까? 무엇이 더 중할까? 세상의 것은 좋아 보일 수 있지만, 나중 되면 모두 헛되고 헛되며, 또 헛되다.

지연이는 매일 많은 기도를 하면서 하늘의 뜻대로 자신만의 사업을 준비하고 있었다. 그러면서 해외에 나가면, 해당 매장마다 특색있는 것은 배워서 자신만의 것으로 만들었다. 모방 속 창조다. 차츰차츰 세계를 향해 눈을 뜨게 되었다. 세계를 주 무대로 삼겠다는 지연이의 목표도 생겼다.

국내는 좁아도 너무 좁다. 처음은 국내 무대가 자신에게 너무 큰 것처럼 보였다. 하지만, 성인이 되어 다시 돌아보니 그것이 전혀 아니었다. 자신에게 있었던 착각들이 철저하게 모두 깨졌다. 철저하게. 토씨 하나 남기지 않고서. 지연이는 자신이 우물 안 개구리였다는 것을 깨닫게 되었다. 자신의 무대는 국내가 아니라 세계가 주 무대임을 깨닫게 되었다. 그것이 지연이의 운명이었다. 숙명이었다. 회사를 운영하는 사업가라면 충분히 꿈꿀 수 있는 사항이었다. 지연이는 오랜 기도를 통해 마침내 세계를 끌고 가는 CEO가 되겠다는 큰 꿈을 품게 되었다. 이제부터 진짜 시작이다. 지연이는 어떠한 풍파와 시련이 자신에게 와도 그것을 뚫고 나아갈 자신이 있었다. 교만함이 아니라 오랜 기도로서 얻은 것들이었다.

돈으로, 어떠한 것으로 절대 환산할 수 없는, 소중하고 귀한 것들이었다. 교만함이 하늘을 찌르게 된다면 결과는 어떠한지, 결과는 너무 잘 알고 있었다. 사훈은 '기도하는 기업과 기도하는 사람들은 망하지 않는다.'는 말로 삼았다. 그것이 자신의 일상에서 행하는 모든 일과 하나님의 일을 시작할 때 행해지는 모든 것의 기초였다.

비즈니스

 이른 아침이었다. 지연이는 가게 문을 열고 들어갔다. 출근이다. 새벽기
도 끝나고 곧장 출근했다. 아침 8시 30분이다. 잠겨있는 문을 열고 들어갔
다. 매장 내 모든 불을 켰다. 지연이는 매장과 주방의 모든 불을 켜고 탈
의실로 들어갔다. 탈의실에서 자신의 이름표가 부착되어있는 하얀색 조리
사 옷으로 갈아입고 주방에 있었다. 머리는 깔끔하게 정리해서 단정하게
질끈 묶고 있었다. 손을 씻었다. 어제 마감 시간에 숙성시키기 위해 미리
해둔 반죽을 꺼내 오늘 판매할 빵들을 만들기 시작했다. 다른 직원들도
출근하는 즉시 시작했다.
 얼마 지나지 않았다. 매장 앞으로 커다란 트럭이 섰다. 지연이가 이틀 전
에 매장에 필요한 재료들을 주문한 것이 모두 도착한 것이다. 빵을 만드

는데 가장 핵심이자 주재료인 강화 밀가루는 양이 굉장히 많았다. 눈으로 대략으로 세어보면 10포대는 족히 되었다. 그것으로 먼저 반죽을 만든 뒤, 일정한 시간을 거쳐서 숙성을 시킨다.

숙성이 다 된 반죽 순서대로 사용해서 각종 식빵과 단팥빵, 샌드위치의 빵 등 모든 빵과 에그 타르트 등 다양한 종류의 디저트들의 주재료로 사용한다. 하루 매출액을 고려한다면, 손님들이 사전에 지연이가 일하는 매장으로 주문 예약하는 케이크를 직접 가지러 오는 날짜에 맞춰서 직접 제작하면 하루에 15kg 밀가루를 3가마니는 거뜬히 사용했다.

오늘 입고된 신선한 재료들을 직접 손질을 하기 전에 지연이는 가장 먼저 밀가루가 묻어있는 손을 씻었다. 깨끗하게 씻었다. 액체 비누로 꼼꼼하게. 사람의 눈에는 보이지 않지만, 손에 있는 나쁜 세균을 모두 없애기 위함이었다. 손을 매개로 하여 감염이 많이 일어난다. 간혹 사람의 눈으로 판단하기 매우 어려운 신선도가 떨어진 음식이나 변질된 음식인지 모르고 잘못 먹어서 질병도 걸리기도 한다.

흔히 보는 프렌차이즈 대규모 식당과 5성급 호텔의 식당부터 평소 일상에서 자주 보는 작은 식당들이나 커피집이나 빵집 등 음식을 판매하는 매장에서는 위생을 굉장히 중요하게 여긴다. 식약처에서 정기적으로 위생 평가받고 우수한 등급을 받으면 매장의 주요 출입구에 현판으로 내거는 가게들이 꽤 많다. 사람들의 신뢰를 얻기 위해서다. 감염을 사전에 모두 예방하고, 최상의 재료로 만들어 내는 정갈한 음식을 준비하여 손님들이 만족하는 음식과 서비스를 제공하고자 위생으로 군기를 잡는 곳도 있다. 작은 실수로 집단 감염을 막기 위해서라면 어쩔 수 없다.

손을 깨끗하게 씻었다면 그다음으로 재료로 들어가는 검은깨와 계란 셀러드를 준비했다. 재료준비를 모두 마친 뒤, 숙성된 반죽을 꺼내서 각종 식빵과 단팥빵, 카스테라, 쌀이 90% 이상 들어간 식빵, 공룡알 빵, 꽃 모양 파이, 단호박이나 자색 고구마 등 채소를 주재료로 한 빵들을 만들기 시작했다.

완성되는 순서대로 예열된 오븐에 넣어 굽기 버튼을 누르고 구워지는 동안, 지연이는 당일 만들어진 빵 위에 딸기와 블루베리, 산딸기, 감귤류와 한라봉 등 제철 과일을 생크림에 얹어서 시즌메뉴를 만들기 시작했다. 보통 시즌메뉴는 하루에 많이 판매되지 않는 한정으로 만들어 손님이 보고 구입할 수 있도록 매대에 내놓기도 했다.

지연이는 출근길 아침 식사를 아예 못하고 출근하는 바쁜 직장인들을 위해 가면서 쉽게 먹을 수 있는 샌드위치와 탕종 발효 빵, 셀러드, 유기농 재료로 만든 것과 채식주의자들을 위한 다양한 음식들도 내놓기 시작했다. 이미 지병이 있어서 마음대로 음식을 먹지 못하는 사람들이 안심하고 마음껏 먹을 수 있도록 재료에 신경을 써서 만들었다.

먼저 특정한 질병, 사람이라면 최소, 한 번이나 두 번 정도는 걸릴 수 있는 다양한 질병에 대해 충분한 정보들을 알아본 뒤에 시행했다. 좋은 재료로 만든 것일수록 단가가 가격이 더 나가기 때문에 책정되는 금액도 높았다. 그녀가 신메뉴 개발을 위해 연구 중인 메뉴들도 상당했다. 고민이 많았다.

어떻게 해야 자신만의 특색있는 것을 잘 만들 수 있을지, 타사가 함부로 따라 만들지 못하는, 경쟁력 있는 것을 만들기 위해 수시 때때로 모두 만들고 남는 재료로 직접 만들어보고, 만든 음식들을 자신과 함께 일하는 직원들에게 먼저 먹어보고 평가를 받은 뒤, 매장에 방문하는 손님들에게 시식할 수 있도록 만든 다음 고객의 의견을 들어보기도 했다. 신메뉴 개발을 위해 들어가는 비용은 생각하는 것 이상이었다.

혹은 부점장과 팀장급 이상 되는 관리자 직원들에게 직접 매장을 운영할 수 있도록 맡겨놓고 지연이 혼자 멀리 지방으로 내려가기도 한다. 또는 며칠을 쉴 수 있는 기회를 이용해서 인천공항에서 국제선 비행기 타고 해외로 나가기도 한다. 유럽에도 간다.

유럽뿐만이 아니었다. 미주지역과 남미도 갔다. 세계를 누볐다. 지연이는 한국 나이로 정확하게 30세 되기 전까지 해외에 단 한 번도 나가보지 않은 촌놈이었다. 하지만, 사업을 시작하여 기도하면서 나아갔더니 처음보다 더 크게, 사업하는 영역을 넓혀가는 중이다.

현지에 법인 설립을 위해 그 나라의 정부 관계자들과의 협상하러 가는 것이 훨씬 더 많았다. 현지에 법인을 설립하고, 현지 사람들이 마음껏 이용할 수 있는 매장을 정식으로 오픈하기 위해서는 해당 나라의 법을 따르며, 위생 등 따라야 하는 규정들이 전부 달랐기 때문이다. 지연이는 관련 전문가들 소수와 함께 현지로 출장을 가서 현지 정부의 관계사 한 사람 한 사람 모두 만나서 최상의 결과로 협상했다. 서로 공식 MOU를 체결도 완료했다.

지연이는 현지에 법인을 세우기 위해 떠나는 해외 출장과 다른 일정으로 유럽 주요 도시를 돌았다. 프랑스는 파리와 베르사유를 중심으로 개선문 등 유명한 유적지와 디올과 샤넬 등 세계인이 알아주는 패션 브랜드들을 구경했다.

　이탈리아는 로마와 나폴리에 피렌체를 중심으로 돌았다. 이곳은 파스타와 피자 등 양식을 위주로 지연이의 입장에서는 신메뉴 개발을 위해 이곳에 있는 다양한 음식을 구경하고 사용되는 재료들을 알아가며, 그 재료들로 다른 음식들을 개발하거나 이곳만의 장점은 적극적으로 도입하는 등 음식과 관련된 연구를 마음껏 하기에는 최적의 장소였다.

　스페인 바르셀로나, 발렌시아, 그라나다, 산 세바스티안, 마드리드를 돌았다. 또한, 중요한 소도시도 함께 봤다. 스페인은 기후가 정말 다양했다, 서쪽으로는 포르투갈과 함께 북대서양을 만나고 있다. 일부 지역에서는 해양성기후가 나타나며, 동쪽으로는 프랑스와 마주하고 있다. 해양성기후 말고도 내륙으로 들어가면 다양한 기후가 나타난다. 지연이는 해안가는 꼭 볼 수 있도록 일정에 넣었다. 볼 거리 등 할 수 있는 것들이 많았기 때문이다.

　독일의 베를린과 하노버, 뮌헨, 프랑크푸르트, 슈투트가르트를 보았다. 독일은 음악은 잘 몰라도 대부분이 알고 있는 바흐와 베토벤 등 음악사에 길이 남을 작품들을 써낸 사람들, 음악 세계에서 손꼽히는 거장들의 모국이다. 음악 관현악과 피아노 등 악기를 전공하는 학생들이 해외로 유학 가면 주로 선택하는 나라가 이곳, 독일이나 오스트리아로 많이 가고, 간혹 프랑스 등 다른 유럽 국가로, 미국은 줄리어드 음대로 간다면 유학을 떠나기도 한다.

　또한, 소시지 관련 음식과 맥주가 발달하였는데 지연이는 맥주에는 관심이 전혀 없었다. 자신의 사업 분야에 맥주 등 술을 들일 계획이 전혀 없었다. 독일 전역을 돌았다. 독일을 알면 알수록 매력을 느꼈다.

　이후 지연이는 영국 런던과 멘체스터, 옥스퍼드, 버밍엄 등 영국과 아일랜드를 돌았다. 유럽 주요 도시와 미주지역을 돌았다. 네덜란드, 벨기에, 알바니아, 아일랜드, 덴마크와 스위스 등 유럽 전역을 돌았다.

　미주지역은 미국 워싱턴과 뉴욕, LA, 켈리포니아, 델라스, 매사추세츠, 오하이오, 펜실베니아, 오하이오주, 플로리다를 보았다. 오리건 주의 자연과 라스베이거스에 있는 그랜드 캐니언은 꼭 보았다. 자연이 빚어놓은 걸작이기 때문이다. 캐나다는 퀘백, 벤쿠버, 토론토, 오타와, 몬트리올을 돌았다. 물론 필수 코스인 나이아가라 폭포도 보았다.

미국과 캐나다에서 볼 수 있는 천혜의 자연을 함께 보았다. 지연이는 유럽과 미주지역을 출장 갈 때, 영어를 자유자재로 사용할 수 있는 사람들 위주로 선별하여 떠났다. 상황에 따라 통역사를 구했다. 중요한 일과 중요한 계약이나 대형 계약을 따낼 때는 지연이의 입장과 다양한 상황에서 자신에게 불리하게 계약을 할 수 없었기 때문이었다.

남미도 빠지지 않았다. 남미는 전 세계 커피 생산량의 대부분을 담당하는 곳이다. 또한, 그곳에서 질 좋은 커피의 원두 상당량을 생산한다. 국토 대부분이 화산화토로 구성된 곳이 상당히 많으며, 지금도 활발하게 화산 활동하고 있는 지역들이 많기 때문이다. 커피 애호가들 사이에서 알아주는 커피들 위주로 알아보고 있었다. 관련된 정보들은 모두 수집했다. 또한, 지연이는 핸드드립 기법들을 배웠다. 하나하나 모두.

지연이는 차츰차츰 자신의 사업을 넓혀나갈 계획을 세우고 있는 생각을 하고 있는 터라 커피를 제대로 배우고 있었다. 엘살바도르 SHB 등급 커피, 과테말라 안티구아 SHB, 케냐 AA 등 커피를 잘 모르는 사람들도 적어도 최소한 한 번쯤은 들어본 품종들도 취급했다. 전 세계 모든 사람들이 알아주는 커피 원두와 하와이안 코나, 자메이카 블루마운틴, 예멘 모카 등 세계 3대 커피도 취급하기로 했다. 세 종류의 등급은 물론 모두 최고 등급을 받은 원두 또는 싱글 오리진으로 하였다.

지연이는 자신의 두 눈으로 세계를 보면서 더 넓은 시야를 배우고, 빵과 디저트 등 지연이가 배울 수 있는 것들은 빠짐없이 모조리 배웠다. 모방 속 창조라. 직접 만들어보면서 지연이 자신만이 할 수 있는 기술을 새롭게 개발하기도 했다. 신기술이라면 특허청에 정식 절차를 거쳐서 정식으로 특허를 등록했다. 이를 통해 지연이는 자신이 신기술 개발한 저작권을 법대로 보호받기 위해서다.

지연이는 유럽과 미주를 돌면서 각 지역에 특색있는 빵과 디저트류를 만드는 방법과 그곳에 들어간 기술을 배웠다면, 남미지구에서는 커피를 배웠다. 물론 관광은 빠지지 않았다. 지연이는 과테말라와 페루 리마, 마추픽추, 브라질 리우데자네이루에서 거대한 예수상, 이구아수 폭포, 코스타리카 산호세도 보았다.

칠레의 땅끝이자 항해사들 사이에서는 '선원의 무덤'이라 불리는 가장 악명 높기로 소문난 바다인 남미 최남단 바다, 티에라 델 푸에고 지구의 케이프 혼을 보았다. 세계에서 손꼽히는 거세고 높은 파도와 강풍, 빠른 해류, 남극에서 떨어져 나온 유빙 등으로 위험하기 때문이다.

육지에서 가장 험하고, 가장 높은 산이 에베레스트 산이라면, 바다는 이곳, 케이프 혼이다. 남미대륙 최남단과 남극대륙 사이에 있다. 지금은 파나마 운하 완공 등으로 바닷길이 좋아졌지만, 일부 대형 선박은 지금도 이곳을 지난다. 인근에 있으며, 남극으로 가는 바닷길인 드레이크 해협도 함께 보았다. 평소에 배 멀미를 잘 안 하던 지연이도 이곳에서는 상상을 초월한 높은 파도와 강풍으로 멀미를 해서 고생을 했다.

또, 지연이는 남미 중 칠레를 돌면서 다른 한 가지 사실을 알게 되었다. 칠레의 푼타아레나스에서 남극으로 파견되는 세계에서 오는 모든 월동 대원들이 격리되는 지역으로 보통 1년에 한번씩 세계 각 나라에서 파견되는 월동대원들의 교대가 이루어지는 장소이다.

남극으로 가기 위한 절차는 각 나라의 허가와 까다로운 절차를 밟아야 갈 수 있는 곳이었다. 세계에서 가장 추운 곳이며, 아직 사람들의 발길이 많이 닿지 않은 신비의 세계다. 수많은 숫자의 펭귄들이 떼를 지어 생활하는 다양한 종류의 펭귄들도 그곳에서만 볼 수 있는 곳이 그곳이었다.

지연이도 지금까지 단한번도 가보지 못하고, 오직 인터넷과 책에서만 보아온 곳이라 늘 궁금하기도 했다. 어떠한 곳인지, 극지방이기 때문에 가장 춥다는 것은 당연히 알고 있었는데 실제로는 어떠한 곳인지 궁금했다. 만약 갈 수만 있다면, 가보고 싶은 곳이기도, 단 며칠만이라도 가보고 싶은 곳이다. 해외를 여러 번 나갔지만, 못 가본 곳이, 그동안 지연이가 가본 곳보다 훨씬 더 많다. 지연이는 자신만의 버킷리스트도 있다.

...

현재 지연이가 일하는 곳은 그녀가 직접 사업을 차렸다. 처음으로 시작한 분야는 각종 빵과 디저트를 판매하는 전문 빵집이다. 그것이 어느정도

궤도권에 접어들어서 안정기에 접어들었다면 다른 분야로 자회사를 설립하여 진출할 계획이었다. 범위를 차츰 넓혀갈 계획이었다. 오랜 시간동안 공을 들여 무릎으로 기도함으로서 준비하고, 일을 배우기 위해 남 밑에서 일하면서 모은 자금으로 직접 차린 것이다. 마침내 그녀의 꿈을 시작했다. 처음은 그녀가 다니는 교회에서 버스로 한 번에 갈 수 있는 최대한 가까운 상권에 자리를 잡았다. 그것이 시초였다.

사업을 시작하겠다는 동기도 작은 것에서 시작했다. 직장을 다녀서 받는 월급은 정해져 있다. 정해진 월급으로 무언가를 할 수 없는 것이 현실이다. 지연이의 개인 비전을 이루고자 하는 것을 할 수 없었다. '할 수가 없다'보다는 행동으로 직접 실천할 수 있으나 한계가 있다는 것에 지연이는 너무 절실히 깨달았다. 전혀 할 수 없었다.

또한, 세계를 교구 삼아서 돈 걱정 없이 마음껏 도는 큰 꿈과 복음을 전하겠다는 지연이의 꿈, 그리고, 유능한 영어 통역사가 되는 것, 하나님께 모든 영광을 돌리는 자가 되겠다는 것, 손꼽히는 재벌이 되어도 자만과 교만함은 모두 버리고 겸손한 사람으로서, 자신이 가지고 있는 재능으로 계속 자신을 낮춰서 기도하고, 예배를 돕는 자가 되겠다는 목표와 꿈을 가지고 있었다.

작고 쪼잔한 생각을 가지고 모든 일에 임하면, 우물 안 개구리가 뻔했다. 자신의 그릇을 더 크게 키울 수 없었다. 정해진 틀 안에서 정해진 일상을, 정해진 것을 하는, 다람쥐 챗바퀴 돌 듯이 일상을 살아갈 것임에 뻔했다. 지연이는 최대한 멀리 내다보았다. 결정하기까지 시간이 걸렸지만, 이 길이 자신이 가야 할 길임을 느꼈다면, 절실히 느끼고 이곳이 자신의 운명임을, 지연이는 자신이 이곳으로 진로를 결정했다면 추진력은 아주 좋았다. 조금도 지체하는 것 없이 곧바로 실천으로 옮겼다.

첫 시작은 작고 초라한 모습으로 출발했다. 처음은 누구나 그렇다. 처음부터 자신이 직장에서 맡은 일이며, 공부, 운동 등 잘하는 사람이 어디 있는가? 지연이는 일찍이 사회에 나와서 회사 생활을 시작했기에 중간에 힘든 부분을 누구보다 잘 이해하는 사람들 중 한 사람이다. 그녀는 평소 식사 시간에 많이 먹기도 한다. 먹는 것도 가리는 것 없이 잘 먹는 편이다. 평소 지연이는 음식 앞에서는 관대한 편이었다.

해외에서는 이미 사람답게 살 수 있을 만큼 충분한 음식을 먹지 못해서, 병에 걸리거나 말라서 뼈만 있는 등 비참한 모습을 보아와서 알고 있는 사람들이 많다. 해외에는 이미 대중매체를 통해 수없이 많이 봐서 잘 알고 있는 사람들이 있을 것이다. 그러나 해외뿐만이 아니다. 국내에서도 결식아동들이 많이 있다. 정부에서 지원해주는 아동 급식 카드로 편의점에서 자신의 식구들과 함께 끼니를 어렵게 해결하는 경우도 우리가 생각하는 것보다 상당히 많다.

다만, 자신의 주어진 상황에 치우쳐서 살아가며, 오직 자신만이 제일인 세상, 물질이면 모든 것이 다 되는 물질 만능주의에 살아가는 현실에, 무엇이 올바르고, 무엇이 틀린 것인지도 모르는 문란한 시대에 살아가고 있는 현실에 가려져서 제대로 모르는 것, 그것뿐이다.

우리가 매일매일 아무렇지 않게 먹는 하얀색 쌀밥과 다양한 종류의 반찬들이, 때로는 부담 없이 음식점에서 먹는 국밥 한 그릇이나 부대찌개, 수육 보쌈 등 제대로 된 한 끼의 식사가 그들에게는 사치일 정도로 어려운 형편에 놓여있는 사람들이 많다. 이들을 지연이는 무시할 수 없었다. 그냥 넘어갈 수 없었다.

다양한 환경에 놓여있는 사람들의 형편에 알맞게 눈높이를 맞춰서 일하는 것을 아주 가까이서 보아온 지연이였다. 자신도 어릴 적부터 상처와 수많은 어려운 일들을 홀로 겪고, 감내했으며, 그것을 이겨낸 터라 자신보다 더 어려운 상황에 놓여있는 사람들의 입장이나 비슷한 처지에 있는 사람들을 아예 모르는 것이 아니었다.

어떤 기분인지 등 충분히 이해가 되는 사람 중 한 명이었다. 자신의 사업장을 통해 먹지 못해서, 학교에서 공부하지 못해서 어려운 상황에 놓인 학생들에게는 자신의 꿈을 포기하지 않고 계속 이어갈 수 있도록 도와주는 방법을 물색하고 있었다.

또한, 그들이 사회를 살아가면서 올바르고, 무엇이 나쁜지 정확하게 볼 수 있는 눈을 가지고 볼 수 있는 시야를 가질 수 있도록 힘썼다. 여기에 하나님의 일과 관련해서는 세상적으로 어떠한 것과 협상이 없는, 자신이 사업장에서 어떠한 일을 하고 있는지, 주어진 환경에서 변함없이 가장 우선으로 하나님께 예배드리는 것과 성령의 불을 받고 뜨겁게 기도하는 것을 최우선으로 할 수 있도록 확고한 믿음을 가질 수 있도록 교회에서 훈련받고, 배울 수 있도록 전도했다. 다른 어떠한 일은 없었다. 전혀.

거울

봄이었다. 날씨는 제법 따뜻해졌다. 추위는 완전히 풀렸다, 겨울은 끝났다. 지연이는 일상이 똑같았다. 항상. 기본기를 배우고 있었다. 학원에서 자격증 취득과 이론을 배우고 있었다. 학원에서 배운다면 직장은 관련 분야에 들어가서 일을 배우고 있었다. 처음은 아무것도 경험이 없는 생초보였기 때문에 지연이는 자신이 잘 알고 있는 것 보다 모르는 것이 더 많은 상황이었다.

이론과 기술을 강사들이 어떻게 하는지 시범해서 보여주었다면 학생들이 직접 해보는 시간에 지연이는 처음은 아주 어설프게 해서, 잘못해서 강사님에게 혼나는 상황이 더 많았다. 좌충우돌로 하나하나 배웠다. 또는, 강의시간에 지각해서 허겁지겁 준비해서 강의실로 입장해서 위생상태가 불량해서 호되게 혼난 적도 있었다. 지연이는 그런 상황에서도 감사했다. 배울 수 있는 것에도 항상 감사했다.

배우는 것은 잠깐의 고생이지만, 배우는 시간에 제대로 배운다면 오랜 시간동안 자신이 배운 것들과 혼나가면서 익힌 기술을 써먹을 수 있기 때문이다. 지연이는 전수해주는 모든 기술들과 기법들, 기초에서 응용하는 법을 스펀지처럼 습득했다. 자신의 것으로 모두 만들었다. 응용하는 방법도 알았다. 지연이는. 배운 것을 연습하고 또 연습했다.

집에서는 그럴 수 있는 환경이 되지 않고, 고가의 장비들을 살 수 있는 돈이 없었다. 그래서 학원에서 연습할 수 있을 때 최대한 연습해서 배운 것을 잊어먹지 않고 계속 복습하는 차원으로 연습한 것이다. 사업장을 차리면 손님들에게 판매하려면 생산을 위해 계속하게 될 것은 모두 제대로, 눈 감고도 바로 할 수 있을 만큼 마스터했다.

남는 시간은 주중 위주로 다닐 수 있는 일을 구해서 다녔다. 적은 금액이어도 지연이가 일해서 벌어들이는 돈 중에서 일부는 먼저 십일조와 헌금을 먼저 하나님께 드렸다. 기타 약정한 헌금이 있다면 이행했다. 회사에서 월급을 타면 가장 먼저 무엇을 해야 하는지 잘 알고 있었기 때문이다. 게다가 다들 자신이 일해서 받은 돈으로 어떻게 하는지 직접 두 눈으로 보아왔었다.

지연이는 자신이 번 돈으로 하나님께 자신의 물질을 드리는 것에 조금도 거부감이 없었다. 오히려 더 하고 싶은데 할 수 있는 금액이 많지 않은 현실에 지연이는 슬프기도 했다. 하지만 포기하지는 않았다. 중간에 힘들다고, 잘 안된다고, 그냥 포기한다면 무엇이 되겠는가?

'하나님, 지금 제가 드릴 수 있는 물질은 이것밖에 없어요, 하지만 저 여기서 포기하고 싶지 않아요, 부디 저를 하나님의 영광을 드리기 위한 도구로, 물질의 청지기로 축복해주시면 저의 스승님 다음으로 가장 많은 물질을 드리고 싶어요.' 이렇게 하면서 지연이는 때로는 처절하게 기도를 하기도 했다. 독기를 품고 기도했다.

새벽 시간, 적어도 4시에 일찍 깨서 아침 7시가 돼서야 새벽기도 마치고 바로 근무지로 출근하면 9시쯤 된다. 아침 식사를 먹을 시간도 없이 바로 조리복으로 갈아입고, 깔끔하게 한 뒤, 손 씻고 빵 만드는 일에 몰두한다. 그러면 어느새 점심시간이다. 다양한 종류의 빵을 생산하는 과정에서 중간에 잘못 만든 빵들은 직접 골라냈다.

그것들은 손님들에게 판매하지 못하는 것들이라 너무 배가 고프거나 정말로 먹고 싶으면 지연이가 먹거나 직원들이 먹기도 한다. 그것으로 점심을 대신 떼우기도 한다. 양을 적게 하는 등 잘못 만든 빵들이어도 맛은 그렇게 이상하지 않았다. 그래도 먹을 만 했다. 다만 판매하지 못하는 제품이라 다른 것들과 함께 내놓지 않고 따로 두었다. 주방에서 하루의 일과 중 대부분의 시간을 보냈다. 뒤처리 중 설거지는 지연이의 몫이었다. 시간이 지나서 새로운 직원이 들어온 이후로 지연이가 설거지하는 일이 거의 없었다.

오븐 정리는 공평하게 주방 직원들 모두 번갈아 가면서 했다. 설거지도 마찬가지다. 1년에 한 번씩 보건소에 가서 정기적으로 보건 검사를 했다. 그것이 지연이를 비롯하여 모든 직원들이 매장에서 근무 시 필수조건이었다. 그것이 지연이의 일상이었다.

주방이 어느 정도 정리되면 지연이는 주방에서 나왔다. 주방에서의 일은 거의 끝이 났다. 퇴근할 시간이 가까워지자 지연이는 먼저 옷을 갈아입었다. 아침에 출근할 때의 옷으로. 주방을 모두 마감시킨 뒤, 지연이는 주방의 직원들을 먼저 퇴근시켰다.

자신은 남아서 업무 일지와 매장관리에 관한 내용을 모두 컴퓨터로 써서 저장해두었다. 종이보다는 컴퓨터로 저장해두었다. 종이를 너저분하게 놔두는 것이 싫었다. 외부에서 위생 감독 등 필요할 때 요구하는 문서들을 바로 출력해서 제출할 수 있도록 철저하게 모두 썼다. 처음은 모든 것을 작성하는데 시간이 꽤 걸렸다. 꼼꼼하게 적는 것이 손에도 일상에도 익숙하지 않았다. 하지만 이것이 적응되고, 사업장에서 지연이의 일상이 되자 지연이는 작성해야 할 분량이 10장이 되어도 1시간 이내로 모든 일지와 서류들을 썼다.

현재 지연이가 근무하는 곳의 환경은 아주 깨끗했다. 주방도 깔끔했다. 사용한 집기류들은 설거지를 기다리고 있거나 이미 완료되어 건조대에 가지런히 놓여서 자연건조 되고 있는 중이었다. 마감시간이 되면 그것들은 모두 전용 찬장에 두고 먼지가 들어가지 않도록 문을 닫았다. 분위기는 굉장히 좋았다. 정말 가족 같은 분위기였다. 누가 봐도, 매장에 방문하는 손님들이 봐도 부러운 현장이었다. 직원들끼리 단합이 잘 되는 분위기였다. 때로는 지연이가 잘못했으면 호되게 혼나기도 했다. 나중에 혼자서 울 정도로, 얼이 나갈 정도로 호되게 혼났다.

지연이가 은행 일로 잠시 밖으로 나가야 했었다. 입고 있었던 조리복을 외출복으로 갈아입고서 머리고 처음 출근했을 때의 머리로 한 뒤, 자신이 은행에 다녀올 동안 매장 관리는 자신의 바로 밑, 총괄팀장에게 맡겼다.

"팀장님, 저 우리 매장을 정부와 세무서에 정식으로 법인 등록을 끝냈어요, 이제 법인 통장과 카드를 만들고 함께 일하는 직원들 월급과 관련해서 관련 은행에 가봐야 해서 지금 다녀올 테니 제가 다녀올 동안만 저 대신해서 매장을 봐주세요."

"네, 알겠습니다."

지연이는 은행으로 갔다. 지연이가 대표로 있는 매장과 브랜드를 주식회사로 법인 등록을 이미 마쳐서 은행에 가서 변경 및 신고를 하기 위해서 갔다. 꽤 까다로워서 처리하는데 시간이 오래걸렸다. 때마침 직원들 월급날이 겹쳐서 직원들의 월급도 같이 보낼 생각이었다. 직원들의 명의로 된 계좌와 금액만 제대로 알고 있으면 이체하는 것은 금방 걸렸다.

한편 지연이가 은행 일을 보기 위해 잠시 자리를 비우고 있는 동안 총괄팀장인 유희가 맡고 있었다. 평소 그녀는 주방 쪽에서 지연이와 함께 있으며 같이 일을 하지만, 지연이가 매장을 비운 사이에는 홀로 나와서 포스기 관리와 홀에서 일하고 있는 직원들과 함께 손님을 맞이했다. 주방 총괄은 그녀의 몫이었다. 그가 말했다.

"애들아, 이제 너희들이 오늘 판매될 빵 만들려고 사용했던 볼이랑 집기류 모두 설거지하고 쓰레기 정리 좀 하자. 오븐도 확인해서 안에 있는 기름기 없애서 깨끗하게 하고. 지금 주방이 너무 지저분해."

"네."

"근데 팀장님, 오븐은 어떻게 청소해요? 그냥 해요? 아니면 주방세제 가지고 해요?"

일 시작한 지 얼마 되지 않은 신입직원이 물어본 것이다.

"야, 주방 세제로 하면 오븐 망가진다. 제정신이니? 오븐 안에 있는 판은 베이킹소다로 하고, 오븐 벽에도 베이킹소다로 바른 뒤 백식초를 1로 하고 물을 2로 해서 2:1로 희석한 걸 분무기에 넣어서 뿌려. 그러면 반응이 일어나서 거품이 일어날거야. 그러면 전용 행주로 모두 닦아내면 되. 브로일러까지 세척한다면, 그렇게 하고서 꼭 식초 뿌린 뒤 닦아봐."

"네….."

"연재 너 혼자서 하려 하지 말고 희재랑 같이 청소해. 오븐은 혼자서 하기에는 부칠 수 있으니까."

"팀장님, 이거 좀 빡센거 아니에요?"

"애들아, 나도 너희들처럼 평직원일 때 다 그렇게 했어. 그때 나는 조금만 못하면 관리자들한테 엄청나게 혼나면서 했었어. 위생이니 근무 복장이 조금이라도 깨끗하지 않고, 불량하면 혼났고. 나는 하나부터 열까지 조금이라도 못하면, 레시피 대로 제대로 안 만들거나 실수해서 그것으로 혼나면서 다 배우는거야.

그러면 오늘 너네가 내 도움이나 대표님 도움 전혀 받지 않고 주방을 깨끗하게 청소해놓고 나 아니면 대표님한테 확인받아서 한 번에 통과하면 이따 퇴근할 때 매대에 있는 빵이나 디저트 중 너희가 먹고 싶은 거 1인당 2개씩 골라서 가지고 가."

처음에 평직원들도 매장에 있는 오븐을 세척하는데 꽤 힘들었으나 지연이와 총괄팀장의 설명과 그들이 직접 오븐을 청소하는 모습을 보여주는 등 직원들에게 모범이 외었다. 처음은 불평이 있었으나, 관리자와 대표가 직접 모범을 보이며 실천하는 모습을 계속 보아온 만큼, 직원들도 지연이를 더욱 신뢰하고 따랐다.

신입직원들도 신뢰가 형성되어 대표인 지연이와 총괄팀장을 믿고 잘 따라올 수 있도록 모범을 보여주고 그만큼 배풀기도 했다. 오븐 청소는 그들만 시키지 않았다. 주방에 있는 모든 직원들이 공평하게 2인 1조로 구성하여 1주일에 한 번씩 돌아가면서 청소했다.

처음은 그녀가 다니는 교회 근처에 사업장을 차려서 시작을 했으나 사람들의 입소문을 타고 점차 전국으로 퍼지기 시작했다. 멀리 지방에서 직접 매장을 찾아오는 경우도 많았다. 지역 주변으로 범위를 차츰 늘리다보니 어느새 수도권으로 범위가 늘었다.

시간이 지날수록, 지방으로, 전국으로 퍼졌다. 전국구로 사업장을 갖추게 되었다. 지연이는 효율적으로 관리하기 위해서는 그만큼 체계적인 조직과 네트워크 구축이 절실하게 필요했다. 또한, 새로운 지역에서 새로운 매장을 내서 운영하고 싶은 사람들은 모두 한 자리에 불러서 사전 교육할 장소가 필요했다.

지연이는 체계적인 네트워크 구축과 지속적인 업데이트 등 계속 연구했다. 연구하고 새로운 것을 적극 반영을 했다. 이제 전국구로 배장이 있다보니 지연이는 자신이 처음으로 매장을 냈던 곳인 자신이 다니는 교회 근처에 본사를 만들었다.

지연이가 직접 만든 것보다 설립에 가까웠다. 주식회사로 이미 은행과 세무서에, 정부에 신고해서 정식 등록했고, 관련 절차를 완료했으니 본사를 만드는 일은 정말 쉬웠다. 지연이는 자신과 매장을 차려서 주식회사 설립하는 등 처음부터 지금까지 함께 일했던 총괄팀장과 일부 직원들은 함께 본사에서 함께 일하게 되었다.

네트워크 구축을 모두 완료함과 동시에 새로운 매장을 차려서 운영하고 싶은 사람들은 한곳에 모아 깃수별로 해서 체계적인 교육을 했다. 그들을 교육하는 이들은 다들 제빵이나 요식업, 호텔의 식품에서 5년 이상 근무 경력 등 일정한 경력이 잇는 사람들을 강사로 채용했다. 지연이는 그만큼 그런 사람들은 대우를 해주었다. 더욱 발전하여 지연이는 코스피와 코스닥에도 정식으로 상장을 하게 되는 쾌거를 달성했다. 이제 다른 회사들이 믿고 투자를 할 수 있게 되었다.

회사가 지속적으로 발전이 되고 있음에도 지연이는 여기서 만족하지 않았다. 계속 발전하는 것을 원했다. 갈망했다. 다만, 그 바탕에는 기도와 예배가 필수조건이었다. 아무리 매장이 잘 된다 한들, 자신이 본 교회에서 주중에 예배가 있는 날에는 예배를 사수하기 위해 예배 시작하는 시간에 맞춰서 가기 위해 매장의 문을 닫았다. 출근은 새벽기도 마치고 바로 출근했다. 직접 매장을 오픈하고 곧바로 생산에 들어가는 것이다. 점심때에 맞춰서 생산하는 것을 모두 마쳤다.

마치면 주방은 마로 마감 작업했다. 지연이도 포함하여 주방에 있는 모든 직원들이 함께했다. 사람의 구분 없이 그렇게 했다. 그렇게 해야 빨리 끝났기 때문이다. 그 시간 안에 모든 메뉴를 최대한 소진하기 위해 세일을 진행했다. 매장을 방문하는 손님들도 이 상황을 잘 알고 매장을 마음껏 이용할 수 있도록 오픈하고 초기부터 다른 지역에 사업장을 내고서 계속 광고를 했다.

자신이 손해를 보더라고 만든 것을 더 판매하기 위해서라면 정기적으로 가격 세일을 하는 것 밖에 없었다. 지연이는 뭐가 더 중요한지 잘 알고 있었다. 세상적인 방법과 수단에 의존하지 않았다. 지연이는 청년 때부터 오랜 훈련으로 기도하는 것과 예배드리는 것을 목숨처럼 사수했다.

이미 넓혀진 사업장을 잘 관리하고, 전국으로 출장 다니면서 직영매장을 철저하게 관리했다. 자신의 힘으로 모두 관리하기에 역부족이라 나중은 전담팀을 구성하여 철저하게 매장을 관리하고, 특히 위생과 관련한 항목에서는 더 철저하게 관리하고, 정부의 지침에 따랐다.

본사와 정부에서 내려온 위생과 매장 관리 지침에 어긋날 뿐만 아니라 위생 관련해서 한 번 걸리면 골치 아프다. 위생관리로 군기 잡는 것은, 더 철저하게 깨끗하게 관리하려는 것도 어느 정도 이해는 할 수 있다. 자신이 처음 간 매장이 만약 매장의 위생상태가 조금이라도 지저분하면 다시 재방문하고 싶은 의사가 있는가?

그러면서 지연이는 자신에게 주어진 상황에 최선을 다했다. 경력이 어느 정도 쌓인 지연이는 다른 곳으로, 월급을 더 주는 곳으로 옮겨서 그곳에서 일을 새로 배워서 했다. 동종업계여도 매장마다 근무환경과 받는 월급은 모두 다 다르다.

지연이는 남 밑에서 꽤 오랜 시간동안 일을 배웠다. 자신의 사업장에서 하게 될 일들을 위해서면 대충하는 것이 아니라 작고 사소한 것까지 하나라도 놓치지 않고 모두 익히기 위함이었다. 제대로 배우기 위함이었다. 먼 시야를 내다보고 배운 것이다. 무조건 빨리 간다고 좋은 것은 아니었다. 자신만의 페이스와 시간이 있었다.

무조건 빨리 배운다고 하면, 나중에 기억이 잘 안 나는 경우도 상당히 많았기 때문이다. 그것을 이미 몇 번 겪어보기도 했다. 지연이는 처음은 아무것도 모르는 초보에서 시작했다. 혼도 많이 나고, 화장실에 가서 혼자 울기도 했다. 힘든 마음이 사라질 때까지 15분이 되었던, 20분이 되었던 진정 될 때까지, 혼자 화장실에서 마음 놓고 펑펑 울기도 했다.

기도로 준비된 자는 준비하는 시간이 오래 걸려도, 본격적으로 사업장을 열고 시작한다면 분명 다른 행적을 보인다. 지연이는 자신의 가치관을 실현할 수 있는 사업장을 운영하고 싶었다. 지연이만의 신념이 있었다. '기도하는 기업은 망하지 않는다'는 것을 사훈으로 삼았다. 학교에서 배웠던 사회복지와 공중보건 중 세부 전공인 보건환경은 분명 도움이 될 것이라는 확신도 있다.

...

한참이 흘렀다. 꽤 오랜 시간이 흘렀다. 지연이도 어느새 가장 젊고 황금과 같은 시간인 20대를 다 보냈다. 어느새 앞자리가 바뀌었다. 자신의 20대를 돌아보자면 천방지축 했던 시간이, 아무 생각 없이 함부로 행동했던 시간이 분명 있었다. 그때는 몰랐지만, 한참이 지난 지금 다시 자신의 그 시절을 돌아보았다. 대학 다닐 시간이 가장 좋았음을 내심 다시 깨달았다. 걱정이 지금보다는 덜 했기 때문이다.

꾸미지 않은 자신의 꾀죄죄한 모습 혹은 화장 안 한 생얼을 커버하기 위해 모자를 푹 눌러쓰고, 더하면 그 위에 마스크를 쓰고 학교에 와서 시험 보기도 했다. 평소에는 금방 알아봤지만, 이때에는 얼굴의 반 이상을 가리고 오기 때문에 누군지 알아보는 것에 어려움이 있을 정도였다. 아침 일찍 서둘러서 꾸미는 것보다 학교에 와서 1분이라도 더 책을 들여다보고, 시험을 보는 것이 더 중요했기 때문이다.

시험 때는 학교에서 지내다시피 하며 시험공부를 했던 시간이 있었다. 새벽에 집 가거나 다음날 오전만 수업 있는 경우, 늦은 밤에 집으로 가는 버스가 끊기면 학교에서 자고 수업 들은 뒤, 점심 때 집으로 가는 경우가 있었다. 시험이 끝나면, 친구들과 술 마시면서 늦은 시간까지 같이 놀아보기도 했다.

혹은 시험 때를 피해서 MT 가서 실컷 놀기도 했다. 학교 축제 때는 자신이 들었던 동아리에서 그동안 배운 것을 가지고, 제대로 된 안무를 짜서 연습하고, 당일에 직접 공연한다는 소식을 듣고 오랜 시간동안 연습했던 기억이 있었다. 처음은 기본기를 배우기 위해 학교 수업시간이 가장 일찍 끝나는 시간인 매주 수요일마다 직접 경기도 부천으로 갔다.

그곳에서 잘 배울 수 있는 곳이 있기 때문이다. 파주에서 부천까지 대중교통으로 가면 2시간 걸리는 거리다. 운전해서 가면 금방 갈 수 있는 거리다. 빈 강의실에서 연습하기도 했다. 부천에 오고 가는 일을 1달 이상 왔다 갔다 하면서 했다. 그것으로 당분간 하루에 3시간씩 자고 일상을 살아가는 것이 당연했다.

학교에서는 중간시험 기간과 수강하고 있는 과목의 과제가 많이 쌓여있어서 정해진 기한 내에 모두 제출해야 했기 때문이다. 오래 자는 것이 사치일 정도 정신없이 지냈다. 수업이 오후 2시게 끝나면 저녁에 해가 뉘엿뉘엿 저물어가는 시간까지 모두 남아서 연습하고 갔다.

그렇게 바쁜 시간을 보내고, 축제 당일은 순서 직전, 막판까지 연습했다. 축제 당일에는 학과별로 준비한 주막과 이벤트로 이루어졌다. 또한, 평소에는 학교에 외부인들의 출입이 어려웠으나 축제 기간만 예외로 자유롭게 출입 가능하도록 허가 해주는 경우도 많았다.

 학기가 끝나고 방학 되면 친구와 같이 그동안 알바해서 번 돈을 모아서 1주일간 국내 전국을 일주하는 여행 다녀오거나 제주도에서 일정 기간동안 살아보기 등 다양한 것을 해보는 시간이 있었다. 그때를 다시 생각하면 행복했다. 걱정 없이. 편하게 다녀올 수 있는 가장 좋은 시기였다. 하지만 지금 어디론가 여행을 가려면 필요한 자금을 직접 번 돈으로 해결하여 다녀와야 한다. 그게 현실이다. 이제 진짜 어른이다.

...

 2월 말, 3월 초였다. 아직은 이른 봄이었다. 다들 겨울옷을 입고 있었다. 다만 많이 풀어진 날씨에 어느 정도는 얇아졌다. 외투는 코트를 입은 사람들이 많았다. 지연이는 모처럼 쉴 수 있는 시간이었다. 이렇게 제대로 쉴 수 있는 시간이 언제였는지 기억이 전혀 나지 않을 정도로 아주 오래되었다. 기억하기에는 너무 오래되었다. 지연이는 새벽기도 드리러 새벽에 교회 가면서 차 안에서 '어디를 갈까?' 생각하고 있었다.
 혼자 골똘히 생각했다. 누가 뭐라고 하는지 생각하기에는, 함께 대화하는 시간이 아까웠다. 저녁 일정에 지장이 가지 않는 선으로 생각하고 있었다. 간다면 그곳에서 무엇을 할지 계획했다. 기껏해서 왔는데 만약 그냥 지나친다면 의미 없는 시간이 될 것이 뻔했기 때문이었다. 시간은 한 번 지나면 다시는 돌아올 수 없기 때문이다. 그래서 더 귀했다. 인간이 쓸 수 있는 가장 비싼 상품이자 고부가가치 상품이 바로, 시간이다.

 새벽에 와서 말씀을 듣고 기도까지 모두 끝났다. 말씀은 성경에 있는 시편 150편을 모두 통독과 공부를 했다. 하루에 시편 한 편씩 나갔다. 말씀은 길어야 30~40분 정도였다. 새벽 6시 되면 바로 기도를 시작했다. 처음은 찬송하고 공동 기도 제목을 놓고 모두가 함께 기도를 열심히 한다.
 공동 기도 제목이라면 동성애 관련 법규가 국회의 본회의를 통과되지 못하도록, 명백한 부정선거 관련 증거들이 쏟아져 나왔는데 이제는 진실이 드러나는 것과 차기 총선 등 전국 단위로 벌어지는 선거에는 부정선거가 없어지는 것, 공산주의와 국내에 들어와 있는 간첩들과 주사파들은 떠나가는 것들이다. 이 상황을 정확하고 제대로 알고 있는 사람들이 과연 얼마나 되는지 지연이는 궁금했다. 지연이는 이미 부정선거 방지대로 대선 부정선거를 막기 위해 현장에 다녀온 만큼 부정선거가 얼마나 많이 일어나고 있는지 누구보다도 잘 알고 있었다. 진실이 밝혀지기를 소망했다.

찬송하고 기도하면 보통 30분은 금방 지나간다. 30분동안 기도회하고, 출근하는 사람들은 먼저 출근하고, 남은 사람들은 아침 7시까지 더 기도하는 사람들은 아침 7시 30분 넘어서까지 한다. 지연이는 1시간 반 동안 기도했다. 자신과 하나님과의 단독 사이였다. 자신이 보물처럼 아끼고, 소중하게 잘 간직하는 자신의 큰 꿈과 비전을 놓고 기도하였다.

기도가 그 매개체였다. 깊은 기도를 했다. 앉은 자리에서. 단 한 발짝 움직임도 없이. 아침 7시 반이 되었다. 지연이는 3층으로 올라왔다. 잠긴 문에 있는 비밀번호를 누르고 문을 열었다. 그곳에서 잠시 자신의 몸을 누웠다. 단 30분이라도 쉴 수 있는 시간을 보냈다. 그러나 그것이 오래가지 않았다.

지연이는 자신의 몸을 의자에서 다시 일으켰다. 어디로 갈지 결정했다. 자신이 있는 곳에서 2시간이면 갈 수 있는 거리였다. 지연이가 직접 운전해서 갈 수 있는 거리였다. 멀지 않았다. 충청북도였다. 충북 내에 있는 완전 시골이었다. 대중교통으로는 접근이 어려운 곳이지만, 운전할 수 있다면 충분히 갈 수 있는 곳이다. 문제가 되지 않았다. 조금도 지체가 없었다. 현지로 가는 시간도 있지만, 가는 길에 막히면 더 걸리기 때문이었다.

지연이는 바로 지하 주차장으로 내려갔다. 지하에 차를 주차해놓았기 때문이다. 지하 주차장으로 가서 자신의 차를 찾아서 내릴 때 잠궈 놓았던 차 문을 열고 운전석으로 탑승했다. 시동을 켰다. 처음 1분정도는 기다렸다. 출발하지 않았다. 엔진과 틀어놓은 열선이 어느 정도 궤도권에 들어설 때까지 기다렸다. 지연이는 차 안에서 기다리는 동안 네비를 켰다. 오늘 자신이 가고자 하는 목적지를 찾았다. 가장 빠른 길을 알아보았다.

지연이가 가려는 목적지까지는 총 2시간이 걸렸다. 고속도로 타고 가서 현지까지 가는데 소요되는 시간이다. 주차 모드를 풀고 드라이브로 놓은 뒤 바로 출발했다. 지연이는 오늘도 사고 나지 않고 안전으로 먼길, 장거리 운전 현지에 잘 오고 갈 수 있게끔 안전으로 지켜달라는 기도로 시작했다. 사람 일은 당장 몇 시간 뒤의 일도 어떻게 될지 당사자도 전혀 모르기 때문이다. 시내를 달렸다. 계속해서 달렸다. 지연이 혼자서.

때로 그는 고독을 즐길 줄 알았다. 혼자만 있는 고독한 상황에서 생각 많고 복잡한 자신의 머릿속을 모두 깔끔하게 정리하는데 최고였다. 마음의 평안을 얻기 위해서 때로 고독도 필요했다. 지연이는 자유로를 벗어나 서울 제1 외곽 순환 고속도로를 탔다.

북한산을 지났다. 곧이어 불암산을 지났다. 서울 동부 끝자락을 지났다. 중간에 휴게실에 들렀다. 화장실이 급했다. 전날 잠을 못 자서 슬며시 찾아오는 졸음을 쫓아내고자 간단한 식사를 마치고, 편의점에서 커피를 샀다. 그것으로 30분을 보냈다. 다시 출발했다.

목적지를 향해 출발했다. 여정은 짧으면서도 강렬했다. 지금은 길이 잘 되어있어서 가는데 어려움 없이 갔다. 터널을 계속해서 통과했다. 고속 주행이었다. 지연이는 터널을 통과해도 어둠에 기죽지 않았다. 잠깐의 시간 동안 잘 참으면 다시 밝은 세상이 있다는 것을 잘 알고 있었다. 지연이는 네비를 틀어놓고서 음악을 틀었다. 스피커 모드로 바꿨다. 지연이와 같이 동행하는 사람이 없어서 크게 틀어놓고 편하게 들을 수 있었다.

지연이가 틀어놓은 음악은 이것저것 틀어놓지는 않았다. 가요면 한 곡이 끝나갈 때마다 새로운 것을 고르는 것도 나름 일이었다. 이미 오래전부터 가요는 잘 듣지 않았다. 요즘 유행곡을 아는데 조금 둔했다. 그러나 찬송가와 클래식 부분에서는 그렇지 않았다. 지연이가 튼 것은 J체널에 많이 올라온 찬양곡들이었다. 한 편당 7분, 많으면 8분 가까운 분량이었다. 지연이도 직접 악기를 통해 녹화작업에 함께 했다.

현장에서 많은 사람들과 지연이를 포함한 전문 악기 팀이 함께 녹화한 이후 음향을 작업하고, 전문 편집팀들이 며칠 밤을 꼬박 세워서 최종으로 완성된 편집되어 다시 보면 너무도 감사하고, 또 감사하다. 이것을 계속 들으면 기존의 찬양팀들이 잘하는 팀들도 있지만 찬양답지 않았다. 지연이 기준에서는 전혀 만족하지 못했다.

그러나 J체널에 올린 작품들을 들으면 너무나 감동이 되고 은혜가 되었다. 거짓이 아니었다. 이미 이것을 듣고 각종 지병이 아무 흔적 없이 깨끗하게 고침을 받고 치료되었다는 수많은 사람들의 증언이 있다. 거짓이 없다. 수많은 사람들의 증언과 전국으로, 해외에 전파를 전하여 현지에 직접 방송을 내보내는 방송국에서도 똑같이 연락 오는데 거짓말을 할 수 없다. 할 수 없다는 것보다, 전혀 할 수 없다.

지연이는 직접 운전해서 고속도로를 한참을 달렸다. 현재의 위치를 알 수 있는 표지판이 보였다. 서울은 한참 전에 벗어났다. 지연이가 휴게소에서 쉴 때쯤은 경기도 끝자락이었다. 드디어 충청북도에 들어왔다. 지도상에서도, 네비게이션에서도 현재 지연이가 있는 위치가 충청북도로 찍히기 시작했다. 이미 도시는 벗어났다. 한참이 지난 후에야 서충주에서 고속도로를 빠져나왔다. 서충주 톨게이트에서 통행료를 지불하고 완전히 벗어났다. 이제는 시골길이었다. 지연이는 시골길을 따라 운전했다.

오늘 가고자 하는 최종 목적지에 가까울수록 이곳에서 상당한 시간을 보냈던 옛 기억이 새록새록 떠올랐다. 그곳에서 자신의 어릴 적 시골에서 잠시 지내는 동안 동네 소꿉친구와 함께 논밭 주변에 난 길을 따라 뛰놀았던 기억들이 생각났다. 다시 돌아와 보니 고향에 다시 돌아온 것처럼 굉장히 평안했다. 지연이가 어렸을 적 살았던 곳이 있다.

...

지연이가 살았던, 당시 자신이 살던 집에서 약 100m 떨어진 곳에 교회가 있었다. 그곳이 자신의 부모님이 직접 시골 목회를 하시던 곳이었다. 지연이는 태어날 때부터 교회와 함께 살아왔다. 부모님을 통해 유아세례도 받았다.

지연이는 어렸을 적 학생 시절, 공부하는 것보다 밖에 나가서 노는 것을 더 좋아했었다. 때로는 정말 할 일이 없거나 비가 와서 밖에 못 나가는 경우면 집에 있는 책을 읽기도 했다. 자신보다 나이 더 많은 언니들이 공부해야 해서 지연이는 신경을 덜 쓴 것이다. 초등학교는 그렇게 놀면서 보냈다. 밖에서 뛰면서 소꿉친구들과 놀았던 것이 지금 지연이의 기초 체력을 만드는데 한몫을 했다.

당시는 아직 지연이가 어렸을 때 상황은 시골에서는 먹을 것이 귀하던 시절이었다. 명절에 누군가가 종합선물세트를 가지고 지연이가 있는 집으로 오면 그것으로 거의 한 달을 보냈다. 귀한 것인 만큼, 자주 먹을 수 있는 기회가 없는 만큼 최대한 아껴먹었다.

얼마나 가난했냐면 지연이의 부모님이 충주에 있는 시골 교회에서 감리교 목회를 하시면서 20년동안 정식적으로 사례비가 나오지 않은 것이다. 부모님의 입장에서는 지연이와 언니들 등 자녀들이 공부하고 학교에 보내서 정식 학교 과정을 모두 마칠 수 있도록 하는 것은 부모로서 해야하는 의무기에 주어진 환경에서 충분히 할 수 있고, 해낼 수 있는 방법들을 찾아서 한 것이다. 최선을 다했다.

부모님이 직접 지연이가 살고 있는 집 뒤에 있는 뒷산에 가서 뽕나무를 일궈서 누에를 쳤다. 학비를 마련하기 위해서라면 누에를 쳐서라도 필요한 모든 학비와 생활비를 마련할 수 밖에 없었다. 김도 마찬가지였다. 김한 톳으로 밥 한 공기를 간장에 잘 비벼서 김과 함께 먹었던 나날들이 꽤 많았다. 김으로 대처하거나 혹은 집집마다 쉽게 볼 수 있는 김치나 된장으로 끼니를 해결하기도 했다.

나라가 한참 발전하는 시기였으며, 80년대까지만 해도 일부 시골은 너무 가난해서 지연이의 부모님이 직접 목회를 하시고서도 제대로 된 사례비가 나오지 않았기 때문이다. 초등학교 고학년부터 지연이는 교회에서 부모님을 따라 교회에 가서 기도하기 시작했다. 초등학교를 졸업하고 중학교에 가더니 하루는 집에서 부모님이 지연이를 불러 앉혔다. 그런 다음, 지연이에게 이렇게 말했다.

"지연아, 너도 이제 중학교 갔으니 매일 최소 2시간이나 3시간씩 교회에 혼자 가서 기도를 해야한다. 기도를 꾸준히 해야 나중에 큰 인물이 될 수 있어. 네가 커서 세계적인 인물이 되려면, 전 세계에 복음을 전하는 하나님의 사람이 되려면, 부흥강사가 되려면 기도를 많이 해야 해. 두려움을 이겨내기 위해서면 담력을 키워야 하니 새벽기도 마치고, 또다시 기도할 때, 낮에 가서 하지 말고 밤에 가서 기도하러 교회에 다녀와라. 작게 하지 말고 큰소리로 기도하거라. 기도하러 갔는데 만약 네가 기도하는 소리가 아빠의 귀에 아예 안 들리면 그때는 혼난다."

"네. 그럼 밤에 교회 가면 몇 시에 가서 해요?"

지연이가 물어봤다.

"저녁 먹고 나서 언제든지. 다만, 평소에 아빠가 늘 말하는 교회에 이상한 사람이 들어오면 그때는 그냥 집으로 다시 돌아와도 된다."

"네"

지연이는 대답했다.

"근데 아빠, 만약 독감이나 몸살감기에 걸려서 아프면 기도를 제대로 하지 못하게 되는데 그때는 어떻게 해요?"

"그것은 아빠가 네가 얼마나 아픈지 상황을 보고 판단을 하마. 너무 아플 때 제대로 하지 못하는 것은 이해한다."

사람이 인생을 살면서 일평생 건강하면서 지낼 수 있지만, 병원에 입원해서 수술받는 일도 분명 있다. 너무 아파서 도저히 기도할 수 있는 상황이 아니라면, 아프지만 버틸 수 있는 상황이라면 적어도 30분이상 기도했다. 단 하루라도 기도를 하지 못해서 한번 자신의 기도 패턴을 놓치면, 성령을 놓치면 기도를 아예 할 수 없게 되는 상황까지 초래하기 때문에 그렇게라도 노력했다.

지연이는 기도를 매일 해야 한다는 말에 지연이는 매일 밤이 되기를 기다렸다. 처음은 어린 지연이의 입장에서는 이해가 되지 않았다. 먼 미래를 잘 몰랐기 때문이었다. 바로 내일의 일이 어떻게 벌어질지 전혀 몰랐다. 저녁을 먹고 지연이는 교회로 갔다. 기도하기 위해서다. 걸어서 5분도 걸리지 않았다. 엎어지면 코 닿을 거리다.

자신의 두 발로 직접 걸어서 교회로 들어온 지연이는 본당으로 들어왔다. 기도를 시작하기 전에 문을 모두 잠궜다. 사람이 들어오는 모든 문은 잠궜다. 교회 안에서 메인 출입문을 잠그면 밖에서는 열지 못한다. 문을 모두 잠궜다면, 다음으로 지연이가 한 일이 있었다. 바로 교회의 창문을 여는 것이다. 집과 가장 가까운 위치에 있는, 창문을 열어두었다.

자신이 기도하는 소리를 부모님이 직접 들을 수 있도록 그렇게 한 것이었다. 자신은 분명 기도했는데 소리가 너무 작게 내어 기도하거나 졸면서 기도할 경우 집에 돌아가서 부모님에게 혼났다. 그냥 혼나는 것이 아니었다. 눈물, 콧물이 쏙 빠지도록 호되게 혼났다. 학교를 하는 상황에서 하나님의 일이 겹쳤다면, 학교 가는 것을 깔끔하게 포기했다.

어렸을 때부터 믿음을 확고하게 성장하고, 훈련하면서 어떠한 것과도 타협하지 않는 법을 배웠다. 지연이의 부모님은 예배와 기도하는 것, 그 외 하나님의 일을 우선으로 두고 다른 것을 포기하거나 학교 수업을 빠지는 것에 관여를 잘 하지 않았지만, 하나님의 일과 예배와 기도를 소홀히 한다면 나중에 반드시 돌아오는 것은 부모님의 호된 호통이었다.

지연이가 문을 잠그고, 기도한 것은 처음은 누가 이상한 사람들이 자신이 있는 곳으로 들어올 것 같은 두려운 마음이 있었다. 처음은 이랬지만, 나중은 기도하는 중간에 다른 사람들로부터 방해받기 싫었다. 자신만의 은밀한 기도 제목이 있었는데 그것도 마음껏 기도하고 싶었다. 기도하는 사람이라면 불은 모두 끄고 한다.

다만 십자가 뒤에 전구를 넣어두어서 십자가만 은은하게 빛이 나도록 조성했다. 기도 많이 하는 사람들이라면 보통 이렇게 하고 기도한다. 강단 앞에 방석을 가져다 놓고 기도 음악을 틀어놓고 기도하거나 직접 육성으로 부르면서 두 손으로 뜨겁게, 그리고 세게 박수치면서 보혈 찬송을 부르고 기도했다. 박자가 틀려도 지연이는 계속했다. 보혈 찬송을 주로 하는 것은 마귀를 물리치기 위함이다. 마귀의 힘이 너무도 강해서 매일 기도하지 않으면 자신이 항상 성령을 모시면서 살아가기 어렵다.

학교 다닐 때는 매일 그렇게 했지만, 재수 10년 생활을 서울에 상경해서 생활하는 동안 5년 이상을 명성교회에 새벽기도 나가서 기도하는 것, 그리고 1년에 2번씩 오산리 금식 기도원에 올라가서 1주일동안 금식 기도하러 올라갔다.

매일 밤 기도원 앞에 있는 공동묘지에 기도해서 새벽 기도를 알리는 새벽종 칠 때까지 기도한 것과 그것도 모자라 아파도, 병원에서 급성 간염이 심해서 1달동안 입원한 기간을 제외하고, 병원에서 퇴원한 이후로 3년동안 쉬어야 살 수 있다고, 간 수치가 정상으로 돌아올 수 있다고 했음에도 불구하고 생명을 걸고 삼각산에 올라가서 100일동안 기도를 했다. 함께 가는 사람들에게는 양해를 구했다. 자신의 상황 때문이었다. 그것이 현재의 지연이를 만든 중요한 요소들이었다.

그렇게 해서 마침내 학부생이 되었을 때, 지연이는 학교에서 누구도 하지 못한 굵직한 일들을 자신의 핵심 측근들과 해냈다. 첫 번째는 자신이 다니는 학교가 기독교를 기반으로 설립된 학교인데 약 10년쯤 전에 불상이 들어와서 정식 동아리로 인정되었던 것을 알게 된 이후 매일 기도하며 일주일에 하루씩 금식으로 준비했다.

4학년에 학생회장이 되어서 불상을 완전히 몰아낸 것, 그 동아리를 인정한 경제학 교수님을 영구 제명시킨 것, 등 큰 일이었다. 기도로서 오랜 시간을 준비했었다. 지연이는 기도로서 준비했을 뿐인데 이렇게 될 줄은 자신도 전혀 몰랐다. 이 일을 통해 지연이는 많은 것을 느꼈다. 배운 것들도 분명 많았을 것이다.

…

오랜만에 다시 돌아온 지연이는 한참을 돌았다. 그 동네를 한참이나. 시간이 가는 줄 모르고 한참을 그곳에서 보냈다. 지금도 한창 농사를 하고 있는 것을 볼 수 있었다. 충청북도라는 내륙지역에 있다 보니 밭농사면 고추, 깻잎 등 다양한 종류의 채소들을 심어놓았다.
이곳에서 이미 상당수 벼농사를 하고 있었다. 그러나 벼농사는 전라도 지방을 따라갈 수 없었다. 우리나라에서 나오는 쌀 생산량 중 70%가 전라도 지방에서 생산되기 때문이다. 조선 때부터는 이곳이 곡창지대로 임진왜란이 발발했을 때, 국토의 대부분이 전쟁으로 폐허가 되어도 이곳만큼은 사수했다.

지연이는 한참을 본 뒤, 시계를 보았다. 현지에 도착하고 나서 2시간이 훌쩍 지났다. 대부분을 볼 수 있었다. 좋은 카메라는 없지만, 그래도 오늘 온 곳을 모두 사진으로 담고 싶었다. 자신의 폰으로 현지의 사진을 찍었다. 이제는 오직 시골에서 볼 수 있는 것들을 모두 구경했다. 지연이는 자신의 시골집의 뒷마당으로 갔다.
보통 뒷마당으로 가면 보이는 아궁이와 오랫동안 장작을 넣고서 불 땐 흔적으로 검게 그을린 자국들이 선명했다. 가마솥을 지탱하고 있는 진흙을 보면 보통 붉거나 누런빛이 도는 복룡간(伏龍肝)을 볼 수 있다. 10년 이상 오래된 아궁이 바닥에서 오랫동안 불기운을 받은 흙으로 보통 약 30cm이상 깊이 파면 나오는 흙이다.
찌는 방법으로 요리할 때 그것을 가마솥이나 냄비에 바르고 닭고기 등 육류를 찜 틀과 함께 냄비나 가마솥에 넣어서 찐다면 약간 짜고 매운맛이 베어서 그 맛을 쉽게 맛볼 수 있다. 옛날에는 한약으로 사용되었을 만큼 동의보감에도 기록되어있는 한약재이다. 지연이는 이 재료를 이용한 새로운 메뉴라 요리를 개발해야겠다는 생각했다. 까먹지 않도록 자신이 매일 들고 다니는 연도 수첩에 잘 적어두었다.

지붕은 짚을 견고하게 엮어서 지붕으로 올린 집들이 있는가 하면, 경제적으로 여유가 있었던 집들은 기와로 지붕을 올렸다. 기와를 올린 집들은 당시 상황으로서는 세련된 집들이 꽤 많았다. 지금은 너무도 발전되고 부강해진 우리나라 덕분에 너도나도 누구나 기와를 올려서 쉽게 볼 수 있는 시대가 되었다.

차는 한쪽에 잘 주차한 뒤 계속 걸어 다니면서 보았다. 대충 돌아다니는 것이 아니었다. 하나를 봐도 세심하게 살펴보았다. 도시에서 볼 수 없고, 오직 시골에서만 볼 수 있는 것들이 정말 많았다. 지연이는 옛 기억들을 다시 되살릴 수 있었다. 편지해진 지금 세상에 감사하면서 살 수 있지만, 때로 다시 돌아오지 않는 과거의 추억에 잠겼다. 짧고도 강렬했던 자신의 아주 어릴 적 행복함을 떠올릴 수 있었다.

지연이는 다시 처음 왔던 것으로, 자신이 차 대놓은 곳으로 돌아왔다. 다른 곳으로 이동하기 위해서다. 지연이는 다시 차에 탔다. 한참을 가만히 앉아 있었다. 겨울에서 봄으로 넘어가는, 계절이 바뀌는 환절기에 감기나 독감으로 덜 고생하고자 지연이는 자신이 낮은 자리에 열선 시트 버튼을 눌렀다. 활성화되어 지연이는 자신의 몸을 따뜻하게 하였다. 몸을 따뜻하게 하여 감기와 독감 등 질병을 사전에 미리 예방하고자 했다.

지연이는 자신의 텀블러를 자주 들고 다녀서 평소에 물도 자주 먹었다. 맹물 먹는 것이 정말 별로라면, 오설록의 달빛 걷기 차, 녹차를 반 발효시킨 화산암차, 우전차(위 두 개는 모두 유기농 차밭에서 나오는 것이다), 포트넘 엔 메이슨에서 나온 얼그레이 티와 블랙티의 잎 차를 티백을 먼저 넣고, 정수기에서 뜨거운 물을 먼저 받은 뒤, 찬물을 잘 섞어서 우려낸 다음 먹었다.

지연이는 오설록에서 나온 티 종류는 평소 집에서 가까운 매장에 가서 원하는 것으로 골라 사는 편이다. 다만, 제주도 현지에 간 경우라면 현지의 매장에서 직접 사서 다시 돌아오는 경우도 몇 번 있었다. 수도권과 제주도 현지에서 판매되는 금액은 똑같았다.

평소 뜨거운 물이나 음식을 제대로 먹지 못해서 느리게 먹는 지연이는 그나마 덜 뜨겁게 먹고자 했다. 약간 미지근하게 조절해서 자주 먹은 것이 추후 어떠한 좋은 결과와 어떤 이로운 점이 적용될지 몰랐다. 자신도.

다만, 그렇게 해서 먹으면 기도하면서, 혹은 일상에서 많이 떠들게 되면 갈증난 것이 금방 해결됨과 동시에 환절기인 3월에는 살짝 얼어있는 자신의 몸을 녹일 수 있으며, 체온 조절에도 아주 용이하게 적용되었다. 한 번 아프면 최소 며칠 동안은 평소 했었던 자신의 일을 제대로 할 수 없는 것을 이제는 너무 잘 알았다.

아픈 시간이 감사한 것은 분명 있다. 그 시간 동안 자신을 돌아보지 못한 것과 자신을 돌보지 못한 것 등 모든 것을 다시 돌아볼 수 있는 거울과도 같았다.

분야를 넓혀가다

　지연이는 자신의 사업장을 오픈하고 본격적으로 사업을 시작한 지 어느 새 1년이 훌쩍 넘겼다. 2년을 바라보고 있는 시점이었다. 세상의 방법과 세상의 운영방법으로 전혀 따라가지 않았다. 사업을 이끌어가는 사장으로서 자신의 사업을 직접 경영하는 것도 중요하지만, 그것보다 더 중요한 것은 따로 있었다. 그것이 더 우선순위였다. 지연이는 그것을 1순위로 여기고 최우선으로 삼았다.

　그것은 바로 하나님께 드리는 모든 공적 예배와 하루에 최소 1시간 30분 이상 무릎으로 기도하는 것이다. 마음의 중심을 본다는 말씀을 잘 알고 있는 지연이었다. 오래전부터 무엇을 가장 우선순위를 두는 것이 더 중요한지 배우고 그것을 실천해온 터였다.

　사업을 하면, 그것도 음식으로 장사하는 상황이면 물질을 벌어들이는 것이 기존 방법이다. 하루라도, 단 한 시간이라도 더 문을 열어서 벌어들이는 것이다. 하지만 지연이는 그러지 않았다. 세상과 그 어떠한 것과도, 타협하지 않았다. 세상적인 것에 우선순위를 두지 않았다. 그렇기에 지연이는 어떤 상황이 자신을 마주하고 있어도 그것에 적절한 대응을 할 수 있는 준비가 되었다. 두려워하지 않았다. 담대해졌다. 이런 일을 계속 겪을수록. 시련과 고난은 뒤로 후퇴하는 것이 절대 아니었다. 시련과 고난은 오히려 지연이를 더 크게 만든 축복의 요소들이었다.

주일은 아예 문을 열지 않았다. 매주 토요일의 경우는 오후 시간부터 마감까지 관리자들에게 맡기고, 지연이는 하나님의 일을 위해 더 열심히 뛰었다. 다만, 매장의 경영 내용용 마감과 매장의 위생상태 등 중요한 것은 관리자들로부터 철저하게 보고를 받았다. 주일은 전국의 매장을 아예 오픈하지 않음으로서 직원들에게 휴식을 주었다. 그것은 아예 회사의 기본 규정으로 삼았다.

지연이는 물론이고, 지연이와 함께 일하는 모든 직원은 주중에 예배가 있는 날이면 무조건 일찍 마무리하고 퇴근했다. 예배 시작 시간에 늦지 않고 가서 기도로 준비하기 위해서다. 판매하는 물건들은 자신이 손해를 보더라도, 처음 사업장을 오픈할 때부터 기존 정상가에서 30% 이상 할인해서 판매하였다. 그래야 사람들이 싼 가격에 더 잘 판매되었기 때문이었다. 빨리 판매하고서 마무리하고 일찍 닫은 뒤, 예배를 위해, 기도를 위해서였다. 피로를 최대한 빨리 풀고 새벽에 지장 가지 않기 위해서다.

새벽기도도 마찬가지다. 과거에는 밤늦은 시간부터 새벽 시간까지 활동에 초점이 맞춰졌다. 하지만, 최근부터 모든 것이 바뀌었다. 이제는 새벽기도가 자리 잡고, 새벽을 깨워 기도를 시작으로 하루를 열어가는 시간이되었다. 또한, 매일 새벽을 하루도 빠짐없이 기도하면서 지연이는 영적으로 자신을 기본부터 탄탄히 다져나갔다. 지방으로 출장 등으로 불가피하게 새벽에 나오지 못했다면 저녁에 반드시 들러서 정해진 시간은 꼭 기도했다. 자신의 목숨처럼 가장 중요하게 여긴 것이 바로 기도였다.

처음 식품 분야로 사업을 시작한 지연이는 자신의 사업장이 전국으로 채인점을 내기 시작했다. 지연이가 일했던 본점에만 있는 특별한 메뉴를 맛보러 오려는 사람들이 오기도 했다. 더 조직화하고, 체계적으로 사업을 경영하기 위해서는 아예 본사를 따로 두어 경영해야 함을 간절히 느낀 지연이는 본사와 가까운 사무실을 얻었다. 지연이가 사업을 차린 매장은 본점으로 삼았다. 새로 얻은 사무실을 본사 주소로 두었다.

본점은 조리 분야 등 현재 가동 중인 각 분야에 막 입사한 신입사원들은 꼭 근무해야 하는 필수 코스가 되었다. 본사 근무 직원들이 본점으로 가서 신입직원에게 앞으로 필요한 실제 교육을 해주기 위함이었다.

사무실로 새로 이사 온 지연이와 자신과 처음 사업을 오픈하여 지금까지 변함없이 계속 왔던 핵심 임원들과 함께 사무실을 들어오는 입구부터 내부까지 모두 직접 꾸몄다. 입주하기 전, 인테리어 공사를 할 때, 관계자들과 긴밀한 대화와 협력을 통하여 아주 세련되고 완성도 높게 했다. 기본은 아주 탄탄하게 구성했다. 시대를 앞서간 구성을 했다.

한 번 완성하면 다른 것으로 바꾸는데 상당한 오랜 시간이 소요될 뿐만 아니라, 지연이가 경영하는 부분에서 중요한 계약을 따기 위해 다른 회사에서 오는 사람들과 긴밀한 업무협정을 맺기 위해 방문하는 거래처에서 방문하는 많은 사람들의 두 눈으로 보는 관점까지 모두 고려한 것이었다. 믿음으로 세워갔다.

가까운 것만을, 자신의 바로 눈앞에 처해있는 상황만 직접 보고 한 것이 거의 없었다. 먼 미래를 내다보고 디자인을 완료하였으며, 꾸몄다. 한 사람이 한 것이 아니라 낮은 위치에 있는 사람부터 ceo인 지연이까지 모두 참석하여 이 결과를 이끌었다.

원하는 위치에 근사한 본사 사무실을 얻고, 새로운 분야로 개척하기 위해 여기까지 올 수 있는 것도 지연이는 오직 자신만이 한 것이 아니라는 것을 너무도 잘 알고 있었다. 또한, 개인의 노력과 기본기를 탄탄하게 다져놓기 위해 보이지 않는 곳에서 엄청난 노력을 해왔다. 수많은 사람들의 노력과 헌신과 땀, 눈물이 있었기에 가능한 것이었다. 자신도 그래왔다. 평직원시절에는 사회에 잘 정착하는 것과 자신의 맡은 일에서 치열하게 살아왔다. 생존에 초점을 맞추고, 돈을 버는 것에 더 우선이었다.

하지만, 지연이는 20대 후반이라는 다소 늦은 나이에 하나님을 제대로 만난 이후로 모든 것이 바뀌었다. 깊은 것까지 전부 바뀌었다. 송두리째 바뀌었다. 정당한 방법으로, 오직 자신의 실력으로 경쟁에서 이겨왔으며, 부정한 방법으로 이익을 취했다면, 당당하게 포기하고, 하나님의 것을 세상적인 것과 방법보다, 자신의 것보다 더 우선으로 하며 더 열심히 뛴 것이 지연이에게는 전부였다. 세상에는 당연, 공짜가 없었다. 쉬운 것은 단 하나도, 아무것도 없었다.

자금이 필요해서 다른 것을 알아보려다 자신도 모르는 사이에 명의도용을 당했다. 이것을 자신은 분명 새로운 폰을 개통한 적이 없는데 통신사 어플에 자신의 아이디로 직접 들어가서 자신의 명의로 된 새로운 폰이 개통되어있는 것을 뒤늦게 알게 된 시점이었다. 얼마되지 않은 상황에서 하루라도 빨리 알아차린 것이 다행이었다. 서류인 줄로 알았으나 나중에 알고 보니 최신에 나온 핸드폰이었다.

지연이는 가만히 있을 리가 없었다. 곧바로 증거수집에 나섰다. 카톡으로 연락한 모든 내용들과 새로 개통된 폰과 관련된 문서들을 인쇄했다. 관할 경찰서 민원실로 가서 접수했다. 명의도용으로 고소한 것이다. 지연이는 직접 접수를 하고, 자리를 뜨지 않고 그곳에서 기다려 자신의 차례를 기다렸다. 시간이 걸려도 지연이는 계속 기다렸다. 결과를 얻으려면 그렇게 하는 것밖에 없었다. 한참이 지났다. 누군가가 지연이를 불렀다.

"윤지연씨?"

"네?"

지연이가 대답했다. 지연이를 부른 사람은 변호사였다. 사건을 접수를 완료한 것을 가지고 와서 지연이에게 설명했다. 명의도용은 누가 봐도 잘못이었기 때문이었다. 잘 모르는 사람들도 쉽게 이해할 수 있도록 말이다.

"선생님이 접수한 사건은 수사 2팀에 하달되었어요. 접수 잘 되었다고 보면되요. 추후 선생님한테 직접 연락 오면 피해자 진술 조사를 받으러 경찰에 출석해야 해요. 모르는 전화여도 전화 잘 받아주세요. 그때 여기다 적어주신 증거자료들을 모두 제출하면 됩니다."

"감사합니다."

지연이는 잘 접수었다는 말을 듣고 감사했다. 더구나 이미 있는 빚 때문에 허덕이고 있는 상황인데 이것까지 겹친 상황이었다. 독촉하는 연락이 계속 왔었다. 안 좋은 일로 한가지가 아니라, 두 가지 일이 한꺼번에 터지고, 그 일들이 계속 장기화 되었다. 자신이 생각했던 것보다 더 오래갔다. 지연이는 포기하고 싶었다. 너무도 힘이 들었다.

사업이고 뭐고 포기하고 싶었다. 쥐구멍에 숨고 싶었다. 어디론가 도망치고 싶었다. 도망칠 수 있는 곳이 어디가 되었든지 도망치고 싶었다. 현실을 벗어나고 싶었다. 모든 것을 포기하고 싶었다. 지연이는 스스로 하는 것이 벅찰 정도로 꽤 많이 힘들었다. 자신이 이렇게까지 살아가야 하는지 의문이 들기도 했다.

자신의 몸을 완전히 숨길 수 있는 곳이 있었으면 하는 생각도 들었다. 그 생각이 너무 간절했다. 피할 수 있는 피난처가 필요했다. 이렇게 힘들어 본 적이 거의 없었기 때문이었다. 그래도 뿌리까지 흔들리지는 않았다. 이미 오랜 시간동안 온실 속을 떠나 커다란 폭풍우를, 때로는 태풍을 만나고, 그것에서 살아남는 방법과 야생에서 파란만장한 시간을 보내온 터라 지연이는 이렇게 어려운 상황에서도 힘들어하는 티를 내지 않았다. 다른 직원들에게 힘들어하는 티를 내서 피해를 주기는 싫었다.

　지연이는 자신의 뚝심을 지켰다. 다만, 한 장소에서 여러 사람들과 대화하는 것을 자제하였다. 그러다 보면 분명히 자신이 행동이나 말로서 실수하게 된다는 것을 잘 알고 있었기 때문이었다. 지연이는 밤마다 자신이 다니는 교회로 돌아와서 더욱 무릎 꿇고 기도했다. 자기 자신을 더욱 낮추었다. 교만하지 않고 더욱. 이를 통해 지연이는 자신에게 있었던 교만함은 모두 버렸다.

　하나님을 붙들고 기도하는 것만이 정말 유일한 방법임을 뒤늦게 알게 된 것이다. 하나님의 뜻을 온전히 구하기 위해서는 절실하고 절실하게, 간절하게, 목이 찢어지도록 간절하게 기도하는 것 말고는 거의 없었다.

　그것으로도 해결이 잘되지 않는다면 날을 정해서 하루동안 금식을 하면서 해결방법을 얻는 것밖에 없었다. 지연이는 자신이 혼자가 아니라는 것을 이 시간을 통해 알게 되었다. 자신을 위해서 함께 기도할 수 있는 사람이 자신의 곁에 있다는 것이 지연이는 감사했다.

　누군가는 지연이가 흔들리지 않고, 옳은 길을, 힘들게 노력해서 얻은 기도를 잃지 않고 계속 기도하면서 주어진 상황에서 이성을 잃지 않고, 계속 전진할 수 있도록 해주는 사람이 있었다. 그런 정신적 지주 역할을 하는 사람이 있는 것만으로 지연이는 감사했다. 지금도 계속 감사하고 있다. 잊을 리가 없었다.

　지연이는 처음은 그렇게 힘들었다. 육체적으로, 정신적으로 힘들었다. 전부 다 힘들었다. 다만, 지연이는 남들에게, 자신과 가까이 지내는 사람들에게도 잘 얘기하지 않았다. 의존적이지 않았다. 항상 다른 사람들에게 의존적이면 지연이는 거의 온실 안 화초처럼 느껴졌다.

　그러나 포기하지는 않았다. 분명 앞으로, 미래에 대한 희망이 있었다. 그래서 포기를 하기에는 너무 일렀다. 포기하면 더 이상의 발전과 찬란한 미래를 꿈꾸기에는 끝난 것이나 다름이 없었다.

이것은 분명 더 큰 사람이 되기 위해 어차피 겪는 것이라는 긍정적인 생각을 하게 되었다. 부정적인 생각은 하지 않으려고 노력했다. 지연이는 해결책을 구하기 시작했다. 처음부터 다시 걸음을 시작했다. 그 위대한 시작점은 당연히 매일매일 교회로 와서 직접 기도하는 것이었다. 기도의 힘이 매우 컸다. 기도하는 자는 어렵고 힘든 일들이 자신을 찾아와도 방황은 하더라도 다시 자기 자리를 지켰다.

...

시간이 흘렀다. 지연이는 평안해졌다. 이제 조금 평안해졌다. 힘들었던 시간은 모두 지나갔다. 지연이는 어느새 평소의 페이스대로 자신의 일상을 살아가고 있었다. 기도하는 것만큼은 계속 늘려갔다. 새로운 것을 아주 철저하게 준비하고 있었다. 자신이 직접 얻는 수익도, 사업해서 자금도 늘었다. 지연이가 기존에 하던 사업은 점차 체인을 내고 있었다. 직접 가져가는 수익도 처음보다는 많이 늘었다. 안정권에 들었다.

작년에 결산 본 것보다 올해가 수익이 더 늘었다. 성과가 나오고 있었다. 외부의 우수한 감사업체와 정부의 감사에서도 투명함을 인정받았다. 이것으로 직접 상 받기도 했다. 지연이는 돈 관리에서만큼은 철저했다. 은행보다도 더 신용이 깊을 정도로 철저했다.

은행에 대출받아서 빚으로 갚을 것이나 지출해야 할 것이 있다면 기한을 어기지 않고 제때 모두 내기 위해 계속 노력했다. 이를 통해서 신뢰를 얻고 다른 상황에서도 신뢰를 얻기 위해 노력을 했다. 자신이 약속한 것을 지키기 위해 계속 노력했다. 절대 현실에 안주하지 않았다. 지연이는 지금보다 더 발전된 자신을 원했다.

지연이는 다른 사람들에게 관대한 편이지만, 자기 자신에게는 더 철저했다. 더 엄격했다. 작은 것을 소홀히 생각하고 행동하기 때문에 쉽게 무너진다는 것을 잘 알고 있었기에 지연이는 자신이 하고 있는 것 중 작은 것부터 까먹지 않고 충실하기 위해, 메모할 수 있는 것이라고는 모두 메모했다. 모두 적어놓고 한 일들은 완료 표시를 해두었다. 지연이는 하나씩 하나씩 그렇게 표시했다.

　자신에게 주어진 하루를 치열하게 살았다. 하루살이처럼 치열하게 살았다. 살아남기 위해서, 최고가 되기 위해서는 계속 노력했다. 끊임없는 노력을 계속했다. 자신이 잘 알아볼 수 있도록 표시했다. 평소에는 사업이 이미 성공한 사람들이 평소에 어떻게 하는지 작은 것까지 빠짐없이 모두 관찰하면서 잘하는 것은 지연이도 보고 배우기 위해 계속해서 노력했다.

　사업이 전국에 체인을 내면서 입소문을 타서 찾아오는 사람들이 더 많아지고, 차츰 체인점이 더욱 많아졌다. 지연이는 이곳에 안주하지 않고 다른 분야에 사업을 내기 위해 준비하기 시작했다. 많은 기도로서 철저하게 준비하고 있었다.

　지연이는 다른 분야에 사업을 시작하기 전에 먼저 하나님의 뜻을 구하기 위해 먼저 기도하고 있었다. 기간이 얼마나 걸리는지 그것에 상관없이 계속 기도했다. 확신이 설 때까지 계속 기도했다. 섣불리 하지 않았다. 이미 먼저 사업을 시작해서 경험이 풍부한 사람들에게 직접 찾아가서 도움을 요청하기도 했다. 지연이는 아무것도 모르는 상태에서 시작하면, 직접 버는 것보다 자신이 손해를 보는 일들이 더 많아지기 때문에 함부로 시작할 수 없었다. 어디로 새로운 사업을 시작할지 고민도 많이 되었다. 계속해서 기도하고, 자신에게 어떤 분야가 더 유리할지 계속 물색했다.

…

　며칠이 더 지났다. 한참이 흘렀다. 지연이는 드디어 오랫동안 준비해온 것을 실제로, 실천으로 옮기기 시작했다. 많은 시간이 걸렸다. 세상에는 어떠한 것도 공짜가 없었다. 지연이가 새로운 분야로 사업을 시작하려는 것은 다름이 아니었다.

　신제품을 직접 개발하여 발표할 수 있도록 연구소를 설립하고, 신제품 개발한 뒤, 정부에 신제품 관련 사항과 판매를 위한 모든 신고절차를 마친 뒤 판매할 수 있도록, 부자부터 평범한 사람들도 각자의 일상에서 손쉽게 구입할 수 있도록 백화점에 입점해 있는 전자제품 전용 코너와 서비스 센터 등 유통망 형성하는 등 새로 개척하기 위해 노력하였다. 남녀노소 사람 구별 없이 많은 사람들이 이 제품을 쉽게 볼 수 있고, 손쉽게 사용할 수 있도록 하는 것이 지연이의 목표였다.

전문 연구소에서 신기술을 끊임없이 연구하고, 개발하며, 신제품을 만들고 개발한 신기술들을 제품에 넣어서 개발하기 위해 유능한 연구원들과 엔지니어들을 적극적으로 영입하는데 엄청난 노력을 했다. 경쟁력이 있어야, 치열한 경쟁을 벌이고 있는 시장에서 살아남을 수 있기 때문이다.

자신이 만든 제품을 판매했다면 일정한 기간동안 직접 책임질 수 있도록 A/S 센터를 설치 하였다. 지연이는 필수로 한 가지 더 설립한 것이 있었다. 사람들이 알면 알수록 더 겸손해지는 것은 당연한 미덕이라 생각하고 있었다. 벼도 익으면 고개를 숙인다는 말이 있는 것을 너무도 잘 알고 있었다. 자신이 그동안 받은 것이 있다면, 가진 능력으로 사회공헌을 할 수 있도록 전문 복지재단을 함께 설립했다.

대표적인 예시로서는 시각장애인 안내견 양성과 안내견이 필요한 시각장애인들에게 분양하는 안내견 학교 설립하는 것 등이 대표적이었다. 국내에는 아직 이런 일을 하는 곳이 단 2곳 밖에 없었다. 자신이 하나 더 설립하여 자신의 회사가 큰 기업으로 성장하고, 다국적 기업이 될 수 있던 것도 국민들이 이렇게 만들어주었다는 뜻이라는 것을 알고 있었다.

사회 환원에 힘을 쓰겠다는 뜻을 펼쳤다. 자신의 이익만을 추구하기보다, 삼성이나 LG, 현대처럼 회사 이름만 들으면 모르는 사람들이 없을 정도로 큰 기업으로 성장했으면 회사의 전체 수익 중 극히 일부와 가진 재능을 사회에 환원하는 것이 당연한 도리였다.

시각장애인 안내견이나 안내견이 되기 위해 어릴 때부터 봉사자의 가정에서 철저하게 훈련을 받는데, 이 과정에서 필요한 요소이자 훈련받는 장소로 마트 등 쇼핑몰에 데리고 가는데 이 경우도 타당한 이유 없이, 입장을 제지하게 되면 장애인복지법 제40조 3항에 따라 벌금을 내는 등 법적 처벌을 받을 수 있다. 반려동물의 입장은 막을 수 있어도 시각장애인 안내견과 안내견이 되기 위해 훈련받고 있는 상황의 강아지와 봉사자의 입장을 거부하는 것이 불가하다.

그것뿐만이 아니었다. 다른 것까지 생각했다. 폭넓게 생각하고 약자들이 어렵게 각자의 일상을 생활하는 일들이 빈번하게 벌어지고 있는 것을 뉴스에서 완전히 기억에서 잊어버릴 만하면, 하나씩 큰 사건들이 인터넷에 헤드라인으로 올라오는 많은 뉴스 기사들 덕분에 지연이는 이런 일들을 잊지 않고 계속해서 생각하고 있었다.

생활이 매우 어려운 기초생활 수급자들과 정부에서 나온 아동 급식카드로 하루에 정해진 금액 내에서 주로 편의점에서 컵라면 등 음식을 사서 그것으로 매일 끼니를 해결하는 수많은 학생들이 적어도 먹는 것으로 걱정하지 않도록 음식을 지원해주는 것, 다양한 종류가 포함된 반찬과 밥을 담아서 온 가족 식구들이 적어도 한 끼는 안심하고, 걱정이 없는, 마음껏 먹을 수 있도록 도시락을 만들어 지원하는 것은 무조건 하는 필수사항으로 수행했다.

지연이는 자신도 회사를 이끌어가는 CEO가 되기 전, 먼저 회사에 들어가서 직장인 생활을 하면서 자신에게 힘든 일이 있어도, 누군가의 작은 응원이나 쉬는 시간에 먹는 것으로 새로운 힘을 얻고 다시 시작하여 이겨내는 경우도 겪어봐서 그런 상황들을 충분히 이해하고 있었다. 아예 모르는 것은 아니었다.

계속 파보면 이런 일들이 아직도 국내에서 벌어지고 있는 일인지 분명히 멀쩡한 두 눈을 뜨고 보는데도 믿기 어려울 정도의 일들이 수없이 벌어지고 있다. 믿을 수 없을 수도 있겠지만 분명하다. 이런 상황들이 대한민국의 현주소다.

국내 저소득층, 학교에 다니고 있는 모든 여학생들이 평범한 가정의 학생들과 똑같이 공부하고 자신의 꿈을 꾸고 펼칠 수 있도록 최소 6개월을 사용할 수 있는 위생용품과 안내서를 담은 키트를 보내는 사업을 진행하기 시작했다. 1년에 2회를 위생 키트를 선별한 기준에 모두 해당되는 모든 여자 학생들에게 보냈다.

빠짐없이 모두. 특히 지연이는 복지재단을 통해 국내 여학생들을 위한 위생용품 지원과 음식 지원은 무슨 일이 있어도 꼭 시행했다. 현실에서는 생각보다 누군가의 도움이 절실히 필요한 사람들이 정말 많았다.

아직도 위생용품 살 돈이 없어서 더러운 헝겊이나 버려진 침대의 매트리스 솜 중 깨끗한 부분을 떼어내서 1주일 내내 사용하거나, 또는 버려지는 신문지를 계속 구겨서 부드럽게 만든 다음에 그것을 위생용품을 대신해서 사용한다는 등으로 관련된 뉴스를 볼 때마다, 인터넷에서 관련 사례들을 볼 때마다 지연이는 정의로운 분노가 나기도 한다.

지연이는 자신과 똑같은 여자로서 그런 수치스러운 일을 겪어야 하는지 도저히 이해가 되지 않았다. 알게 모르게 나라의 복지를 위해서, 복지 사각지대를 없애기 위해 정부와 지방에서 적극적으로 일하겠다는 말을 들은 적이 분명 있었는데 이런데에 돈을 써야 하는 것을 어떻게 하고 있는지 의문이 들기도 했다.

여기에 진로를 학생 스스로 결정할 수 있도록 전문가의 도움을 받을 수 있도록 심리상담센터도 함께 설립했다. 지연이는 과거 자신이 아프고 아팠던 시절과 부모님 모두 돌아가신 이후 스스로 모든 것을 결정하고 나아가야 했던 시절을 모두 겪었기에 지금 그것을 겪고 있는 학생들의 입장을 정말 잘 알고 있었다.

재단에서 일하는 모든 직원들에게 이 세 가지 일은 사람으로서 기본권인 만큼 그들도 사람답게 살아갈 수 있도록, 학생들은 꿈과 희망을 잃지 않고 잘 가지고 자신의 진로를 개발하여 우리 사회의 일원으로서 함께 성장할 수 있도록 지원을 제대로 해야 한다며 그들을 적극적으로 동기부여를 했다. 동기부여만 하는 것만으로 끝이 나지 않았다. 앞에서는 말을 하고, CEO인 지연이가 직접, 가장 먼저 모범을 보였다. 앞에서 행동으로 보여주며 직원들이 직접 일을 할 수 있도록 본보기를 보였다. 최고 리더가 모범을 보이지 않으면 직원들이 쉽게 잘 따르지 않는 경향이 있는 것을 지연이는 익히 잘 알고 있었다.

시작되었다. 첫걸음이었다. 그것은 지연이가 오랫동안 보물처럼 잘 간직해왔던 꿈이었다. 이제 그 꿈이 이제 막 첫걸음을 시작한 것이다. 여기서 신제품은 질 좋은 뷰티 제품과 전자제품이었다. 사람답게 살아가는데 전자제품은 절대로 빼놓을 수 없었다. 지연이는 이미 시중에 있는 제품들을 구경하였다.

전자제품을 생각하면 삼성을 빼놓을 수 없었다. 최근 유행하고 있는 트렌드를 모두 살펴보았다. 샅샅이 보았다. 한 개도 빼놓지 않았다. 삼성과 엘지를 빼놓고 국내 전자 제품시장을 어떻게 설명할 수 있을까?

지연이는 이미 국내시장과 세계에서 활동하고 있는 기업들에서도 절대 지지 않았다. 지연이만 있는 특유의 배짱이 있었다. 지연이는 사업을 시작하기 전에 오랜 시간동안 스승님에게 배운 것 그대로 사업하면서 이행하기 시작했다. 기도는 매일 했다. 하루도 빠짐없이 했다. 정해진 시간은 꼭 지켰다. 기도의 중요성은 이미 오래전에 잘 알고 있었다. 하루라도 하지 않으면 패턴을 놓쳐서 이전에 했던 것을 되찾아오기 매우 힘들었다.

사람이 매일 기도하라고는 어떤 기록에도 없었다. 성경에 기록되어있는 것이다. 습관대로, 매일 깨어 기도를 해야한다는 내용이 있다. 그렇게 하지 않아서 시험에 들어서 만사를 포기하는 사람들을 주변에서 수없이 보아온 지연이는 왜 매일 기도를 해야 하는지, 아파도 기도는 꼭 해야 하는지 이유를 잘 알고 있었고, 자신도 그렇게 해왔기 때문에 잘 알고 있었다.

또한, 지연이는 작은 것 하나도 놓치지 않기 위해 노력하고, 또 노력했다. 사소한 것 하나도 잊어먹지 않기 위해 지연이는 자신의 가방 속에 넣어 놓고 다니는 연도 수첩에다 자신의 일정과 작은 일들을 적어놓았다. 일종의 노력이었다. 작은 것에도 철저하기 위해 계속 노력, 계속해서 피나는 노력을 했다. 세상에는 어떠한 공짜는 없다.

세계 속으로

다시 봄이 되었다. 겨울철 추위 속에 움츠러들었던 모든 생물들이 서로 구분할 것 없이 조금씩 새로운 싹을 틔우기 시작했다. 이번 겨울은 유독 추위가 심했다. 북극의 추위를 묶어두고 있었던 제트기류가 하강하면서 북반구에 있는 시베리아와 북미지역과 한국 등 아시아 일부 지역에 매서운 추위가 몰아닥친 것이었다. 추위뿐만이 아니었다.
  겨울임에도 불구하고 일부는 비가 너무 많이 내려서 일상생활이 불가할 정도로 물이 범람하여 한동안 불편함을 겪은 나라들이 있는가 하면, 남반구에서는 전례 없는 고온으로, 겨울인 나라에서는 이상고온으로 지구온난

화로 인한 부작용을 겪고 있다. 인간의 무분별한 자원사용과 환경을 오염 시킨 결과였다. 인과응보였다. 이제는 이 일을 막고자, 자원을 재활용하여 쓰는 재활용 사업과 자연 친화적인 방법과 제도를 적극적으로 도입하고, 재활용된 물건을 적극적으로 사용하고 있는 추세다.

지연이도 가만히 있을 사람이 아니었다. 정부의 지침에 따라 회사에서 자원을 아끼고, 친환경으로 발맞추어 변화시키고 있었다. 본사의 옥상에는 큰 금액을 들여서 태양열 전지판을 설치했다. 태양열을 이용해 만든 전기로 빛 에너지를 사용하며, 비나 눈이 와서 태양열 전력 공급이 부족할 경우 전기를 사용하는 방식으로 이어갔다. 이 방법을 도입한 덕분에 전기세를 정말 많이 아낄 수 있었다.

회사에서는 직원들이 적극적으로 회사에서, 일상에서, 재활용하는 것에 힘써서 동참할 수 있도록 광고 및 권고를 했다. 수거된 많은 재활용 재료로 새로운 물건을 만드는 재활용하는 업체와 공식으로 업무협정을 맺어서 지연이의 회사에서 나오는 재활용 쓰레기를 직접 모두 수거해가서 화분 용기, 회사에서 업무를 위해 사용하는 각종 잡동사니를 모두 정리하기 위해 사용하는 미니 서랍장, 컴퓨터 받침대 등으로 다양하고 새로 만드는 등 다양한 제품들을 공동구매할 시 정상가보다 저렴한 가격에 구입할 수 있는 혜택을 주었다. 조건이 버려지는 물건이 모두 재활용할 수 있도록 잘 배출하는 조건이었다.

여기에 AI도 놓칠 수 없었다. 요즘은 위험한 일이나 단순한 일들은 거의 다 로봇으로 대체되는 추세다. 로봇을 떼어놓고 살아갈 수 없는 편리한 세상이 되었다. 인공지능을 로봇에 도입해서 사람처럼 되는 세상이 되었다. 이것이 더욱 가파르게 성장하고 있다. 이런 기술이 현재 다양한 방면에서 많은 영향을 끼치고 있는 상황이다.

지연이도 AI를 도입했다. 각종 전자제품을 생산하는 공장에서 가장 중요한 부분을 차지하는 부분에 인공지능을 삽입하였다. 생산하는 라인도 모두 최첨단 장비로 모두 교체했다. 더 질 좋은 제품 생산을 통해 더 경쟁력 있는 제품을 생산하는 등 경쟁력을 갖추어나갔다.

이것뿐만이 아니었다. 지연이는 더 많아지는 해외 사업장을 위해서도 해외에 법인을 둔 사업장의 현재 상황과 현지 정부에서 펼치는 각종 정책을 살펴보았다. 꼼꼼하게 하나부터 열까지 모두 세심하게 살펴보았다.

또한, 직접 현지로 비행기를 타고 날아가서 직접 살펴보았다. 해외 출장이 상당히 잦았다. 해외에 사업장과 법인을 둔 다국적 기업의 사장이라면 해외에 직접 나가서 사업현장을 직접 살펴보는 것도 마다하지 않았다. 해외로 나가는 일정은 보통 월요일에 출국해서 현지에 체류하는 시간이 짧으면 3일, 길면 5일이었다. 빠르면 수요일에 국내로 다시 들어오거나 금요일 오후에 들어오는 경우가 많았다.

주말은 일을 아예 하지 않았다. 직원들을 모두 일찍 퇴근시켰다. 주말에는 업무의 걱정 없이 편하게 쉴 수 있도록. 지연이는 적어도 금요일 저녁부터 주말 내내 교회에서 하나님의 일을 마음껏 수행하며, 기도하고, 믿음을 지키기 위해 최대한 해외 일정도 교회 중심으로 맞췄다. 예배를 빼놓고, 단 하루라도 기도를 아예 하지 않으면 어찌 확고한 믿음을 잘 지킬 수 있겠는가? 불가능하다.

해외 출장이 잦아도 지연이는 해외에 다녀오기 위해 필수이자 기본인 왕복 항공권으로 돈 걱정을 해본 적이 단 한 번도 없었다. 현지에서 먹는 것으로, 돈 걱정을 해본 적이, 최소 한 번 이상 돈 걱정을 해본 적이 거의 없었다. 이것도 어떻게 보면, 다른 시선으로 보면 모두 은혜였다.

다른 사람이라면 외국에 한 번 다녀오기 위해서면 필요한 모든 비용을 모두 모으기 위해 많은 시간이 소요되지만, 지연이는 적어도 해외 출장으로 주요 나라를 다녀올 수 있었다. 그러기 위해서 들어가는 필요한 돈도 모두 부족함 없이 충분히 다녀올 수 있었다. 그것도 오고가는 길에는 불편함 없이 비행기 비즈니스석으로 항공권을 구해서 모두 다녀올 수 있었다. 그것도 축복이다. 다시 보면 그렇게 할 수 있는 것도 모두 하나님의 은혜이기도 했다.

시기별로 가는 나라들이 다르다. 태국과 필리핀, 말레이시아, 싱가포르, 인도네시아, 홍콩 등 동남아 지역은 우기가 있어서 최대한 우기를 피해서 주로 겨울에 동남아 지역을 많이 다녀온다. 우기에 가면 외부일정과 현지에서 꼭 해야하는 일들을 제대로 하지 못하고 종일 실내에만 있는 경우가 허다한 경우를 지연이와 일행들은 몇 차례 경험했었다.

늦은 봄에서 초여름 사이 보통, 4월에서 7월 사이에는 주로 미국 그리고 캐나다 등 미주지역, 멕시코, 브라질과 페루 등 남미지역과 영국, 이탈리아, 독일, 스페인, 프랑스, 오스트리아와 스위스, 벨기에, 룩셈부르크, 네덜란드, 덴마크, 아일랜드 등 유럽 전역을 다녀온다. 중국과 대만은 명절과 오직 그 나라에만 있는 문화에 사람들이 많이 이동하는 시간을 피해서 가기도 한다. 계절은 상관이 없었다.

지연이는 청년 시절 대학 졸업하고서 처음 직장을 다닐 때, 지연이는 갈 수 있는 시간이 도저히 나지 않아서 해외에 아예 없었다. 일주일씩 일을 뺄 수 있는 시간이, 그럴 수 있는 기회가 별로 없었다. 그러기 위해 휴가를 많이 쓰면 주변의 눈치가 보였다. 자신의 또래들은 학기 중에 아르바이트해서 모은 돈으로 방학에 외국 여행을 다녀오는데 지연이는 그러지 못했다. 그렇지만, 지금 이때에 그동안 외국에 못 갔던 것을 모두 보상받았다. 모든 것이 한 방에 해결되는 순간이었다.

자신이 목표를 향해서 느리게 가는 것처럼, 그렇게 보여도, 뒤처지는 것 같아 보이는 것 같아도 그런 작은 시간들이, 오후 6시가 되어 퇴근할 시간이 되어서 일 끝나고 밤에 교회로 가서 최저 1시간 이상 무릎 꿇고 간절하게 기도했던 시간들과 주어진 상황에서, 어려운 상황들이 자신을 덮쳐도 포기하지 않고 끝까지 성실하게 지연이는 자신에게 주어진 일들을 이 절대 헛된 시간이 아니었다.

...

한참이 흘렀다. 지연이는 미국으로 출국하기 위해 인천공항 2터미널에 있었다. 정식으로 미국으로 출국하기 위해 필요한 탑승 수속절차를 모두 마치고 기다리고 있었다. 비행기가 출발하는 시간을. 가는 목적지는 미국 뉴욕이었다. 대한민국 인천국제공항에서 이륙하여 지구상에서 가장 넓은 바다인 태평양을 지나 미국 땅으로, 뉴욕 땅으로, 뉴욕 John F. Kennedy 국제공항으로 입성하기 위해서는 총 14시간 30분이라는 대장정의 시간이 필요했다.

지연이는 미국으로 경유 없이 바로 가는 대한항공 비즈니스석으로 갔다. 예전이었으면 이렇게 할 수 있을 것이라고, 자신이 이렇게 될 수 있을 것이라고 도저히 생각에도, 꿈에도 꿀 수 없었다. 자신이 초라한 위치에서 아무것도 없이 그저 음식으로 사업을 시작하기 위해 관련 자격증을 따서 남 밑에서 기본기를 충분히 익힌 다음, 그곳에서 일하면서 벌어둔 돈으로 바로 자신만의 사업장을 열었다.

사업을 시작하여 초반부는 치열한 경쟁 시장에서 꼭 살아남기 위해 치열하게, 정당한 방법으로 성공하기 위해 하루를 부지런하게, 살아왔다. 하루를 절대 헛되이 보내지 않았다. 시간 낭비를 하지 않았다. 하루가 너무도 소중했다. 어쩌면 오늘이 자신의 인생에서 마지막이 될 수 있다. 그런 확신이 생겼다. 사람의 인생은 정말 아무도 모른다.

지연이는 자신의 일상에서 매일 기도할 수 있는 시간을 확보하여 저녁에 퇴근한 이후, 밤에 교회로 돌아와서 기도하거나, 새벽에 와서 예배를 드리고 1시간 이상 기도하고, 여유가 있으면 잠시 쉬었다 곧바로 직장에, 자신의 사업장으로 출근했다. 수시 때때로 물건의 재고량을 살펴보아서 부족함이 없도록 제때 물건을 발주해서 재료를 보관하는 창고에 상하지 않도록 잘 보관하였다.

매장에서 가장 중요한 것은 손님들의 주문을 잘 받아서 제시간에 요구하는 음식을 제공하는 것은 기본이다. 손님들을 잘 응대할 수 있도록 계속해서 자신의 사업장에 적용해도 좋은 것은 적극적으로 도입하는 등 벤치마킹도 마다하지 않았었다.

지연이도 부족한 것은 적극적으로 배우려고 계속 노력했다. 또한, 자신의 건강이 탈 나지 않도록, 무탈하기 위해 건강관리와 자기관리는 더욱 철저하게 했다. 지연이는 자신에게 주어진 것은 단 한 개도 그냥 지나가는 법이 없었다.

아침 10시가 되었다. 지연이의 비행기 시간이 출발하는 시간이 다 되었다. 지연이는 탑승하는 시간에 맞추어서 이미 항공기에 탑승했다. 타기 전에 승무원에게 자신의 항공권과 여권을 다시 보여주었다. 지연이는 자신이 가지고 탄 가방은 선반 위에 넣었다. 충전기와 노트북을 미리 빼두었다. 기내에서 사용할 수 있기 때문이다.

지연이는 자신의 자리에 앉았다. 벨트를 맸다. 출발을 기다렸다. 자리에 앉아서 출발을 기다리는 지금 이 시간이 지연이는 항상 설레고 또 설렌다. 그동안 비행기를 많이 타보았지만, 이때만큼이 가장 기대되었다. 한참이 지났다. 적어도 10분 이상은 지났다. 지연이와 같은 비행기에 탑승 예정인 사람들이 모두 탔다. 안내방송이 계속해서 나왔다. 어느새 항공기 문을 닫고 출발하겠다는 안내가 흘러나왔다.

항공기 주 출입구의 문이 닫혔다. 완전히 잠겼다. 승무원들이 문을 단단히 걸어 잠그고 자신들도 자리에 앉아서 안전벨트 메고 항공기 이륙 준비를 했다. 이윽고 활주로로 이동하기 시작했다. 후진해서 활주로로 이동하기 시작했다. 먼저 출발한 비행기들이 순서를 기다리고 있었다. 자신의 출발 순서를. 지연이가 타고 있는 비행기는 3번째쯤 되었다. 한참이 흘렀다. 적어도 5분은 지났다.

어느새 활주로에서 출발을 기다리고 있었다. 자신이 타고 있는 비행기보다 먼저 가서 출발을 기다리고 있었던 비행기들의 출발과 함께 일정 시간을 활주로 출발선에서 기다려야 했다. 항공기 사고를 막기 위해서는. 관제탑에서 관제사가 내리는, 출발해도 된다는 허가를 기다리고 있었다. 기장과 관제탑과의 교신이 계속해서 이루어지고 있었다. 조종하는 공간은 정말 분주히 움직이고 있었다.

다시 1분이 지났다. 출발했다. 드디어 출발이다. 속도를 내기 시작했다. 비행기는 활주로를 엄청난 속도로 달렸다. 마침내 이륙했다. 높은 상공으로, 더 높은 하늘로 이륙하였다. 지연이는 이륙한 뒤로 비행기에서만 볼 수 있는 하늘의 풍경과 도시의 상공 등 풍경을 자신의 카메라에 하나씩 담기 시작했다. 상공에서는 전화도 잘 터지지 않고, 데이터도 잘 터지지 않는 만큼 완전히 끊어질 때까지 즐겼다. 그 후로 자신에게 연락이 오는 모든 것은 연락이 가능한 곳에서 모두 해결되었다.

지연이는 자신과 함께 일하는 변호사 등 미국 변호사 자격이 있는 사람들로 구성된, 법률전문가와 일부 수행단과 함께 미국 뉴욕으로 떠나는 것은 현지에 법인을 세워두고 현지의 사장단이 직접 경영하고 있는 회사를 방문하여 점검과 지연이가 직접 처리해야 하는 중요한 문제들과 안건들을 모두 처리하기 위해서다. 총 5일 일정이었다. 월요일 아침 10시에 출국해서 금요일 오후 5시에 다시 인천국제공항 2터미널로 귀국하는 일정으로 떠나는 것이다.

오랜 비행시간으로 이제는 장거리 비행에는 요령이 생긴 지연이는 더 편하게 비행기 안에서 시간을 보내며 노트북을 가지고 가서 인터넷 없이도 충분히 할 수 있는 업무들은 모두 처리했다. 그래도 시간이 남으면 그때가 되어서 비로소 휴식을 취했다. 창가에 몸을 기대서 잠을 청하기도 했다. 비행하는 시간이 전체 일정에서 짧은 시간이었지만, 그래도 지쳐있는 자신의 몸을 쉴 수 있었다. 쉴 수 있을 때 제대로 쉬는 것 또한, 일이다.

 창가를 통해 보여지는, 이를 통해 지연이가 직접 볼 수 있는 높은 하늘을 쳐다보기도 했다. 그것을 통해 지연이는 자신의 복잡한 생각들을 모두 정리할 수 있었다. 또한, 평안함도 같이 찾아왔다. 새로운 비전과 꿈이 생길 때도, 새로운 구상을 할 때도 높은 하늘을 쳐다보면서 자신의 머리를 스쳐 지나가는 작은 생각을 잡아내기 위해 계속해서 애쓰고 계속해서 노력을 한다. 포기하지 않는 것과 실패를 했어도, 긍정적인 생각이 가장 중요하다.

 새로운 일에 도전하기로 마음먹었으면, 결정하고 실천으로 옮기기로 했다면 끝을 맺기 위해, 가장 완전한 것을 보이기 위해 보이지 않는 곳에서도 계속해서 노력하는 것, 실패해도 포기하지 않고 계속 도전해서 해내는 것이 가장 중요하다.

 어두운 밤하늘을 지나가는 수많은 별똥별을 보고서 가장 환하게 빛나는 달을 보고서 자신의 가장 원하는 꿈을 꿀 수는 있다. 다만, 그것이 잘 때 꾸는 꿈이 아니라 현실에서 반드시 모두 이루어낼 수 있는 꿈이기를 간절하게 기도하고 또 기도했다. 비행기 타고 미국 뉴욕으로 비행하여 어느새 태평양에 들어선 상황이다. 계속해서 비행기는 최종 목적지인 미국으로 날아가고 있는 상황이다. 가장 설레고 행복한 순간이다.

 하지만, 어쩌면, 오늘이, 지금 이 순간이 자신의 인생에서 최후의 순간이, 가장 마지막 순간이 될 수 있다. 그냥 보낼 수 없었다. 매번 최선을 다해서 자신에게 주어진 시간을 기도하면서 보내기 위해 계속해서 노력하는 것이, 그것이 전부였다. 지연이에게는 그것이 전부였다. 다른 특별한 것은 단 하나도 없었다. 기도하는 것 말고는 특별한 것은 하나도 없었다.

 새로운 일을 위해 동분서주할 때마다, 높은 자리로 올라갈 때마다 주변에 사람이 붙어서 자신이 맡은 큰일들도 수행할 수 있지만, 사정으로 다른 곳으로, 멀리 떠나는 사람들을 생각하노라면, 특히 자신을 보좌했던 가장 가까운 사람이 개인의 사정으로 사표를 내고서 회사를 그만두고, 다른 곳으로, 먼 곳으로 떠나게 된다면 애틋한 마음이 들고 했다.

 사람의 인생을 놓고 말하면 너무 짧고, 짧은 시간이지만, 그럼에도 불구하고, 한곳의 회사에서 함께 동고동락했던 길고도 짧은 시간들이 있었기 때문이었다. 그들이 내는 사표를 수리해주면서 작별 인사를 함께 고했다. 그들이 무탈하기를, 가는 곳에서도 건강 상하지 않고, 주어지는 일들에서

건승을 기원하는 기도만을 해줄 뿐이었다. 회사를 떠나가는 이들에 대한 어떠한 감정도, 그렇다고 그들을 저주하는 것도 하나도 없다.

회사 전체를 이끌어가는 지연이의 입장에서는 할 수 있는 것이 오직 그 것뿐이었다. 기도하는 것 말고는 이제 더이상 그들에게 할 수 있는 것은 없었다. 아무것도 없었다. 그들에 대한 어떠한 감정도, 나쁜 감정도 하나 도 없었다. 단 하나도 없었다.

지연이는 그들을 생각하노라면 좋았던 기억들만 가지고 있을 뿐이다. 나 쁜 생각들은 모두 잊었다. 지연이는 그렇게 하면서 더욱 자신을 가다듬었 다. 항상 초심을 가지기 위해 늘 최선을 다했다. 계속 노력을 했다.

...

약 15시간이 지났다. 지연이가 탑승한 비행기는 어느새 뉴욕 John F. Kennedy 국제공항에 도착했다. 입국절차를 모두 밟은 뒤, 정식으로 미국 에 입국했다. 현지 시간은 늦은 오후였다. 한국에서는 미국 뉴욕과 14시간 시차가 있었다. 짐을 찾아들고 국제선 도착장 대합실로 빠져나왔다.

모두 빠져나온 것을 확인한 지연이는 먼저 예약해둔 숙소로 이동했다. 체크인 시간이 넘었다. 서둘렀다. 넓은 공항을 빠져나와서 뉴욕 시내로 이 동했다. 호텔은 일정을 모두 수행하는데 있어서 아무런 무리 없이 충분히 소화할 수 있는 교통과 관광지를 모두 볼 수 있는 요충지였다. 숙소까지 약 1시간 30분이 흘렀다. 호텔에 도착한 지연이와 일행들은 가장 먼저 객 실 프론트 데스크로 갔다.

직원이 그들에게 물어봤다.

"May I help you?"

지연이가 대답했다.

"I want to check in the reserve room."

"What's your name?"

"My name is Katherine Ji-Yeon Yun. That is english full name, and korean name, please refer to my passport."

지연이는 자신의 여권을 직원에게 보여주었다. 직원은 지연이의 한국 이름을 보고 자신의 전산에 영어로 모두 입력을 했다. 지연이가 예약한 내용을 확인하기 위해서였다. 입력하는 시간동안 짤막한 적막이 흘렀다. 괜스레 긴장되었다. 출국 전에 정상으로 입력이 된 것을 충분히 확인하고 왔었는데도 불구했다.

직원이 다시 말을 이어갔다.

"I checked your reserve information. Today is Tuesday 28/May/24. you will stay our hotel until Thursday 30/May/24. Reserved the room is suite room. Right?"

"Yes. that's right."

"Thank you so much, and here is your passport. We hope to happy time to stay our hotel and New York, US."

지연이는 직원이 말해주는 자신이 출발 전, 국내에서 예약한 내역을 모두 확인한 뒤, 모두 맞다고 대답했다. 지연이의 확인 대답을 듣고서 지연이가 머무를 방 키와 함께 지연이의 여권을 돌려주었다. 지연이는 배정된 방으로 올라갔다. 컨시어지에 있었던 직원 한 명이 지연이와 함께 숙소 앞까지 동행했다.

루트와 지내는 동안 데스크에서 설명하지 못한 필수사항들을 모두 안내를 위해서였다. 그 사람 덕분에 지연이는 지신이 미국에 체류하는 동안 머물게 될 방까지 전혀 헤매지 않고 바로 도착할 수 있었다. 방으로 들어온 지연이와 일행은 짐을 풀고 잠시동안 휴식에 들어갔다. 식사 전까지 약간의 자유가 있었다.

저녁이 되었다. 다시 숙소 밖을 나섰다. 뉴욕에서의 저녁 풍경은 어쩌면 한국처럼, 어쩌면 국내보다 더 화려한 야경을 자랑했다. 지연이는 미국 뉴욕에서 일정을 보내고 있었다. 그것을 지연이는 놓치지 않고 모두 자신의 눈에 모두 담으려 노력했다. 일정을 소화하기 전, 있는 뉴욕에서의 자유시간동안 그것에서 즐기려 최대한 노력했다.

중요한 순간들은 놓치지 않고 자신의 핸드폰으로 직접 찍어서 사진에 모두 담았다. 식사는 현지에서만 맛볼 수 있는 식사를 하는 것으로 결정했다. 먹을 것이 너무 다양해서 어떤 것을 먹을지 처음에는 결정하는 것이 매우 어려웠다. 뉴욕 타임스퀘어 지역은 뉴욕에 오면, 특히 야경은 빠지지 않고 꼭 보았다. 특히 야경을. 지연이와 함께 뉴욕으로 온 일행은 현지에서 즐길 수 있는 문화를 충분히 누렸다. 그렇게 뉴욕에서의 첫날이 모두 흘러갔다. 장거리 비행으로 피로는 쌓여있었지만, 지연이는 피곤한 것보다 더 즐거웠다. 새 힘을 얻었다. 그럴 수 있는 것에도 계속 감사했다. 긍정적으로 생각했다.

...

다음날이 되었다. 지연이와 일행들은 본격적으로 미국에서의 일정을 수행하고 있었다. 현지 기업을 이끌며 총괄 및 경영하고 있는 고위간부들과 함께 있었다. 상황을 살펴보고 있었다. 회사의 상황을. 그러나 그런 과정은 결코, 순탄치만은 않았다. 쉽지 않았다. 여러 우여곡절이 있었다.

지연이는 작은 것까지 빠짐없이 모두 꼼꼼하게 모두 살펴보았다. 그러던 중 문제점을 발견했다. 현지의 사장단과 최고 경영진들이 발견하지 못한 문제점이었다. 미국 변호사의 입장에서, 그 시각에서 그 문제점과 이슈들을 살펴보았을 때, 그 문제는 처음은 문제가 아예 없을 것 같아도 커지면 자칫 미국의 법에 걸릴 수 있는 문제였다.

지연이가 앞으로 큰 사업을 경영하는데 있어서, 전체를 이끌고 가는데 있어서, 또한, 미국 현지에서 계속해서 경영을, 앞으로 사업을 계속 진행하기 위해, 그런 것에 있어서 큰 걸림돌이 될 수 있었다. 남들은 못 찾거나 미처 모르고 지나갈 수 있지만, 그것을 기가막히게 찾아내는 것은 전체를 끌고 가는 리더인 지연이의 입장에서는 당연히 갖추어야 하는 기본적인 요소이자 큰 리더로서 전체를 이끌어가는 사람이라면 기본으로 갖추어야 하는 필수 덕목이었다.

다른 것들까지 모두 살펴보았다. 이 상황을 보다 못한 지연이는 직접 행동으로 옮기기 시작했다. 지연이는 뉴욕까지 자신과 함께 동행한 미국 변호사의 도움을 통해 지연이는 법적으로 정식 절차를 밟기 시작했다. 그러기 위해서 증거와 정식으로 법적 절차를 밟기 위해 있어서 필요한 서류들을 모두 챙기기 위해 정말 필요한 모든 서류들을 요구했다. 분노가 있었지만, 지연이는 그 분노와 혈기를 참고 절제하면서 상황과 필요에 따라 직원들을 혼내야 할 것은 혼냈지만, 필요 이상으로는 하지 않았다.

만일 지연이가 그렇게 하면 직원들의 입장에서는 주눅이 들어 앞으로 계속해서 일어 하는데 능률이 떨어질 수 있으며, 정신적 스트레스로 이어질 수 있는 것과 지연이의 입장에서는 그렇게 화를 많이 내는 것이 자신에게도 좋지 않는다는 것을 익히 오래전부터 잘 알고 있었기에 그러는 것을 절제, 또 절제를 했다.

어디를 가거나 하나님과 동행하기 위해 지연이는 개인적으로 엄청난 노력을 했다. 이렇게 절제를 할 수 있는 것도 사람이 충분히 할 수 있는 능력이다. 법적인 절차를 밟으면서 문제들이 하나씩 하나씩 진실이 밝혀지기 시작했다. 지연이가 이번에 다시 뉴욕으로 오기 전까지 있었던 회사에서 있었던 모든 일들에 대해 진실이 낱낱이 밝혀지기 시작했다. 이전에 한 번 직접 왔었을 때 일했던 직원들과 지금의 직원들의 인사 관련 상황이 완전히 바뀌어있는 것과 사건이 있었다. 나중에 알고 보니, 지연이가 직접 빠짐없이 진실을 샅샅이 파헤쳐 보니 그곳 경영진들이 모두 물갈이를 한 것이었다.

맘에 들지 않는다거나 기준에 합당하지 않는 것으로 이행한 것이었다. 대표적인 예시로서는 회사에서 불륜을 저지른 것이 있었다. 여러 가지 일들이 많았다. 물론 비리도 많았다. 오직 자신의 이익을 위해 거액의 뇌물을 먹고 중요한 내용이 들어있는 1급 기밀문서를 다른 곳으로 빼돌린 자들이 있었다.

공식적인 자리가 아닌 사적으로 하는 것까지 일일이 상관을 하지 않지만, 사내에서 동성애를 대놓고 하는 경우였다. 또한, 사장단과 함께 어느 음식점에서 다 같이 회식을 하는 자리인 상황에서 당시 주방에서 음식을 준비하는데 그곳에서 일하는 직원인 척 위장하며 몰래 주방으로 들어가서 조금만 먹어도 치명타를 입히는 맹독을 소량 넣어서 먹은 사람들이 모두 이상증세가 나타나 병원에 가서 치료를 받은 사람들이 꽤 많이 있었다. 지금 이 자리에 관련된 자들이 포진되어 있었다. 사실을, 진실을 밝히기 위해 마다하지 않았다.

모든 사실을 듣게 된 지연이는 직접 행동으로 옮겼다. 그들은 그들이 수행하고 있는 모든 일에서 손을 떼게 했다. 더이상 업무를 수행하지 못하도록 다른 곳으로 격리시키거나 이번 사건들의 모든 진실이 밝혀질 때까지 당분간 회사로 출근을 하지 못하도록 최고경영자에게 부여된 막강한 권한을 이용한 것이다.

지연이는 인사부와 관련 부서에 있는 사람을 모두 시켜서 관련 자료를 모두 입수했다. 입수한 뒤 직원을 모두 찾아가서 혹은 사람을 시켜서 모두 진실을 밝히도록 지시하여 증거들과 관련 자료들을, 관련된 자들의 증언을 모두 수집했다. 그것으로 꼬박 2일을 보냈다.

2일이 지난 뒤 아침이 되었다. 지연이는 관계자들을 모두 불렀다. 현지 사장이 일하는 사장실도 모두 불렀다. 사장실에는 사복 입은 현지 경찰들을 미리 불러서 대기시켰다. 지연이와 법적인 전문가 등 관련자들이 모두 사장실, 앞자리에 있었다. 그리고 관련 사건에 모두 관계된 자들이 그 안에 따로 마련된 의자에 앉아 있었다. 1차 심문이었다.

그곳에는 전문 통역사들이 여럿이 서 있었다. 현지 경찰들과 관계된 사람들이 쉽게 알아들을 수 있도록 하기 위해서다. 통역사들은 물론 우리말과 영어 모두 잘하는, 현지에서 일하는 구성원이다. 그들에게는 사전에 어떤 일을 하게 되는지, 영어로 통역만 하면 된다고 충분히 이해를 시켰다. 실내에 전부 다 모여있는 것을 확인한 지연이는 출입문과 가장 가까이 있는 사람에게 문을 닫으라고 시켰다. 시작을 알리는 것이었다.

지연이는 가장 먼저 말문을 열었다.

"여기에 여러분들이 왜 와있는지 제가 이유를 이해하기 쉽도록 일일이 설명을 하지 않아도 잘 알고 있을 것이라는 생각을 합니다. 진실을 모두 고하면 이 자리는 빨리 끝날 것입니다. 하지만, 여러분들이 그렇지 않는다면 각오하세요."

지연이가 말한 이후, 처음은 아무런 대답이 없었다.

"누가 사주했는지도, 관련된 자들을 모두 사실대로 말해주시면 이번 사건을 해결하는데 있어서 도움이 될 겁니다."

"저는 아무 잘못이 없습니다."

재미교포이자 현지에서 일하는 사람인 컬리가 가장 먼저 말했다.

"지난번 사건에 대해 관련 내용들이 남겨 있었어요. 그 중심에 있었던 사람들이 모인 것이니 먼저 있는 그대로 말해보세요."

컬리가 서두로 말하는 것을 통해 당시의 상황을 모두 말했다.

"나는 아무런 관련이 없는 사람입니다. 소피, 저년이 저를 모함시키는 겁니다. 네 이놈, 여기가 어디라고 감히 거짓을 고하는 것이냐? 진실을 왜곡하는 것이냐?"

그러나 누가 진실을 말하는 것인지, 누가 거짓을 말하는 것인지 구분이 잘되지 않았다. 힘들었다. 그러나 결정적인 말이 있었다. 현장에 있었던 증인이 있었다. 현장에 서 있는 사복을 입은 형사가 관련 증인을 찾아낸 것이다.

지금은 사정이 있어서, 병원에 입원해서 치료를 받는 관계로 일을 하고 있지 않지만, 이 사건이 있었을 당시 일했던 직원이었으며, 모든 것을 잘 알고 있는 소재였다. 그 역시 이곳에서 함께 일하고 있었던 사람들 중 한 사람이었으며, 가장 진실한 사람이었다.

미국 변호사인 존 코러가 어렵게 어렵게 직접 그를 데리고 왔다. 그런 다음, 작은 목소리로 이렇게 말했다.

"있는 그대로의 사실을 말하면 됩니다."

"당시 상황이 어때했습니까?"

지연이의 질문에 소재가 모두 말했다. 있는 진실을 말했다.

지연이는 이 사실을 듣고 모두에게 말했다.

"모두 잘 들으세요. 이번 일을 통해 다시는 이와 같은 일이 다시는 되풀이되어서는 아니됩니다. 우리 회사에 이렇게 평안함이 깃든지 그리 오래되지 않았습니다. 최근에 들어섰습니다. 이제 더이상 많은 사람들이 이런 일들로 다쳐서는 정말 안 됩니다. 회장님, 부디 선처를 해주세요.

이번 사건과 관련된 자들을 모두 체포하여 진실을 밝히고, 이를 통해 색출된 사건과 관계된 범인들은 미국 법에 따른 법대로 처결을 하여야 합니다. 그리 실시해주세요. 인사부와 관련된 부서에서 제대로된 조사를 실시하여 관련된 자들을 모두 색출하는데 결정권을 허락해주세요. 일을 잘할 수 있을 자신 있습니다. 어떻게 되는지 있는 그대로의 사실을 모두 회장님에게 꼼꼼하게 보고하겠습니다."

상황을 들은 지연이는 잠시 생각을 하더니 허락을 했다.

"그렇게 하세요. 어떻게 진행되었는지 보고는 꼼꼼하게 해주시면 저는 정말 감사하겠습니다. 그럼 건투를 기원합니다. 지금 어서 실시하세요."

"네. 그리하겠습니다."

그들은 지연이에게 감사의 뜻을 전했다. 지연이의 허가가 떨어지기 무섭게 곧바로 행동이 옮겼다. 그 안에 있던 사복을 입은 경찰들은 자신의 소속된 부서와 관련된 곳에 모두 전달하여 수사가 진행될 수 있도록 착수되었다. 정말 빨랐다. 시작한 지 불과 몇 시간 만에 관련된 범인 3명이 현지의 경찰들에게 잡혔다. 시간이 흘렀다.

아주 늦은 밤이 되었다. 지연이는 관련된 자들을 모두 찾아내었다는 소식을 들었다. 범인을 찾는 도중 한 명이 현지 경찰의 좁혀오는 수사망을 피해서 도주했다는 소식을 듣고 직접 그를 찾고자 수색 중에 있다는 것까지 모두 들었다. 지연이는 진실을 위해서라면 수단과 방법을 가리지 않았다. 자신이 할 수 있는 것이면 모두 했다.

도주한 사람은 지연이가 사업을 이끌어가기 시작한 지 얼마 되지 않아서 최근까지 계속 그를 세계적인 CEO가 되기 위한 자리를 위협을 가했던 것이었다. 그녀는 소연이었다. 소연이와 지연이의 인연은 질기고 또 질겼다. 끊을 수 없었던 것처럼 느꼈다. 가끔 지연이가 악몽을 꾸게 되면 가끔 지연이가 꿈에 나타났다.

하지만, 이제 소연이는 경찰의 좁혀오는 수사망을 피해서 도주한 이후 혼자서 많은 것을 느꼈다. 그날 밤, 소연이는 혼자 있었던, 숨어들었던 은밀한 장소인 곳간에서 문을 열고 나왔다. 혼자 하염없이 걷고 계속 걸었다. 과거에 자신이 했던 일들을 다시 생각했다.

입사 초기부터 자신이 해왔던 모든 악행들을. 하나하나 모두 생각하기 시작했다. 괴로웠다. 그런 자신에 대해 심히 괴로웠다. 지연이와 추억을 쌓았던 자유의 여신상 앞으로 두 발로 걸어갔다. 그런 다음 주저 앉았다. 힘없이 앉았다. 이렇게 중얼거리면서 그곳으로 계속 갔었다.

"나는 그때의 너를 도저히, 용서를 할 수 없었어. 처음에는 너를 원망했었어. 왜 이런 일로 내가 이렇게까지 있어야 하는지. 네가 나보다 더 높은 자리에 있어서 나를 괴롭혔을 때 너는 좋았겠지. 만약 네가 나로, 나는 지연이 너로 다시 태어났다면, 과연 그리해도 좋았을지, 궁금하구나.

그래서 나는 너와 좋은 추억이 깃들어있던, 같이 해외를 시작했던 이곳으로 돌아올 수밖에 없었어. 내 모든 악행의 시작점은 바로 너였으니까. 나 때문에 떠났던 사람이 많았으니까. 모든 악행을 반성해야 한다면, 용서를 구한다면 바로 너한테 무릎을 꿇고 진실되고, 또 진실된 용서를 빌어야 해. 이런 못난 나를 용서해 줄 수 있니?"

나뭇잎이 바람에 날려 소연이를 지나가고 있었다. 작은 돌맹이들이 바람에 휩쓸려와 소연이의 앞에 멈춰서 있었다.

"우리 집안의 대대로 내려온 명예와 전통을 지키며 그것을 벗어날 수 없었던 나를 용서해다오. 집안을 위해, 나를 시켰던 내 어머니를 용서해다오. 또 그 윗대의 어머니도, 그 위의 어머니도, 그것을 이용했던 외가의 어른들을 모두 용서해다오. 안 된다고? 지연이 네가 노력했던 것을 나도 그렇게 해보고자 계속 노력해왔었고, 멈출 수 없었어."

소연이는 추억이 깃든 곳에서 지연이에게 진심을 말하며 진정한 용서를 빌고 또 빌었다. 하지만, 묵묵부답이었다. 계속 발걸음을 옮겼다. 무언가를 발견한 소연이는 자신과 함께 했던, 그 종이가 멀리 나뭇가지에 있었던 것을 발견하고 미소를 보였다. 소연이는 그것을 잡고자 손을 쭉 뻗었다. 하지만 그곳은 낭떠러지였다. 그곳으로 떨어졌다.

결국, 그곳은 바다로 이어지는 낭떠러지였다. 결국, 소연이는 그곳에 떨어져 쓸쓸하게 죽음을 맞이했다. 그 소식을 들은 지연이는 씁쓸했다. 혼자. 서로의 의견이 모두 달랐으나, 죗값을 받는 것이 더 마땅하다는 사람들의 의견이 많았다.

마침내 경찰의 결과가 나왔다. 모두 관할 법원에 넘겨졌다. 재판을 통해 미국 현지의 법원에서 최종 결과가 나왔다. 해임은 물론이요, 합당한 대가를 받았다. 이로 인해 불미스러웠던 모든 일들의 진실들이 밝혀졌다. 더 이상 아파하는 이들은 이제 더이상 아무도 없었다.

힘들어하는 이들이 없었다. 컬리는 회사에서 쫓겨나면서 마지막으로 회사에 남아 있던 자신의 짐들을 정리하면서 자신의 생각을 정리하고, 마지막으로 동료들과 동고동락했던, 오랜 시간을 이곳에서 일했던 터라, 정이 들었던 회사를 떠나기 전, 마지막으로 인사를 드리고자 지연이를 찾았다.

"왔구나."

"고마웠던 것이 많아서 감사하구나. 하지만 이번 일로 이제 더이상 우리와 함께할 수 없는 것은 아쉽구나."

지연이가 말했다.

"다음에 만났을 때는 꼭 좋은 모습으로 사장님을 뵙기를 원합니다."

"그래."

지연이는 컬 리가 지연이에게 냈던 사표를 수리하면서 그렇게 말했다. 컬리는 지연이에게 정중하게 인사를 하면서 사장실을 빠져나왔다. 또한,

사장실에 들어서기 전, 한쪽 구석에 두었던 자신의 짐을 들고 회사 밖을 나섰다. 이제 진짜로 모든 것이 끝났다. 이제 진짜 평안함이 모든 회사에 깃들었다. 다행이었다.

지연이는 모든 것을 아무 문제 없이 수많은 사람들의 협력과 도움으로 잘 끝낼 수 있어서 감사했다. 이들이 없었다면, 이 일을 해결하기는 불가했다. 지연이도 한참을 생각했다. 사장실에서 혼자. 저녁이 되어서야 회사를 나섰다. 숙소로 다시 돌아갔다. 어디 들르지 않고 곧바로 돌아갔다. 지연이는 이날 밤은 편안히 쉴 수 있었다. 그렇게 밤이 지나갔다. 뉴욕에서 마지막 밤이었다.

...

다음날 오후가 되었다. 지연이는 귀국 준비를 했다. 모든 준비를 마쳤다. 가져왔던 짐들은 모두 자신의 여행 가방에 챙겼다. 빠짐없이 모두 챙겨 넣었다. 빠진 것이 없는 것들을 모두 확인한 지연이는 첫날에 배정받은 방키를 손에 들고서 로비로 내려갔다. 다른 한 손에는 케리어 손잡이가 들려 있었다. 묵직했다.

객실 프런트로 갔다. 체크아웃하기 위해서다. 절차를 모두 마쳤다. 지연이는 자신이 머물렀던 숙소에서 공항으로 출발했다. 공항으로 가는데 소요 시간은 전보다 오래 걸리지 않았다. 전혀 막히지 않았다. 지연이는 어느새 한국으로 귀국하는 비행기를 타기 위해 공항에 도착했다. 비행기 출발시각보다 약 2시간 일찍 도착했다.

지연이가 한국으로 귀국길 탑승할 비행기는 대한항공이었다. 사전에 오토 체크인을 해두었던 덕분에 탑승권을 받아서 귀국길 절차는 걸리지 않았다. 수하물로 맡길 짐을 항공사 카운터를 통해 맡긴 뒤, 보안 검색을 하러 들어갔다.

먼저 자신의 여권을 보안 직원에게 보여주었다. 다음으로 줄을 서서 지연이도 차례대로 보안 검색을 받았다. 그래도 시간이 남았다. 비행기 시간을 기다리면서 지연이는 비어있는 벤치에 앉아서 혼자 많은 것을 생각했다. 홀로 눈물을 많이, 계속해서 흘렸다. 그럴 때일수록, 지연이는 하나님을 찾았다. 절실했다.

지연이는 가장 믿고 의지하는 것은 그 누구도 아니었다. 오직 하나님뿐이었다. 자신의 내면 깊숙이 들어와 있는 그 한 사람, 자신의 모든 것의 주인이 되며, 조신의 모든 삶을 주관하는 사람인 단 한 사람, 오진 주님, 예수님 한 사람이었다. 다른 사람은 아니었다.
어려운 일이 자신에게 찾아와도, 아멘, '왜 자신이냐?'고 불평이 나올 법한 상황임에도 불구하고 감사, 또 감사하며 연단을 겪어도 이겨낼 수 있는 사람이 지연이였기에 자신의 몫이었다. 그것을 견뎌낼 수 있는 사람이 지연이 한사람뿐이니 그 어려움을 허락한 것이었다.
누구도, 어떠한 사람도 마음 놓고 편하게 의지할 수 있는 사람이 거의 없었다. 마음껏 믿고 자신과 의지할 수 있는 사람이 거의 없었다. 지연이가 마음 놓고 일을 시키는 사람일 경우는 거의 오랜 시간을 함께했던 사람 등, 그만큼 이미 깊은 신뢰를 형성한 사람들이었다. 지연이가 어떠한 말을 해도 따라올 수 있는 사람들이었다.

...

이번 미국 뉴욕에서 벌어진 일들을 지연이가 지휘하여 모두 해결하기 위해, 다시는 이런 일이 벌어지지 않고, 최근에 미국 현지에도 다시 들어온 평안함이 계속 유지되기를 원했다. 그렇기에 출국할 때, 자신과 같이 일해 온 사람들 중, 일을 잘하기로 소문이 나서 오직 자신의 실력으로 인정받은 사람들 위주로 구성원을 꾸려 뉴욕으로 출발한 것이다. 모든 것이 잘 끝날 수 있는 것, 법대로 잘 끝날 수 있는 것에 감사했다.
미국 변호사도 지연이도, 이번 뉴욕 일정에 함께 동행한 이들은 다시 한국으로 귀국하기 전, 뉴욕을 출발하기 전날 밤에 모두 모여서 서로를 축하하고, 격려하기 위해 축하의 자리를 마련했다. 함께 뉴욕에서 가장 맛있는 음식점으로 가서 그들만의 식사 자리를 마련하고, 레드 와인으로 축하의 인사를 나눴다. 모처럼 뉴욕에서 제대로 된 식사를 할 수 있었다. 그것이 뉴욕에서의 마지막 밤이었다.

이런 일들을 경험과 교훈 삼아, 교훈 삼아서 경영에 있어서 더 많은 노력을 할 수 있는 계기가, 자신을 다시 돌아볼 수 있는 계기가, 거울을 삼을 수 있는 훌륭한 계기로 삼을 수 있는 소중한 시간들이었다. 어려운 일에도 마다하지 않고 함께할 수 있는 사람들이 있다는 것도 감사했다. 늦은 밤에 다시 돌아와서 귀국하기 위한 준비를 모두 마치고 다시 공항으로 돌아왔다. 그들은 행복했다. 분위기도 화기애애했다.

탑승 수속을 마치고, 보안 검색을 하기 위해 보안 검색장으로 들어갈 때였다. 짧은 시간이었다. 그 찰나에 누군가가 지연이가 있는 곳으로 급하게 달려왔다. 뛰어온 터라 처음은 숨을 헐떡거렸다. 이내 진정하고 자신이 누구인지와, 공항까지 왜 왔는지 용건을 간략하게 말했다.

"Excuse me, Are you Katherine?"
"Yes, It's me. what is problem?"
"A moments ago, arrival in front you a good news. I'm a White House staffer, Rose jackson."
"What is it?"
지연이가 다시 그 사람에게 말했다.
"You did a direct command and get solved this incident, the president of U.S. sent to letter of appreciation. Because it was many did one and the same thing, but this incident have been reduced a lot through. The letter of appreciation will send to Embassy of the United States, Seoul. 7 days latter, you can get that latter."

백악관 직원이 지연이에게 직접 좋은 소식을 전하고자 워싱턴에서 뉴욕 John F. Kennedy 국제공항까지 꽤 먼 길을 한걸음에 달려온 것이다. 지연이에게도, 지연이와 함께 미국으로 온 일행들에게도 모두 좋은 소식이자, 한 층 더 성장할 수 있는 좋은 소식이었다.

지금 편의상, 또한, 오늘 지연이와 함께 온 일행들이 미국에서의 출국일이라는 것을 이미 미국 당국에서 알고 있는 터라, 한국에서 받아볼 수 있도록 미국 대통령의 이름으로 직접 주한 미국대사관에 보냈다. 국제 우편 발송이라 국내에 우편을 보낸 것보다 소요 시간이 더 걸린다. 받아볼 수 있는 시간이.

지연이는 한국으로 귀국하는 길에 이렇게 좋은 소식을 받아보는 것은 거의 처음 있는 일이었다. 한 회사를 모두 총괄하여 이끌고 가는 최고 경영자로서 마땅히 해야 하는 일을 했었을 뿐인데 이렇게 외부에도 좋은 영향을 끼칠 수 있는 것에 대해 감사했던 것이다.

이제 정말 귀국길이었다. 모든 절차를 마쳤다. 이제 비행기 안에 있었다. 귀국 길, 더 행운인 것은 누군가가 비행기 일등석을 취소하는 바람에 지연이는 비즈니스석에서 일등석으로 좌석 업그레이드가 되는 행운을 맛보게 되었다. 덕분에 미국 뉴욕에서 한국 인천공항으로 귀국길, 비행시간만 장장 15시간 30분이 걸렸다. 피로함은 덜 쌓이는 상태로, 기내에서 자신의 컨디션을 잘 관리하면서 돌아올 수 있었다.

이제 더 큰 세상을 향해서, 세계를 아우를 수 있는 기업이 되기 위해서, 가난한 나라는 도와줄 수 있는 기업이 될 수 있는 발판이 되었으며, 더 크게 성장을 하기 위한 또 다른, 아주 좋은 경험한 것이다. 지연이는 이제 어떠한 일이 자신에게 와도 두려워하지 않았다. 담대함이 생길 뿐이다. 지금도 여전히 기도하고 있는 사람이었다.

자신의 업무가 모두 끝나면 바로 집에 가는 것이 전혀 아니었다. 꼭 교회에 들렀다. 기도했다. 최저 시간이 1시간이었다. 길면 2시간 이상이었다. 높은 자리로 올라갈수록, 많은 기업들과 사람들의 신뢰를 얻을수록 더 겸손해지기 위해 계속 노력, 또 노력했다. 벼도 노랗게 익으면 고개를 숙이는 법이다.

인사와 개혁

가을이었다. 모든 것이 결과를 얻게 되는 시간이다. 아주 뜨거웠던 날씨도 차츰, 조금씩 식어가고 있었다. 제법 서늘해졌다. 어느새 10월 초순이었다. 지연이가 일하는 회사에서도 변화의 조짐이 보이기 시작했다. 그냥 단순한 변호가 아니었다. 엄청난 변화가 있을 것이다.

하늘에서도 그것을 예측했었는지 날씨도 하루에 수시로 바뀌는 등 변덕스러웠다. 처음에는 태양이 하늘 위에 높게 떠 있고 구름 한 점 없는 등 좋았으나 점심 지나서는 갑자기 흐려지고, 얼마 지나지 않아서 장대비가 쏟아졌다. 그것이 더 오래갔다. 장대비를 전혀 예측하지 못했는지, 사람들도 불편함을 겪었다. 우산이 없는 사람들이 대다수였기 때문이었다.

추석 명절이 올해는 10월 중반부에 있었다. 평소보다 늦은 시기였다. 지연이는 자신과 함께 일하는 많은 직원들에게 추석 명절을 기념해서 선물 세트를 하나씩 돌렸다. 사람들 숫자에 맞춰서 준비했다. 내용은 모두 통일 시켰다. 작은 것 하나로도 빌미를 제공하지 않기 위해서다.

직원에게 가는 선물 등 단체로 돌리는 것 등 공평하게 대하기 위해 노력 했다. 또한, 자신의 본가로 귀향할 수 있도록 충분한 시간을 주었다. 월요 일까지 연휴라면, 화요일까지 보내고 모두 업무에 복귀할 수 있도록 배려 했었다. 편의를 봐주었다. 연휴 끝나자마자 바로 업무에 복귀해도 그에 따 른 피로가 있는 것을 잘 알고 있는 지연이었다.

자신도 회사를 이끌고 가는 경영자이기 전에 먼저 상당한 시간은 직장생 활을 했던 경험을 살린 것이다. 복지였다. 다른 곳에서는 잘 해주지 않는 것이기도 했다. 다른 대기업 못지않은 복지들도 제대로 갖추었다. 여러 가 지 시행착오를 겪은 뒤에 이루어낸 복지와 시스템들이 많았다.

명절이 가까울수록 명절 분위기가 났다. 시장에서는 물건을 하나라도 더 팔아서 돈을 벌기 위해 재고를 확보하기에 서로가 바빴다. 몸싸움이 아닌, 돈을 더 벌기 위해 정당한 방법으로 선의의 경쟁을 했다.

지연이도 이번 명절을 통해 모처럼 제대로 된 휴식을 얻을 수 있어서 감 사하게 생각했다. 집에서 지친 몸을 쉴 수 있는 휴식을 통해 다시 새로운 힘을 얻고 이후에 있을 일정에 대해 어떻게 할 것인지, 새로운 프로젝트 가 있다면, 시작한 지 얼마 되지 않은 초반부라면, 어떻게 이끌고 갈 것인 지 구상을 해두기 시작했다.

몸과 마음은 휴일을 맞이하여 편하게 쉬고 있지만, 머리는 그러는 것이 아니었다. 또한, 새로운 인사 구성하기 위해 인사부와 함께 구상을 이미 완료했다. 시행하는 날짜만 회장단의 최종 결정을 남겨두고 있었다. 새로 운 사람들의 인사와 고위급 인사로 승진 등 중요한 결정사항이기 때문에 회장단의 최종 결정이 있어야 했었다.

휴일이 끝나고, 다시 화요일이 되었다. 이른 아침이 되었다. 일상으로 복 귀하는 날짜였다. 지연이는 다시 출근했다. 자신이 평소 출근하는 시간에 맞춰서 회사로 출근했다. 사람들도 속속히 출근 시간에 맞춰서 출근 완료했다. 지연이는 평소보다 조금 일찍 도착해서 더 여유 있게 업무에 임할 수 있었다.

인사 결정 날짜가 상당한 시간이 걸린 뒤에야, 마침내 최종으로 결정되었다. 날짜는 돌아오는 수요일, 10월 22일 수요일이었다. 그 날짜와 함께 인사 결정과 전 직원들 회의가 있다는 공지를 승인했다. 지연이와 회장단의 최종 승인이 이루어졌다. 곧바로 회사의 직원들만 볼 수 있는 전용 메신저와 회사 내 모든 엘리베이터와 게시판에도 관련 글이 붙었다.

지연이는 이제 새로운 꿈, 새롭게 다시 시작하기 위해서라면 이번 인사 결정이 매우 정요했다. 지금이 분수령이었다. 긴장되기도 했다. 그 일들을 생각하노라면. 지연이는 긴장되고, 두려웠고. 떨렸다. 그래도 초심을 유지했다. 티가 나지 않도록 표정 관리했다.

인사 결정과 관련하여 전체 회의를 앞두고. 그 날짜가 가까워질수록 회사 내부에서도 옥신각신 신경전이 있었다. 다소 치열했다. 눈물겹기도 했다. 비열하기도 했다. 마치 정치하는 것과도 같았다. 분명 회사에서 하는 것임에도 불구했다. 지연이는 직원들에게 피해를 줄 것 같다는 생각에 겉으로 내색하고 있지 않았지만, 속으로는 힘겨운 싸움을 하고 있었다.

결정된 날짜는 다가오고 있었다. 지연이는 태연했다. 너무도 태연했다. 태연하다 못해 의연했다. 담대함을 얻었다. 가히 그녀를 존경할만하였다. 다른 사람들에게 모범이 되었다.

10월 22일이었다. 당일이다. 아침이었다. 회사는 약속된 시간에 맞춰서 준비되어가고 있었다. 회사에서, 외근을 전문으로 근무하는 모든 직원들이 사전에 공지된 시간에 맞춰서 공지된 장소로 이동하기 시작했다. 인사 결정과 전체 회의 시작하는 시간은 미리 공지된 시간은 아침 11시였다.

사전에 공지된 장소는 회사 지하 1층에 있는 대회의장이었다. 주요 직원들은 모두 수용할 수 있는 공간이었다. 그만큼 큰 공간이다. 어쩌면, 회사에서 가장 큰 공간일 것이다. 거의 모든 사람들을, 그만큼 수많은 사람들을 수용하는 장소인 만큼.

사람들이 회의장으로 속속히 들어오고 있었다. 회의장에 들어오는 대로 다들 빈자리에 앉기 시작했다. 자신의 마음에 드는 빈자리였다. 다들 손에는 수첩 하나씩 들고 있었다. 필기할 수 있는 펜도 함께 있었다. 회의에 중요한 내용과 정말 필요한 내용은 모두 메모하는 용도로 가져온 것이다.

다른 한 손에는 커피 등 음료가 들어있는 텀블러가, 혹은 생수를 들고 있었다. 졸음은 분명 회의 중간에도 올 수 있어서 그것까지 대비하기 위함이었다. 다들 시작하는 순간만을 기다리고 있었다. 여유 있게 도착해서 기다리고 있었다. 지연이도 현장에 와서 기다리고 있었다. 인사결과에 대해 제대로 알고 있는 사람은 오직 한 사람이었다. 그 사람은 지연이의 외가 쪽 식구인 모친의 언니인 지연이의 입장으로서는 이모가 되었다.

지연이의 이모도 이제 고령과 기존에 앓고 있던 병환으로 더이상 제대로 경영에 참여할 수 없는 상황으로 그동안 지연이가 대신하여 회사의 모든 것을, 모든 실세를 도맡아 하고 있었다. 이제 지연이도 모든 것을 준비하고 있었다. 지연이는 자신의 입지를 굳히고 있었다.

지연이는 자신에게 주어지는 일을 통해 모든 직원들에게 자신의 이름 석 자와 얼굴을 알렸다. 지연이도 긴장이 되었다. 자신도 모르고 있는 사이에. 괜스레 긴장했다. 하지만, 그것은 오직 그 시간뿐이었다. 논란이 되는 일들과 사실과 다른, 언론들의 잘못된 견해들은 진실과 함께 오직 자신의 실력으로 찍어눌렀다.

남들의 도움은 하나도 없이, 오로지 자신의 실력을 찍어누르니 논란이 있었던 일들도, 불평과 불만이 있었던 일들도 더이상 그것에 토를 다는 사람들은 줄어들어서 마침내 한 명도 없어졌다. 그런 뒤로 논란이 되어 벌어지는 일들이 있어도 사람들은 지연이를 조금씩, 조금씩 신뢰를 하였다. 처음은 소수에 불과했으나, 하나, 둘씩 그녀를 인정하기 시작했다.

지연이를 신뢰하고 따르는 사람들이 있는가 하면, 그와 반대로 지연이가 높은 자리로 올라가지 못하도록 방해하는 세력도 있었다. 어디를 가나, 꼭 그런 일은 있었다. 어찌 사람이 큰 리더로 되기 위해서라면 조직을, 회사 전체를 모두 이끌고 가면서 어려운 일 없이 그냥 될 수 있겠는가?

큰 인물이 되기 위해서는 공짜는 없다. 그만큼 예식처럼 대부분이 겪어야 하는 일들이 있었다. 지연이도 그동안 겪었던 일들이 똑같은 일이라고 할 수 없지만, 어려운 일들을 겪었고, 그 일들을 이겨내면서 계속 성장하면서 오늘날에 이르고 있었다. 그런 과정을 들어보면 때로는 눈물이 날 때가 있다.

그럼에도 지연이는 절대로 무너지지 않고, 다시 일어섰으며, 힘든 일, 어려운 일들을 해결하면서 지연이는 더 강해졌다. 항상 겸손함을 유지하고 있는 것이, 매일 새벽기도에 나와서 무릎을 꿇고 기도하는 것이 지연이에게는 전부였다.

...

날이 밝았다. 대대적인 개혁을 하기로 한 날의 당일이었다. 아침이었다. 직원들이 모두 출근 완료했다. 정해진 시간에 모두 완료했다. 하지만, 평소처럼 좋은 상황이 아니었다. 오늘만큼은 모두 긴장을 하고 있었다. 자신이 어떠한 결과를 받아들일지, 살아남을 수 있는지와 그럴 수 없는지까지, 모든 운명이 달려있었다.

지난번에 미국 뉴욕에서 불미스러운 일로 인해 관계자들의 일들과 숨겨져 있었던 사실들이 세상 밖으로 모두 드러났고, 이와 관련된 자들이 그 죄에 적절한 죗값을 법원에서 처분하였던 것을 보아온 사람들이 많았기 때문이다. 게다가 비슷한 일이 국내에서, 특히 본부에서 벌어졌기 때문이었다. 충격적인 일이었다. 가히 사람으로서 할 짓인가?

그중 하나는 회사를 이끌고 가는 실질적인 사람인 지연이를 암살하려는 진범이 드러난 일은 직원들이 모두 알고 있었으며, 방송사들이 뉴스에 주요뉴스로 다루었으며, 신문에서도 맨 앞에 대문짝만하게 크게 실려있었다. 이 사건의 주범은 영구히 퇴직이고, 재입사는 아예 불가했으며, 당연히 법원의 판결에 따라 징역을 선고받고, 감옥으로 갔다.

이 일을 해결하기 위해 결정적인 도움을 준 직원 희재에게는 상을 주어서 칭찬했다. 희재는 처음에 그 소식을 듣고 난 뒤, 처음에는 그 상을 받는 것을 상당히 부담스러워 했다. 그러나 그것은 희재가 받아 마땅한 상이었다. 또한, 희재에게 있는 소원 중 지연이의 입장에서 충분히 곧바로 일을 수행 가능한 것이자, 타당한 것은 곧바로 응했다.

인사 결정과 개혁을 하기로 한 당일이다. 시간은 멈추지 않고 계속 흘러갔다. 시간은 사람을 기다려주지 않았다. 지연이는 오늘을 위해 잠을 자지 못했다. 적재적소에 적절한 사람들을 배치하기 위해 인사부와 이와 관련된 핵심 임원들이 모여 계속해서 회의도 하고, 인사부에서 암행어사를 시켜서 평소 직원들의 행실과 특히 인성을 특별히 더 신경을 써서 관찰하기도 했다. 사람의 됨됨이보다 더 중요한 것은 없다고 생각했기 때문이다.

지하 대 회의실에 사람들이 한꺼번에 모여있었다. 빠짐없이 모여있었다. 시작 10분 전이었다. 1분이 마치 1시간처럼 흘렀다. 지연이는 더 이른 시간에 들어와서 준비하였고, 모두 모일 때까지 기다리다 정확히 시간 맞춰서 마이크를 들었다.

"주목하세요."

분위기는 약간 무거운 분위기였으나 먼저 온 사람들은 기다리면서 서로 떠들고 있었다. 지연이가 마이크를 들고 말하자 조용해졌다.

"오늘 여러분들이 이곳에 왜 왔는지는 여러분들도 잘 알고 있을 것이라고 저는 생각합니다."

일부 사람들이 지연이의 말뜻에 눈치채고 체념을 하였다.

"최근, 여러분들도 뉴스를 접하였듯이 미국에서 불미스러운 일들이 있었으며, 현지 법원에서 적절한 판결이 나와 당분간은 우리에게도 현지에서의 활동이 어려웠습니다. 또한, 해당 직원은 현지의 관할 법원의 판결로 지난주부터 우리와 함께 활동할 수 없게 되었습니다.

또한, 국내에서도 불미스러운 일들이 있었습니다. 이곳에 그 일을 해결하기 위해 현장에 투입되었던 사람들도 함께 있습니다. 그 사람들이 그 일들을 모두 해결하기 위해 많은 수고를 해주었습니다. 이 자리를 통해 그 동안 수고했다는 뜻으로 박수쳐 주는 것이 좋겠습니다."

지연이의 말에 모든 사람들이 박수쳤다.

"여러분들에게 말씀을 드리고 싶은 중요한 일들이 있어서 오늘 이 시간에 다들 바쁜 것은 저도 익히 잘 알고 있지만, 그 일들을 전해 드리기 위해 미리 공지해드린 이 시간에 여러분들을 소집한 것입니다. 이제 시작하겠습니다. 먼저 회사에 변화한 제도와 내용을 공지하겠습니다.

먼저 여러분이 가지고 있는 사원증을 다음 주 월요일부터 전면 교체합니다. 이날에 해당 업체로 발주 들어갑니다. 들어오실 때 하나씩 받았던 여러분들의 인사 기록 등 개인정보를 사용한다는 개인정보 제공 동의서에 서명 꼭 해서 나가기 전에 앞에 한 분도 빠짐없이 제출하고 돌아가면 됩니다.

두 번째는 인사에 개혁을 단행합니다. 저는 업무의 실적도 상당히 중요하게 보고 철저하게 평가하지만, 무엇보다 사람의 인성을 굉장히 중요시 생각합니다.

회사의 중요한 기밀문서를 빼돌리는 일, 돈을 훔치는 도둑질 등 사회적인 문제로 벌금형 이상 선고받으신 것이 저와 인사부 직원들에게 확인된다면 그때 날짜 이후로 우리 회사와 더이상 함께 할 수 없다는 점, 사내에 왕따를 일으킨 주동자, 편 가르기를 하여 특정 직원을 힘들게 하는 모습이 저와 이곳에 있는 핵심 임원들이나 인사부 직원들에게 그 외 다른 직원들에게 발각된다면 이 모두 우리와 함께 일을 할 수 없다는 점 꼭 명심하여 주시기 바랍니다."

인사 개혁은 총 회장님이 하겠습니다. 지연이는 자신의 차례가 끝난 뒤 마이크를 총 회장인 이모에게 넘겼다. 그녀는 앞으로 나와서 지연이가 건네주는 마이크를 잡았다. 앞에 있는 모든 사람들은 일제히 그녀를 주목했다. 긴장감이 돌았다. 잠시 적막이 흘렀다.

그녀는 마이크를 들고 드디어 말문을 열었다.
"여러분, 오늘 여기 있는 지연 CEO의 이야기를 잘 들어주셔서 감사합니다. 이 자리에서 저는 또 한 가지의 중요한 사항을 발표합니다."
모든 사람들이 그녀의 말에 더욱 집중했다.
"지연 CEO를 다가오는 24년 4월 1일, 월요일부로 이 회사와 모든 그룹을 이끌어가는 회장님으로 임명합니다. 저에게 있는 모든 권한을 지연 회장님께 양도하고 저는 다가오는 4월 1일부로 물러납니다. 여러분들이 저에게 박수칠 때 저는 물러나는 것이 적절하다는 판단으로 여러분들에게 알리는 것이니 부디 저의 뜻에 따라주기를 간곡히 부탁드립니다."

그녀는 지연이에게 자신의 모든 권한을 양도하고 전체를 이끌고 가는 회장직에서 물러났다. 은퇴였다. 지연이는 이제 4월 1일부터 회장이 되는 것이다. 지연이는 이모가 회사와 그룹 전체를 이끌어가는동안 바로 밑에서 경영에 함께 관여하며 회장이 되기 위한 준비를 철저하게 준비했다. 이제 모든 준비는 끝났다. 이제 시작이다. 지연이의 시대가 이제 본격적으로 시작하는 순간이다,
지연이는 오랫동안 자신이 초라했던 청년 시절부터 간절히 기도하면서,

아파도 기도하면서 큰 꿈을 품게 되고, 그것을 그려가며 엄청난 노력을 하고, 꿈꿔왔다. 여기까지 오랜 시간이 걸렸다. 지연이는 이 소식을 듣고 의연해졌다. 4월 1일부터 시작되는 정식 회장으로서 업무를 수행하기 위한 준비를 시작했다.

지연이는 이와 함께 또 다른 일도 함께 수행하기로 했다. 자신을 정부에 공식 등기이사로 등록하기 위해 법적 신고를 완료한 다음, 정식 등록했다. 회장을 겸하며 등기이사직을 함께 수행하는 것이다. 등기이사는 일반 이사들과는 달리 법적인 부분에서도 책임을 많이 지는 무거운 자리이며, 많은 임원들 사이에서도 가장 힘이 있는 사람이다.

생각보다 자신을 등기이사로 정부에 정식 등록하는 절차는 정말 까다로웠다. 요구하는 문서들과 필요한 절차들이 복잡했다. 지연이는 그것에 전혀 아랑곳하지 않았다. 자신이 더 효과적으로 모든 회사를 이끌고 가기 위해서는 복합한 것도 감내했다.

며칠이 더 지났다. 이제 등기이사로 정식 등록을 마친 지연이는 회사에서 아직 남아 있는 업무들을 하나씩 차례대로 해결하기 시작했다. 남은 일들과 돈과 관련된 부분에서 정말 깨끗한 회사가 되기 위해 정부에서도 인정받는 정식 감사업체를 선임하여 외부에서 감사를 받으며 깨끗한 감사 체계를 완성했다.

깨끗한 돈 관리와 사람과 사람 사이의 신뢰를 더 깊게 형성하고 유지하기 위해, 자신과 사업을 하는 관계자들과 좋은 관계와 신뢰를 넘어 감동을 주기 위해 계속해서 노력했다. 작은 것에도 계속해서 노력했다. 이모가 해놓은 것 중 좋은 방향으로 굳혀진 문화와 제도는 그대로 놔두지만, 남존여비 등 나쁜 관습은 회사에서 아예 모두 없앴다.

그런 일은 없어져도 오래전에 없어졌다. 이미 없어진 것인데 지금까지 있어야 하는 타당한 이유가 없다는 판단이었다. 대대적인 개혁을 단행했다. 과감하게 바꾸는 것이다. 먼 미래를 내다보고 시작하는 것이었다. 시작은 부족하고, 미약할지라도 나중은 창대해지리라는 말처럼 행동으로 옮긴 것이다.

이 일들을 수행하면서 치르게 될 시행착오들은 이미 각오했다. 이와 함께 대대적인 인사 개혁도 했다. 서로에게 자극되고, 서로에게 모범이 되며, 그동안 특정한 직원을 사내 왕따를 시킨 주범으로 드러난 직원들은 모두 정리했다.

편 가르기를 하여 좋지 않은 영향을 지속하여 끼치고, 불이익을 발생하게 했던 직원들도 마찬가지로 함께 정리했다. 그들을 모두 정리할 때 지연이는 다른 사람들이 봐도 정말 새파랗게 냉정했다.

이 모든 것을 완벽하게 처리하기까지 꼬박 한 달이 걸렸다. 모든 것이 아무 문제 없이 해결되었다. 지연이는 이제 남은 5일동안 자신의 시간을 가지면서, 기도를 더 절실히, 간절하게 하면서 영적인 준비를 하였다. 그냥은 할 수 없었다.

...

며칠이 더 지났다. 지연이는 정식으로 회장이 되었다. 취임식은 정말 중요한 것만 하도록 간소화했다. 또한, 지연이는 자신을 전담하여 수행할 비서들 3명을 본사에 근무하고 있는 모든 직원들 앞에서 소개하고 인사할 수 있도록 안내했다. 정말 중요한 것만 하고 끝낼 수 있도록 정말 간소하게 끝냈다. 외부 초청 인사는 많이 초청하지 않았다.

지연이가 그렇게 한 이유는 있었다. 정기 총회였다. 얼마 남지 않았다. 올해 잡힌 지연이의 해외 일정을 제외하면 국내에, 그것도 본사에 머무르면서 준비할 수 있는 시간이다. 게다가 본사에서 새로 개발한 기술을 적용을 시켜서 신제품을 만들고 있었다. 전자제품이다.

사이즈는 A4 용지를 넣는 서류봉투에 들어갈 크기다. 이제 거의 완성되어가는 상황이었다. 총회가 열리는 날에 모든 테스트를 거쳐서 정식 출시될 예정이다. 미리 정부에 필요한 신고절차는 모두 완료한 상황이다. 신제품에 관련한 모든 상황은 CEO인 지연이와 이 제품을 만든 엔지니어와 연구원들 뿐이다.

지연이는 지금부터 정기 총회를 잘 해낼 수 있도록 만반의 준비를 할 수 있도록, 작은 것, 단 하나도 빠지지 않고 철저하게 할 수 있도록 모두에게 공지했다. 또한, 회사 내부에서 일하고 있는 수많은 사람들이 자신의 두 눈으로 직접 볼 수 있도록 사람들이 많이 붐비는 곳에는 종이로 많이 복사해서 붙였다.

지연이는 올해도 수많은 해외 일정과 큰 미팅 등 살인적인 일정들을 모두 수행하면서도 자신의 마음속에 잘 간직하고, 절대 잊지 않고, 깊이 기억하는 한 사람이 있었다. 지연이의 입장에서는 잊지 못하는, 잊을 수 없는 사람이었다. 그녀에게 있어서 너무 소중한 사람이었다. 지연이는 미리 그 사람에게도 일정을 알려주었다. 상대편의 참모진들과 아주 긴밀한 협상이 있었다. 일정을 확정시켰다.

해외에 법인을 둔 현지의 사장단들도 총회가 있기 3일 전인 오늘부터 속속 인천공항을 통해 국내로 입국을 완료하였다. 비행시간이 오래 소요되는 지역은 이번 정기 총회가 있기 최소 3일 전부터 해당 나라에서 출국하여 다른 나라 공항을 거쳐서 가는 경유지를 거쳐서 국내로 입국하는데, 성공했다.

지연이는 그들이 전혀 문제가 없도록 잘 머무를 수 있도록 호텔까지 세심하게 신경을 썼다. 호텔은 값싼 호텔이 아니었다. 외부인사들이 모두 서울에 소재한 5성급 호텔이었다. 그들이 일일이 손을 쓰지 않아도 모두 한 곳의 호텔에 머물 수 있도록 호텔의 방들을 예약해두었다. 인원수가 많이 오다 보니, 서울 신라호텔에서 가까운 곳인 웨스틴 조선호텔에서도 머물 수 있도록 분산하여 예약했다.

또한, 이번 총회를 위해 방문하는 VIP를 전담하는 의전팀이 구성되었다. 외국에서 오는 사람들을 위해 전문 통역사들을 구했다. 이들은 모두 동시통역이 가능한 유능한 통역사들이다. 회의장에서 문제없이 원활하게 동시통역을 할 수 있도록 시스템과 장비들도 모두 구축 완료했다.

보안과 경호를 더 강화하기 위해 경호 인력을 대폭 강화했다. 사전에 미리 보안을 강화한다는 광고 글을 회사의 사옥 전체에 붙여놓았다. 그것도 2달 전부터 팀이 꾸려졌다. 대회의장을 어떻게 구성할 것인지, 어떤 디자인으로 할 것인지, 어떻게 하면 세련되고, 고급스럽게 꾸밀 수 있는지 자료들을 샅샅이 뒤졌고, 모범이 되는 장소들은 모두 답사가서 사진을 찍었다. 하나도 빠지는 것 없이 모조리 사진들을 찍었다.

그 뒤, 전문 인테리어 업체를 불러서 계약과 함께 꾸미는 작업을 시작했다. 작업이 시작되어 한창 진행하고 있을 때, 지연이는 사무실에서 본인이 하야하는 일을 하면서 중간중간에 현장으로 내려와서 점검하고, 자신이 원하는 방향으로 될 수 있도록.

또한, 지연이는 현장에서 일하는 사람들을 격려하며, 중간에 쉬면서 할 수 있도록 음식을 사서 주기도 했다. 관심을 주고, 작은 것 하나까지 세심하게 신경을 썼다. 그들이 일에만 집중해서 할 수 있도록.

마침내 대회의장 인테리어가 완성되었다. 너무 세련되었다. 지연이는 쭉 둘러보면서 만족했다. 감사 인사와 함께 현장에서 일한 사람들이 편하게 돌아갈 수 있도록 차량 지원을 해주었다. 가면서 걱정하지 않고 식사를 할 수 있도록 식사를 챙겨주었으며, 가족이 있는 사람은 그것에 걸맞게 선물을 챙겨주었다.

본사 지하 대 회의장은 정기 총회를 할 수 있도록 미디어 시스템과 관련 장비들을 모두 설치했다. 또한, 마이크 테스트도 모두 완료했다. 지연이가 사용할 마이크도 테스트를 모두 완료했다. 엔지니어들이 장비들을 모두 테스트하여 장비 관련 부분에서 모든 준비했다면, 지연이는 자신의 참모진들과 함께 지하 메인 회의장에서 총회에 발표한 내용을 미리 리허설 했다. 조금도 부족한 부분을 보이는 것이 싫었다.

지연이는 회의장에서 실제처럼 연습하고 또 연습했다. 계속해서 연습했다. 부족한 부분들과 단어 중 발음이 덧나가는 것은 모두 같은 뜻을 가진 쉬운 단어로 선택하여 변경했다. 총회에 참석하는 모든 사람들에게 전달이 쉽도록 수정한 다음, 바꾼 것으로 연습을 계속했다. 시간 가는 줄 모르고 계속해서, 완벽해질 때까지 연습했다. 지연이 자신 스스로에게 완벽하기 위해서. 지연이는 자신 스스로 완벽하게 준비될 때까지 연습했다.

모든 것이 준비되었다. 진짜 시작이다. 지연이는 모든 준비를 끝냈다. 총회가 있기 2일 전이었다. 지연이는 이제 운명의 날을 기다리고 있었다. 너무 설렜다. 자신에게 주어진 상황에서 하나님께 자신의 모든 영광을 드릴 수 있는 절호의 기회라는 것에 정말 좋았다.

내가 네게 명령한 것이 아니냐
강하고 담대하라.
두려워하지 말며 놀라지 말라
네가 어디로 가든지 네 하나님 여호와가
너와 함께 하느니라 하시니라

여호수아 1:9

세계적인 CEO가 되다.

9월 중엽이었다. 유독 더웠던 이번 여름도 이제는 한풀 꺾였다. 여름철 특유의 덥고 습한 바람은 모두 사라졌다. 아침과 저녁으로는 쌀쌀해졌다. 일교차가 많이 나기 시작했다. 이제 제법 차가운 바람이 불기 시작했다. 하늘은 점차 높아지고 푸르렀다. 구름도 깨끗했다. 소나무와 은행나무와 함께 일상에서 쉽게 볼 수 있는 가을꽃인 코스모스들이 제법 많이 피어있었다. 단풍나무의 잎은 점차 붉게 물들어가고 있었다.

은행나무도 마찬가지였다. 땅바닥에 떨어진 은행나무의 열매가 터지면 특유의 고약한 냄새가 풍겼다. 기존의 일과 바닥에 떨어지는 낙엽을 치우는 일로 미화원들이 더 분주하게 움직이고 있었다. 사람이 잘 다니지 않는 곳에는 이미 꽉꽉 채워서 입구를 단단히 묶인 커다란 낙엽 보따리들이 상당히 쌓여있었다. 사람들도 이제는 여름옷을 거의 다 옷장에 집어넣고

긴소매의 옷과 트렌치코트 등 가을옷을 꺼내 입었다.

추석 명절을 앞두고 큰 마트, 백화점, 재래시장 등 모든 유통업계는 많이 분주했다. 추석 명절 선물용 과일과 생필품 등 많은 선물용 세트들이 대형마트들의 메인 행사장에 자리했다. 선물세트를 알아보려는 사람들과 그것을 구입하려는 사람들을 오매불망 기다리고 있었다. 값비싼 선물들과 고급스러운 선물들은 백화점 오프라인 매장과 온라인에서 사전 주문제작과 예약, 고객들이 원하는 주소로 가능한 지역까지 배달하는 예약까지 한꺼번에 잡고 있었다.

전국에 있는 수많은 전통시장의 상인들은 추석을 앞두고 1천 원짜리 한장을 더 벌기 위해 각종 과일과 명절 음식에 쓰일 재료들을 판매용 매대에 잔뜩 쌓아놓고, 물량을 충분히 확보해놓은 뒤, 판매하고 있었다. 물건을 싸게 판매하는 내용을 확성기 없이 자신의 큰소리로 외쳤다.

...

9월 15일 월요일이었다. 지연이는 이날 새벽 5시에 기상했다. 이날 하루만 그렇게 기상하는 것이 아니었다. 항상 월요일은 새벽 5시면 잠에서 깬다. 매주 화요일부터 금요일까지는 이보다 더 일찍 깬다. 새벽기도에 가기 위해서다. 지연이는 씻고, TV로 뉴스를 틀어놓았다. 메인 뉴스 위주로 현재 세상이 어떻게 돌아가는지 출근 준비하면서 두 눈으로 보거나 소리로 듣기도 한다.

아침 6시 반이었다. 지연이는 평소 회사에 출근할 때 들고 가는 가방에 소지품을 모두 넣은 뒤 개인용 노트북까지 다 챙겨서 집을 나섰다. 지연이는 정장을 제대로 갖춰 입었다. 가방과 노트북을 들고 집 밖으로 나섰다. 지연이가 간 곳은 집 앞 지하 주차장으로 갔다. 그녀는 직접 자신의 차로 갔다. 직접 운전하여 회사로 출발했다.

출근길 강변북로와 올림픽대로는 늘 막힌다. 똑같은 일상이었다. 평소 출근할 때 지연이는 그녀 명의로 된 롤스로이스 고스트를 직접 운전하여 회사로 출근한다. 아침 8시에 본사로 출근 완료했다. 서울에 주소를 둔 본사는 정말 거대했다. 수원에 있는 삼성그룹 본사 규모보다 더 컸다.

차는 회사 지하 주차장에서 비어있는 곳 중 그나마 넓은 공간에 대놓았다. 지연이는 차에서 내렸다. 엘리베이터를 이용해 본사의 가장 꼭대기 층에 있는 CEO 사무실로 도착했다. 그녀의 소지품이 들어있는 가방은 그녀의 업무용 책상 의자에 두었다. 그러나 지연이는 자신의 자리에 잠시도 앉을 틈도 없었다. 회사에서 정식 일과를 시작하기 전에 지연이는 서서 짧은 기도를 했다. 지연이가 한 기도는 감사기도였다. 사무실 안에서 지연이는 평소보다 아주 분주하게 움직였다.

지연이가 직접 해야 할 일들이 유독 산더미처럼 쌓여있었다. 오늘이 1년에 단 한 번만 있는 정기 총회를 준비하기 위해서다. 분주히 움직였다. 평소 지연이를 전담하는 비서들도 그녀의 움직임에 맞춰서 분주히 움직였다. 정기 총회의 장소는 본사 지하에 있는 대회의장이자 메인 컨퍼런스 홀이었다. 이곳이 본사에서 가장 큰 장소다. 여기도 오늘을 위해 사전에 설치되어 준비 완료한 곳이다.

...

아침 10시였다. 서울 광화문 본사에서 보름 전부터 광고된 정기 총회가 시작되었다. 잠깐의 정막이 흘렀다. 긴장된 분위기였다. 미국과 캐나다 등 미주지역과 브라질, 페루 등 남미지역, 일본과 중국 등 아시아 전역, 영국, 독일 등 유럽 주요지역 등 세계 여러 나라 현지에 해외에 법인을 두고 운영 중인 수많은 현지의 회사와 동시로 진행되는 큰 정기 총회였다.

현지에서 근무 중인 수많은 현지인 직원들도 한국으로 가기 위해서 왕복 항공권 등 필요한 비용 등 큰돈을 안 쓰고 손쉽게 자국에서 한국 본부에서 열리는 정기 총회에 참석할 수 있도록 사전에 접속할 수 있는 링크를 각국의 사장단을 통해 보냈다. 마음 같아서 지연이는 회사에서 근무하는 모든 직원들과 함께 이 정기 총회를 진행하고 싶었다.

하지만 현실은 그러하지 않았다. 국내와 세계 현지에 근무 중인 최소 10만 명 이상에 달하는 모든 직원들을 한꺼번에 수용하고 거뜬히 감당할 수 있는 곳이 정말 마땅치 않았다. 부족했다. 그래서 이 일을 잘 대처하는 방법을 며칠을 공들여 동분서주하며 알아보았다. 그 방법이 사전에 미리 공중파 방송사에서 내보내는 뉴스나 실시간 중계처럼 라이브를 연결하였다.

다만, 해외에 법인을 둔 회사의 사장과 부사장 등 고위급 인사들은 총회가 있기 약 2~3일 전에 미리 현지에서 출발하는 항공편을 이용해 각국을 떠났다. 자신의 돈을 들여서 총회가 열리는 시간에 맞춰서 한국으로 들어온 것이다. 적게는 약 3시간에서 5시간, 많게는 약 36시간 비행을 하여 인천공항을 통해 한국에 입국했다. 오늘, 이 순간을 함께 했다. 그 사실을 알고 있는 지연이 또한 가만히 있을 리 없었다.

지연이는 평소에 영어를 모국어로 쓰는 원어민처럼 능통하게 사용 가능한 상황이다. 영어를 모국어로 쓰는 고위급 인사들은 지연이가 만나서 직접 상대하여 처리했다. 지연이는 시간이 되자, 정문으로 나와서 방문하는 고위급 인사들에게 인사도 직접 했다. 그들도 지연이를 만나기를 원했다.

하지만, 만약을 대비했다. 만반의 준비를 했어도 돌발상황이 언제 터질지 항상 긴장했다. 지연이는 총회를 위해 온 귀빈들을 위해 의전을 철저하고 세심하게 할 수 있도록, 작은 것에도 신경 써서 회의를 위해 온, 그들이 총회가 있는 기간동안 작은 것 하나에도 만족하고, 감동받고, 국내에서의 모든 일정동안 전혀 불편함 없이 고국으로 다시 돌아갈 수 있도록 꼼꼼하고 세심한 배려를 하도록 비서와 참모진들에게 일일이 지시했다.

오늘 총회에서 그녀가 메인이다. 해외에서 온 VIP들을 일대일로 전담하는 의전팀이 구성되었다. 또한, 이들이 총회에서 언어 때문에 지장이 없도록 일대일로 전담 마크할 수 있도록 전담 통역사를 붙였다. 뽑힌 통역사들은 모두 국제회의에서 각자 전공한 언어로 동시통역이 문제없이 가능한 국제회의 통역사들이다.

모국어 말고 각자 전공한 언어로 현지의 원어민처럼 유창하게 대화를 할 수 있는 능력자들이었다. 회의에 참석한 모든 통역사들이 직접 총회 본회의는 회의장 한쪽에 마련된 전용 부스로 들어가서 영어(미국식 영어와 영국식 영어로 모두 통역한다)와 중국어, 불어, 스페인어, 러시아어 등 총 6개 국어가 동시통역으로 진행할 예정이다.

이번 회의에 참석하는 모든 사람들이 서로의 언어 때문에 문제가 전혀 없도록 동시통역 시스템도 미리 구축해두었다. 설치하고 테스트까지 미리 마쳤다. 의전에 사소한 것까지 정말 세심하게 신경을 썼다. 또한, 회사로 들어오는 모든 입구에 오늘 정기 총회와 관련 회의를 위해 보안을 평소보다 더 강화한다는 안내문을 미리 붙여놓았다. 오해의 소지를 사전에 차단하기 위해서다. 또한, 총회에 발표될 중요한 사항이 사전에 유출되지 않기 위함이었다.

회사 밖과 본사 내부로 들어오는 모든 입구에는 보안관의 수를 대폭 늘려 타사의 직원들과 사전에 허가된 기자 등 언론사 직원들의 출입과 외부인들의 출입에 관해 보안을 더 강화했다. 간혹 핵심임원들끼리 중요한 회의할 때 본사 안에 외부인이 들어와서 문제가 발생하여 여러 번 골치 아픈 적이 있었다.

총회가 열리는 현장에서는 영어를 비롯해 6개 국어가 동시통역으로 진행된다. 하지만, 동남아시아 현지에서는 한국어와 영어를 각 나라의 말로 통역이 필요한 상황이었다. 힌디어나 태국어 등 전문으로 하는 사람들을 구하기 어려웠다.

원활한 총회를 위해 동남아시아 현지에서 일하는 많은 직원 중에서 한국말 또는 영어를 가장 잘하는 사람들까지 소수를 뽑아서 오늘을 위해 한국말과 영어를 모국어로 동시에 통역하는 동시통역을 시켰다. 뽑힌 직원의 입장은 굉장한 이익이었다. 회사에서 평소 자신이 일해서 받는 월급에 오늘 통역한 만큼에 대한 보상을 추가로 더 받을 수 있었기 때문이었다.

사회자의 진행에 따라 원활하게 흘러가고 있었다. 지연이는 총회 장소에 미리 도착해서 준비하고 있었다. 정시에 모두 모여서 듣고 있는 직원들의 눈에 보이지 않는 곳에서 자신의 차례를 기다리고 있었다. 한사람이 두 손으로 이동할 수 있는 원형 테이블에는 단단히 봉인해둔 봉투 2개가 가지런히 놓여있었다.

그 봉투에는 이번 총회를 통해 새로 출시하는 신제품이 들어있었다. 신제품 발표하는 순간까지 외부유출 방지 등 보안 때문에 철저하게 봉인을 한 것이다. 그것에 대해 모든 것을 자세히 알고 있는 사람은 CEO인 지연이와 그것을 개발하고 만든 몇몇 연구원과 엔지니어뿐이었다. 신제품이 나온다는 광고는 오래전부터 해왔기 때문에 이미 수많은 사람들이 알고 있었지만, 제대로 알고 있는 위의 사람들 말고는 아무도 없었다.

지연이는 신제품 관련 뉴스와 많은 언론사 기자들을 응대해 본 경험이 많아서 신제품을 공개하기 직전까지 기자회견에서 기자들의 예리한 질문에 요리조리 피해 가는 노련함을 보였다. 지연이의 두 손에는 중요한 내용과 자신이 직접 얘기해야 하는 다양한 멘트들과 총회 진행 순서들을 모두 적어둔 여러 장의 카드와 무선 마이크를 들고 있었다. 사회자의 소개를 받고 지연이는 단상으로 올라갔다.

지연이는 가장 먼저 그녀 앞에 있는 모든 사람들에게 먼저 고개 숙여 인사했다. 박수 소리가 들렸다. 지연이는 가장 먼저 인사했다. 그다음 마이크 들고 본격으로 시작했다. 그녀가 마이크 들고 말함으로 이번 총회의 본론이 시작되었다. 오늘 중요하고 핵심 내용을 PPT를 띄워 전하고 있었다. 갑자기 통신에 장애가 있어서 도중에 스크린 연결이 끊어졌다. 갑자기 화면이 이상해졌다. 지연이는 이 상황을 보고 유연하게 대처했다.

"살려주세요. 한국의 겨울 날씨가 많이 춥고, 간혹 눈이 많이 오는데 오늘따라 가을치고는 유독 추워서 통신선들도 꽁꽁 얼어붙었군요. 마침 오늘 일찍 끝내고 머리 식히러 경치 좋은 바다를 보러 밖에 나가볼까요?"

청중들은 지연의 말을 듣고 일부는 '네' 한 사람들도 있었지만, 대다수는 그녀의 능청스러운 농담에 웃었다. 시간이 한참 흘렀다. 모두가 궁금하고 가장 손꼽아 기다리고 있었던 신제품 공개 및 사용법 및 용도 등 제품을 소개하는 시간이 다가왔다. 지연이의 한 손에는 신제품이 담긴 잘 봉인된 봉투가 들려있었다. 청중들의 시선은 모두 그곳으로 집중되었다. 마침내 지연이는 봉인된 것을 모두 풀었다. 그 속에 있는 내용물을 꺼내서 두 손으로 들었다.

빠르고 숨 고를 틈도 없이 바람과 같이 변해가는 이 세상에 걸맞게 그 누구도 생각하지 못했던 혁신적인 신제품이었다. 이전에 본 적도, 경험해 본 적도 없는 새로운 제품이었다. 전자기기다. 이번에 새로 개발한 최첨단 기술을 모두 집어넣은 신제품이었다. 지연이는 신제품을 어떻게 사용하는지 말하면서 사용법을 직접 보여주었다. 새로 나오는 두 가지 제품 모두 다 똑같이 했다.

...

한참이 흘렀다. 정기 총회를 마무리하는 시간이 다가왔다. 지연이가 직접 총회 마무리하는 것까지 직접 하였다. 오늘 사회를 본 사회자는 관객석 한쪽에 앉아 있었다. 비어있는 맨 앞자리였다. 지연이가 잘 보이는 곳에 앉았다. 총회 중간 쉬는 시간에 지연이는 사회자에게 자신이 직접 마무리하겠다는 의사를 미리 전했다. 보이지 않는 곳에서 마지막까지 기다리고 있던 사회자에게 배려 한 것이다.

'마무리하러 강단에 나오지 말고, 오늘 총회 모두 끝나면 총회를 위해 온 본사 직원들과 해외에서 온 직원들과 함께 시간을 보내라.'는 내용이었다. 솔직히 사회자는 마무리하러 다시 나와야 하니 매우 긴장되고 떨렸다. 그걸 잘 알고 있었던 지연이는 미리 근처에 머물러 있었던 자신을 전담하는 비서를 불렀다. 지연이는 그 비서에게 위의 말을 사회자에게 전달하라는 말을 했다. 사회를 보는 사람에게 보내서 전한 것이었다.

"오늘 이 총회를 통해 여러분 모두를 볼 수 있는 것과 이 자리에 여러분과 함께하지 못했으나 해외에 나가 있는 직원들과 참여해주신 현지 직원들 모두에게 감사드립니다.

함께 오랜 시간 동안 신제품과 그것에 적용할 기술 개발을 위해 연구해오고 애써주신 유관부서와 연구원들, 보이지 않는 곳에서 오늘을 위해 자리를 마련하고 힘써주신 모든 분들께 감사드립니다. 수고하셨습니다. 편안한 오후 되십시오."

이 말이 끝나고 지연이는 그녀의 앞에 있는 모든 사람들에게 정중히 인사했다. 그녀가 허리 숙여서 인사함을 통해 총회는 모두 끝이 났다. 앉아서 듣던 많은 사람들 중 일부는 자기 자리에 일어서서 박수로 그녀에게 화답했다. 총회를 모두 마친 뒤, 지연이는 홀가분하고, 기뻤다. 한차례의 내적으로, 외적으로 힘겨운 싸움이 끝났다.

오랜 시간동안 매달려온 신제품 개발에 성공하고, 이후 엄청난 까다롭고 수많은 테스트를 거쳐서 마침내 완성했다. 총회 자리에서 정식으로 공개하기 전, 지연이는 중앙정부에 총회를 개최하기 1주일 전에 미리 관련 사항들을 정부 관계자들에게 모두 보고 완료했다.

그것을 오늘 정기 총회라는 공식 자리에서 모두에게 소개하기까지 우여곡절이 많았던 그동안의 시간을 다시 돌아보면서 감정이 벅차올랐다. 지연이는 움직이지 않고 한동안 강단에 서 있었다. 모든 것에 감사함을 느꼈다. 그동안 있었던 기억들이 그녀의 머리를 파노라마처럼 스쳐 지났다.

총회가 끝나자 현장에 있는 사람들이 빠져나가기 시작했다. 지연이는 총회가 끝날 때쯤, 모두 마무리하면서 복음을 전하는 일은 잊지 않았다. 꼭 전했다. 아직도 이곳에 불신자들이 많았다.

지연이는 언제 어디 가던지, 사람이 많은 곳이라면, 하나님의 복음을 전하는 것은 절대로 잊지 않았다. 그것도 지연이의 일이었다. 아직 믿지 않는 사람들이 70% 이상이었다. 의사가 있는 사람들은 지연이가 다니고 있는 교회인 세계로금란교회로 모두 인도를 했다. 그곳에 잘 정착할 수 있도록 지연이는 최선을 다해서 그들을 도왔다.

현장에서 사람들 간 교제도 있었다. 서로의 일상에 그동안 각자의 바쁜 업무로 인하여 자주 만나지 못했던 사람들을 만날 수 있어서 좋은 시간이었다. 사람들은 현장에서 퇴장하면서 입구에 미리 준비된 작은 답례품 한 개씩 챙겨갔다. 답례품의 내용물은 쿠키 4개와 백설기 떡이 하나씩 들어 있었다. 여기에 스타벅스 커피까지 포함되어있었다.

한참이 흘렀다. 홀에 있던 사람들은 모두 퇴장했다. 각자의 업무를 보러 갔다. 일부는 밖으로 이동했다. 자신의 근무처로 가기 위해서다. 지연이는 자신의 소지품을 모두 챙겨서 총회를 위해 특별히 설치된 메인 컨퍼런스 홀에서 빠져나왔다. 끝나자마자 바로 퇴장했다.

오늘을 위해 참석한 주요 인사들이 지연이보다 먼저 출입구로 와서 지연이를 기다리고 있었다. 그녀에게 감사 인사와 함께 악수를 청하고자 했다. 자신이 총괄로 직접 이끌어서 정기 총회를 아무 사고 없이 무사히 잘 끝날 수 있는 것에 감사했다. 바로 지금 이 순간, 그녀에게 모든 것이 꿈만 같았다. 황홀했다. 자신이 직접 인도하는 총회를 문제없이 잘 끝낼 수 있음에 감사했다.

지연이는 그녀의 업무를 보기 위해 컨퍼런스 홀에서 회사 꼭대기 층에 위치한 CEO 전용 사무실로 출발했다. 서둘렀다. 그녀의 전용 사무실에 특별한 손님이 미리 약속된 시간에 맞춰 지연이의 CEO 전용 사무실로 오고 있었기 때문이었다.

지연이가 발걸음을 옮기자, 그녀를 전담하여 수행하는 비서 등 전담 수행원 3명이 뒤따라 붙었다. 함께 이동하기 시작했다. 오후에 업무 종료 후 저녁은 어떻게 하는지, 가벼운 농담이 오고 가는 화기애애한 분위기 속에서 대화가 끊임없이 이어졌다.

지연이와 그녀를 전담하여 보필하는 수행원들과는 이미 2년 이상 오랜 시간동안 함께 회사에서 동고동락한 사람들이었다. 이들은 짧은 시간이지만, 함께 좋은 일과 다양한 일들과 어려운 일 등 산전수전을 겪었다. 이제 시시콜콜한 농담에는 웃으며 넘기는 사이였다. 엘리베이터가 열렸다. 지연이는 발걸음을 옮겼다. 빠른 걸음이었다. 이동하면서 여유를 부릴 시간이 없었다.

　마침내 지연이는 자신의 사무실에 도착했다. 지연이는 책상에 자신의 손에 있는 짐들을 두었지만 바로 책상에 앉지 않고 창가로 갔다. 그들은 한쪽에서 가만히 서 있었다. 복잡한 머리를 식히고 차분히 다음을 처리하기 위해 잠시 머리를 식히는 것이다. 자신들에게 어떤 업무 지시가 있을지 기다리고 있었던 것이다. 지연이는 그런 그들의 모습을 보고 이만 각자 업무들 보러 가도 된다고 말했다. 그녀의 비서는 자신의 업무를 처리하기 위해 잠시 비서실로 갔다.
　지연이의 사무실은 세련되고 고급스러웠다. 서울 신라호텔 등 5성급 호텔에서 볼 수 있는 것처럼 느껴졌다. 굉장히 넓었다. 창밖으로는 나무들과 도심에서 볼 수 있는 크고 빽빽하게 들어서 있는 고층빌딩들과 잘 어우러져 있었다. 지연이는 창밖을 내다보았다. 그녀의 사무실 한쪽은 통유리로 되어있었다. 바쁘게 돌아가는 도시의 모습이 보였다. 늦은 오후였다. 창문을 통해 햇빛이 그녀의 사무실에 들어오고 있었다.
　사무실 한가운데는 지연이가 직접 손님을 맞이할 수 있도록 구성되어 있었다. 그 앞에는 지연이가 업무를 보는 책상이 놓여있었다. 굉장히 세련되고 고급스러웠다. 사무실 한쪽 선반에는 그동안 그녀가 받은 수많은 큰 상의 상패와 트로피들이 놓여있었다. 보기 쉽게 잘 정리되었다.
　또한, 꽤 많은 사진들이 한 장씩 모두 정성스럽게 액자로 되어 지연이가 직접 상을 탄 상장과 트로피들 옆에 놓여있었다. 액자도 값싼 것이 아니라 모두 견고하게 만들어진 좋은 액자를 선택했다. 정성스럽게 잘 해두었다. 하나하나 작은 것까지 빼먹지 않고 모두 신경을 써서 작업했다.
　그 사진들은 모두 스승님과 지연이가 과거부터 최근까지 함께 찍은 사진들이었다. 필요한 용건이 있어서 지연이의 전용 사무실에 들어오는 다른 사람들의 눈에 잘 띄고, 지연이의 눈에도 잘 띄는 위치에 있었다. 그 사진들을 보면 언제 어디서 어떤 일을 했었는지 그 사진을 보면 모두 기억이

난다. 눈에 잘 띄는 다른 한쪽에는 ccm 등 다양한 음악을 들을 수 있는 깔끔하고 좋은 스피커가 놓여있었다.

그 스피커는 블루투스 기능이 있었다. 핸드폰으로 연결할 수 있는 기능이 있었다. 지연이는 스피커가 있는 곳으로 갔다. 스피커의 전원을 틀었다. 이 기능을 이용하여 그녀의 핸드폰에서 평소 즐겨듣는 유튜브 J체널에서 가장 듣고 싶은 것을 틀었다. 그녀가 튼 것은 '믿음과 삶'이다.

…

지연이는 자신의 사무실에 들어와서 바로 특별한 손님을 그 누구보다도 최고로, 존경하면서 오늘 왔던 그 어떤 VIP들보다 귀하게 진심으로 맞이했다. 특별한 손님은 다름이 아닌 그녀의 스승님과 그를 함께 보좌하는 참모진들이었다. 지연이가 모두 초대한 것이었다. 총회가 있기 일주일 전에 긴밀하게 연락해서 모두 협의 완료되었다. 지연이의 참모진까지 모두가 감사예배를 그녀의 CEO 전용 사무실에서 다 같이 드리기 위해서다.

지연이가 스승님을 직접 정성스럽게 모셨다. 또한, 그녀는 약 30분 전에 자신의 업무들을 보러 CEO 전용 사무실 옆에 있는 비서 전용 사무실로 비서들에게 미리 연락해두었다. 시간을 정확하게 맞춰 차와 다과를 준비해서 지연이가 있는 곳으로 왔었다. 지연이는 그들이 차와 다과류를 오래전부터 현재도 영국 왕실에 납품되며, 현지에서 애용하는 포트넘 엔 메이슨에서 나온 것으로 정성스럽게 준비하여 가져올 수 있도록 세심하게 말했다. 원래는 그녀가 직접 하는 것이 맞지만, 귀한 분을 두고 자리를 비울 수 없었기 때문이었다.

그녀의 머릿속에는 자신이 청년 시절 초라했던 시간부터 지금까지 스쳐 지나가는 수많은 생각과 감정들이 교차했다. 자신의 또래들보다 약 2년가량 일찍 사회생활을 시작한 것과 공부보다 사회에 나가서 지연이가 직접 행동해서 학교에서 절대 배우지 못하는 것을 직접 배워보겠다는 생각 하나로 학교를 완전히 떠나 사회로 발걸음을 옮겼었다. 지연이는 직장에 처음 입사해서 지금까지 겪었던 일들이 떠오르기 시작했다.

지연이는 19년이라는 오랜 시간동안 겪은 고초들과 힘든 시간을 그녀 홀로 감내했던 것, 모질었던 시간이 모두 끝나고 가족 전도로 처음으로 갔던 교회에서 처음 뵈었던 스승님을 떠올랐다.

　가진 것 없이 초라했던 자신을 지금 전 세계를 선도하는, 세계적인 기업을 이끌고 가는 CEO라는 높은 자리에 오를 수 있도록 성실함과 근면, 부지런함, 정직, 신뢰, 배려, 겸손, 아주 작은 일과 사소한 것에도 꼼꼼함과 세심함 사람 사이의 관계 등 기본과 밑바닥부터 철저하게 훈련을 받았다. 그 어디서도 받을 수 없는 정말 귀한 훈련이었다.

　돈 주고도 절대 할 수 없는 내용이었다. 그 속에는 오직 주님, 오직 예수님이라는 확고한 믿음과 세상의 것 그 어떠한 것과는 타협도 하지 않았다. 매일 하루도 빠짐없이 교회에 와서 무릎 꿇고 기도하는 훈련이 포함되어있었다.

　그와 함께 매일 교회에서 철저하고 성실하게 새벽, 저녁으로 최저 1시간이상 2시간씩 많으면 그 이상씩 모두 하나님께 상달되는 진실되고, 또 진실되게 통성으로 기도하는 것, 그 외 모두가 함께 저녁에는 직장 퇴근하고, 자신의 모든 일이 끝나고 바로 성전에 달려와서 하나님의 일을 했었다. 지연이는 몸은 지치고 피곤해도 행복했다.

　이 일에 관해 잘 모르거나 세상 사람들이 보기에는 가망이 없고, 초라한 모습인데 꿈은 너무 크다며 지적하는 사람들이 있어도 지연이는 그것에 아랑곳하지 않았다. 그런 좋은 본보기가 되는 사람들이 있었기 때문이다. 그런 사람들이 있기에 지연이처럼 처음은 너무 부족한 사람들도 '나도 할 수 있구나' 희망을 가지고 기도하며 직접 뛰는 동기부여가 되었다.

　그런 부족하고 초라했던 자신을 위해 그동안 했던 기도와 헌신과 많은 사랑을 주셨던 스승님이 너무도 감사했다. 스승님을 위해서라면 어떠한 것이든 전부 할 수 있다는 마음이, 자신이 대신 죽을 수 있는 진심이 우러나왔다. 진짜로 존경했다. 지금도 똑같다. 한결같았다.

　다음은 기쁜 일과 슬픈 일들을 오랜 시간동안 함께 동고동락해온 동료들이 떠올랐다. 그다음, 자신과 그들의 피와 땀, 수많은 노력들이 함께 떠올랐다. 특히 스승님을 생각하면 생각할수록 그녀 홀로 소리 없이 눈물 흘렸다. 멈추지 않았다. 계속 눈물이 나왔다. 눈물이 나왔다. 지연이의 눈물이 뺨을 타고 한 방울씩 바닥에 떨어졌다. 그것을 참아내기 위해 지연이는 창문을 통해 펼쳐지는 광활한 환경을 쳐다보았다. 자연과 도시의 절묘하게 이루어진 풍경이 장관을 이루고 있었다.

　지연이는 그동안 자신이 겪어왔던 모든 것들이 결코 헛된 것이 아님을 지금의 자신이 있기까지 누군가의 헌신이 있었다는 것을. 특히 자신이 아파도, 부족하고 초라한 모습을 보여도 믿음이 흐트러지지 않고 계속해서 뿌리 깊이 내리고 반석같이 단단해질 수 있도록 앞에서 인도해주는 사람이 있다는 것에 굉장히 고마워했다.
　여기에 지연이 자신과 서로를 위해서 집중적인 중보기도를 해줄 수 있는 사람이 있다는 것에, 현실에서 도망치고 싶은 너무도 힘든 상황에서도 '힘을 내라'며 응원해주는 사람이 있다는 것에 진심으로 감사하고 또 감사했다. 기도의 힘이 얼마 큰지, 기도해주는 것이 얼마나 중요한지 잘 알고 있는 지연이였기에 늘 고마움을 가지고 있었다.

　해외의 모든 일정에 지연이 자신도 전문 영어 통역사로서, 제대로 중보기도하며, 찬양팀으로, 함께 수행원으로서 함께 해외에 동행할 수 있는 것도, 그곳에서 벌어지는 하나님이 강하게 일하시고, 성령의 강한 불이 떨어지는 라마나욧의 장면을, 오순절 마가의 다락방을 자신의 두 눈으로 직접 볼 수 있는 것 또한, 모두 하나님의 은혜였다.

　지난 2024년도 4월 2일 아침이었다. 지연이는 인천국제공항 1터미널을 통해 아시아나 항공을 이용해서 항공편으로 출국했다. 목적지는 타이완, 타오위안 국제공항이다. 대만에 수행원으로 모든 것을 감당하기 위해서였다. 4월 6일까지 총 5일동안 현지에 머무를 예정이었다. 현지에 함께 가서 아무 문제 없이 모든 일정을 소화할 수 있는 것도 감사했다.
　현지로 출국한 뒤, 2일 차 아침이었다. 수도 타이페이에서 약 150km 떨어진 곳인 화롄지방에서 지난 1999년 9월 이후 25년만에 처음으로 진도 7이 넘는 큰 지진이 발생해도 털끝 하나 상하지 않고, 무사한 것과 현지에서 모든 일정을 소화하고, 아프지 않고 모두 건강하게 다시 대한민국으로 귀환할 수 있는 이 모든 것이 전부 하나님께서 일하신 것이다. 또래보다 늦은 나이에 해외로 나가서 너무 늦은 것이 아닌지 처음은 걱정이 들기도 했다.

하지만, 그것은 전혀 아니었다. 극히 지연이 자신의 국한된 생각이었다. 늦게 나가는 만큼, 그 오랜 시간동안 자신을 제대로 준비시켰으며, 모든 것이 하나님의 은혜였다.

내게 능력 주시는 자 안에서
내가 모든 것을 할 수 있느니라
빌립보서 4:13

미드나이트[Midnight]

발   행 | 2024년 4월 15일
저   자 | 윤연지
펴낸이 | 한건희
펴낸곳 | 주식회사 부크크
출판사등록 | 2014.07.15.(제2014-16호)
주   소 | 서울특별시 금천구 가산디지털1로 119 SK트윈타워 A동 305호
전   화 | 1670-8316
이메일 | info@bookk.co.kr

ISBN | 979-11-410-8107-2